La partie Rom : pour t'entraîner à ton rythme, e[...]

Des **activités interactives** en rapport étroit avec chaque unité du manuel, pour **réviser** de façon **ludique** (sur ton ordinateur, Mac ou PC) :

El Dictado

- Paula et Julio te **dictent** de **petits textes** pour t'entraîner à écrire en espagnol.

  Écoute, écris, puis imprime ou envoie la dictée à ton professeur !

Entrénate

- Entraîne-toi à la **compréhension de l'oral** tout en révisant les **points essentiels** de l'unité (lexique et grammaire).

Crucigramas

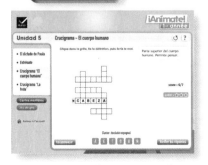

- Des **mots croisés** en espagnol.

Jeu de géo

- Deviens un(e) champion(ne) en **géographie espagnole** !

Cartes mentales

- 18 cartes mentales pour t'aider à mémoriser le **lexique** et la **conjugaison**.

¡Anímate!

Espagnol · 1re année A1 → A2

Fabienne Alais-Ferrand
Collège Jean Jaurès, Peyrolles (13)

Maryline Casana
Collège Les Pyramides, Évry (91)

Valérie Laluque
*Collège Henri de Navarre
et Lycée George Sand, Nérac (47)*

Ana María Palomo Delfa
École active Bilingue, Paris (75)

Isabelle Rey-Marceau
Collège Roquecoquille, Châteaurenard (13)

María Sastre Ocaña
Lycée Bernard Palissy, Agen (47)

¡Anímate! permet de valider certains items du Socle commun de connaissances et de compétences :

C2 **La pratique d'une langue vivante étrangère**
La méthode vise l'acquisition de structures et d'un lexique suffisants pour aborder des sujets simples (salutations, présentation...) de niveau A1 / A2 du CECRL. Par un travail régulier sur les cinq activités langagières, l'élève s'entraîne progressivement à comprendre et à se faire comprendre, à l'oral comme à l'écrit.

C4 **La maîtrise des techniques usuelles de l'information et de la communication**
Les Technologies de l'Information et de la Communication pour l'Éducation (TICE) sont présentes tout au long du manuel, dans des rubriques dédiées (*Ciberencuesta*) ou des activités ponctuelles (réalisation de diaporamas, envoi de mails...). Elles sont symbolisées par le picto ₿₂ᵢ .

C5 **La culture humaniste**
Par le biais de thématiques proches de son quotidien, l'élève est amené à comparer son univers avec celui qu'il découvre. Ce cheminement lui permet d'affirmer ses particularités tout en lui ouvrant un espace de connaissance de l'autre, propice à un contexte de communication.

C6 **Les compétences sociales et civiques**
La démarche actionnelle, suivie notamment dans les *Proyectos* et *Mini proyectos,* implique de travailler en équipe. Écoute de l'autre, recherche de consensus, respect des règles établies ensemble, sont autant de valeurs que l'élève est alors conduit à intégrer et à mettre en pratique.

C7 **L'autonomie et l'initiative**
En définissant ses propres méthodes de travail (mémorisation, recherche lexicale...), en réalisant seul des tâches de difficulté variable ou en apprenant à s'autoévaluer, l'élève prend peu à peu confiance en ses capacités et s'habitue à faire face aux situations proposées en toute autonomie.

Édition : Florence Pitti

Conception de la maquette :
Véronique Lefebvre
Christine Masson

Conception de la couverture : Grégoire Bourdin

Mise en page :
Christine Masson
Véronique Lefebvre (pages *Planeta hispánico*)

Iconographie :
Véronique Foz
Marthe Pilven (unité 1)
Nelly Gras (unité 2)

Illustrations :
Sandrine Fellay (p. 35, 70, 77, 80 activité 2, 101)
Perrin Keller (p. 30-31)
Isabelle Maroger (p. 22, 48)
Mauro Mazzari (p. 11, rubriques *Palabras* et pages *Palabras, Lengua* et *Evaluación* des unités 1 à 3)
San Millán (p. 54, *¡Adelante!,* rubriques *Palabras* et pages *Palabras, Lengua* et *Evaluación* des unités 4 à 8)
Bénédicte Voile (p. 39, 44, 67, 68, 73 activité 4, 76, 83, 89 activité 1, 108, 114, 115)

Cartographie : Édigraphie

Relecture scientifique : Anne-Marie Ferrus

Lecture et correction : Guillaume Fauvel

Nous remercions Raquel P. Delfa pour sa précieuse collaboration à ce manuel.

© Hatier – Paris, 2011. ISBN : 9 78 2 218 95803 8

Étudier une langue, c'est élargir ses frontières. Grâce à ¡Anímate!, tu vas découvrir les façons de vivre et de penser des 400 millions de personnes qui parlent espagnol dans le monde. Un univers proche du tien mais vécu ailleurs, et d'une manière différente, va se dévoiler à toi tout au long de l'année !

Communiquer à l'oral et à l'écrit

Pour que tu puisses t'exprimer et comprendre dans toutes les situations, les unités de ton manuel alternent des leçons centrées sur « l'oral » et des leçons centrées sur « l'écrit », et te proposent des documents et des rubriques adaptés aux spécificités de chaque mode de communication.
• À l'oral : Escucha pour travailler la compréhension de documents audio, Exprésate et Comunica, pour t'exprimer seul ou avec des camarades... et donner libre cours à ton imagination !
• À l'écrit : Lee pour t'exercer à comprendre des textes de différentes natures, Prepárate para escribir et Escribe, pour maîtriser l'expression écrite, de la rédaction de mails à celle de petits contes !

Être acteur de son apprentissage

Dans chaque unité d'¡Anímate!, tu pourras mener à bien, seul ou à plusieurs selon les cas, un projet motivant, ludique et original : le PROYECTO.
Pour t'y préparer de façon optimale, un MINI PROYECTO et de nombreux outils s'offrent à toi dans chaque leçon : si tu es à court de mots ou d'idées, reporte-toi à la rubrique PALABRAS. Pour une explication ou un rappel grammatical, l'encadré et les pages Lengua sont à ta disposition. Et si tu as besoin de quelques conseils de méthode, n'hésite pas à jeter un œil à la rubrique Lo útil para...

Découvrir d'autres cultures d'aujourd'hui

Avec les pages Tu serie, liées au DVD de la méthode, tu pourras suivre le quotidien d'adolescents espagnols d'aujourd'hui avec les aventures de Natalia, Javi, Belén et Miguel, quatre jeunes madrilènes.
Dans les rubriques Aprende y representa, des tableaux, poèmes ou encore extraits de pièces de théâtre t'apporteront des connaissances bien utiles en Histoire des Arts.
En lisant les pages Planeta hispánico, tu découvriras des personnes, des lieux, des aliments et des histoires qui construiront peu à peu ta culture du monde hispanique.

¡Anímate! est là pour t'accompagner pas à pas sur le chemin de l'apprentissage de l'espagnol. N'oublie pas d'être curieux et actif en classe pour aborder dans les meilleures conditions possibles cette nouvelle matière !

¡Anímate!

Les auteurs

Découvre une unité du manuel ¡Anímate!

Une page d'ouverture

Une photographie pour entrer dans la thématique.

L'annonce du projet que tu pourras réaliser à la fin de l'unité.

La **liste des objectifs** à atteindre pour réaliser ton projet :
• communication,
• grammaire (nouveautés et révision),
• lexique et civilisation.

Trois doubles pages de leçon
centrées sur l'**ORAL** ou sur l'**ÉCRIT**

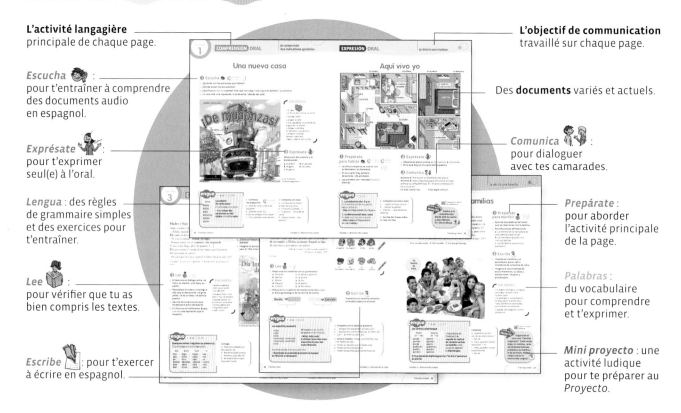

L'activité langagière principale de chaque page.

Escucha : pour t'entraîner à comprendre des documents audio en espagnol.

Exprésate : pour t'exprimer seul(e) à l'oral.

Lengua : des règles de grammaire simples et des exercices pour t'entraîner.

Lee : pour vérifier que tu as bien compris les textes.

Escribe : pour t'exercer à écrire en espagnol.

L'objectif de communication travaillé sur chaque page.

Des **documents** variés et actuels.

Comunica : pour dialoguer avec tes camarades.

Prepárate : pour aborder l'activité principale de la page.

Palabras : du vocabulaire pour comprendre et t'exprimer.

Mini proyecto : une activité ludique pour te préparer au *Proyecto*.

Une page *Tu serie*

Natalia

Miguel

Javier

Belén

Sports, vie au collège, fêtes, achats, voyages, amitié, famille, amour : découvre sur le DVD ou le CD classe **le quotidien** de quatre **adolescents espagnols**, à Madrid et Ségovie.

Une page *Palabras*

Des jeux pour revoir le vocabulaire de l'unité.

Deux *trabalenguas* à écouter sur ton CD pour t'entraîner à bien prononcer.

Deux pages
Lengua
(ou deux pages et demie)

Les points de grammaire
des rubriques *Lengua*
approfondis et illustrés.

Des exercices pour
les maîtriser.

Lo útil para...

Des conseils pour t'aider
à réaliser le *Proyecto*.

Aprende y representa

Pour aborder l'Histoire des Arts :

– un texte à apprendre et à jouer
pour travailler mémorisation,
prononciation et intonation,

– une œuvre représentative.

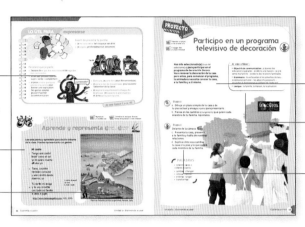

Une page *Proyecto*

La présentation du rôle que
tu vas jouer dans le projet.

Un rappel des objectifs utiles
pour le mener à bien.

Des étapes pour te guider
pas à pas dans sa réalisation.

Une double page
Planeta hispánico

Des textes courts et illustrés
pour découvrir des aspects de
la civilisation hispanique et
hispano-américaine.

Une rubrique *Busca el intruso*
pour retenir l'essentiel.

Une activité Internet
motivante : *Ciberencuesta*.

Une page
Evaluación

Cinq rubriques pour **faire le point
sur les activités langagières et les
objectifs** travaillés dans l'unité.

Dans ton Cahier d'activités,
une grille d'autoévaluation pour
suivre tes progrès.

Légendes des logos utilisés dans le manuel

p.18	Exercice supplémentaire dans le Cahier d'activités	
CD ÉLÈVE Piste 7	Enregistrements pour l'élève	
ROM	Activités sur la partie Rom du CD élève	
Balado diffusion	Activités de balado-diffusion sur www.animate-hatier.com	
DVD	Histoire suivie ou vidéo authentique sur le DVD	
CD CLASSE 1 / Piste 17	Enregistrements pour la classe	

Item du Socle commun travaillé

Activité TICE

Document pour travailler l'Histoire *Artes* des Arts

Sommaire

Sommaire

Baladodiffusion
Pour chaque unité, des documents audio et des fiches d'exploitation sur le site www.animate-hatier.com.

¡Adelante!

La vuelta al cole.

PROJETS de l'unité

J'illustre la première page de mon cahier d'espagnol.
Je crée un poster pour la classe d'espagnol.

A1 Je vais...

- Reconnaître des mots espagnols
- Épeler des mots en espagnol
- Comprendre des consignes de classe
- Compter jusqu'à dix
- Parler des couleurs, des saisons et des mois

Je vais utiliser...

- L'alphabet espagnol
- La numération de 0 à 10

Je vais découvrir...

- Le lexique de la classe, des couleurs, des saisons, des mois

¿Hablas español?

1 Escucha — CD CLASSE 1 / Piste 2

1. **Escucha y apunta** (note) **las palabras que conoces** (les mots que tu connais).

aficionado

chorizo

bandera

paella

¡Gracias!

¡Hola!

sangría

corrida

sombrero

¡Por favor!

siesta

gazpacho

¡Basta!

¡Bravo!

señorita

¡Hasta la vista!

fiesta

playa

2. **Di qué palabras no has oído** (tu n'as pas entendu).
3. **¿Conoces otras palabras en español? Puedes decirlas** (les dire) **o escribirlas** (les écrire).
4. **Calcula tu resultado.**

3 palabras	...>	No mucho.
6 palabras	...>	Un poco.
10 palabras	...>	¡Muy bien!
15 palabras	...>	¡Bravo!

Primeros pasos

❶ Prepárate para hablar

1. **Escucha y canta
el alfabeto español.**
CD CLASSE
1 / Piste 3
CD ÉLÈVE
Piste 2

A de Alba, B E de Belén,
C E de Clara, D E de Diego,
E de Emilio, E F E de Felipe,
G E de Gabi, H A C H E de Hortensia,
I de Irene, J O T A de Javier,
K A de Kevin, E L E de Lola,
E M E de Miguel, E N E de Natalia,
E Ñ E de Iñaki, O de Olga,
P E de Pablo, C U de Quino, E R R E de Rubén,
E S E de Santiago, T E de Telma,
U de Ulises, U V E de Violeta,
U V E / D O B L E de Walter, E Q U I S de Xania,
Y E de Yago
y Z E T A de Zoraida.

2. **Escucha los nombres
propios y escríbelos.**
CD CLASSE
1 / Piste 4

❷ Comunica

1. **Deletrea** *(épelle)* **el nombre de un(a) compañero(a).
Gana el primero / la primera que lo adivina.**

2. **Tu compañero(a) escoge** *(choisit)* **una palabra de la página anterior (p. 11)
y la deletrea. Tú la escribes.**

En clase

❶ Lee

¿Quién dice qué? Relaciona las expresiones con su dibujo *(dessin)*.

a Silencio, cállate.

b Saca el libro, por favor.

c Abrid el libro en la página nueve.

d Por favor, ¿qué significa la palabra "cuaderno"?

e ¿Cómo se dice la palabra "sac à dos" en español?

f ¡Presente! / ¡Soy yo! / ¡Aquí estoy!

1

2

3

4

5

6

❷ Comunica

1. **Mira bien el dibujo** *(dessin)*. **Cierra el libro y haz preguntas a un(a) compañero(a) para saber el nombre de cada objeto del dibujo.**

   ¿Cómo se dice ... en español...?

2. **Un(a) alumno(a) es el (la) profesor(a). Se dirige a los alumnos que obedecen** *(obéissent)* **a sus órdenes.**

la pizarra · el bolígrafo · la mesa · la pantalla · el ordenador · la mochila · el ratón · la silla · el cuaderno · el libro

Uno, dos, tres...

❶ Prepárate para hablar

1. Escucha y repite. CD CLASSE 1 / Piste 5 CD ÉLÈVE Piste 3

0 cero · 1 uno · 2 dos · 3 tres · 4 cuatro · 5 cinco · 6 seis · 7 siete · 8 ocho · 9 nueve · 10 diez

UNO, DOS, TRES...

CUATRO, CINCO, SEIS, SIETE, OCHO, NUEVE... ¡DIEZ!

"EN EL PRÓXIMO DUELO, MEJOR CONTAMOS HASTA DOS...¿DALE?"[1]

1. *Au prochain duel, ce sera mieux de compter jusqu'à deux… D'accord ?*

Liniers (dibujante argentino), *Macanudo 2*, 2007.

2. Escucha y memoriza. CD CLASSE 1 / Piste 6 CD ÉLÈVE Piste 4

Desfile de numeritos

El 1 delante
y el 2 detrás,
3, 4 y 5, 6 y 7,
siguen deprisa[1]
a los demás.

Pues ya vienen
apuraditos[2]
el 8 y el 9
con el cerito
que se quedó atrás[3].

1. *suivent rapidement*
2. *pressés*
3. *qui est resté derrière*

M. Goyri, www.jugarycolorear.com, 2010.

❷ Exprésate

1. Cuenta al revés de diez a cero.
2. Cuenta de dos en dos, a partir de cero y luego a partir de uno.

¿Cuál es tu número de teléfono?

Mi número de teléfono es el...

❸ Comunica

Pregunta a tu compañero(a) su número de teléfono y viceversa.

EXPRESIÓN ORAL

¿De qué color es?

rojo gris amarillo negro marrón rosa verde azul blanco violeta naranja

❶ Prepárate para hablar

CD CLASSE
1 / Piste 7

CD ÉLÈVE
Piste 5

Escucha y repite los colores.

❷ Comunica

Mira las banderas *(drapeaux)* del mapa *(carte)* de Hispanoamérica que está al final de tu libro. Elige *(choisis)* una y di los colores a tu compañero(a). Él/ella adivina de qué país se trata.

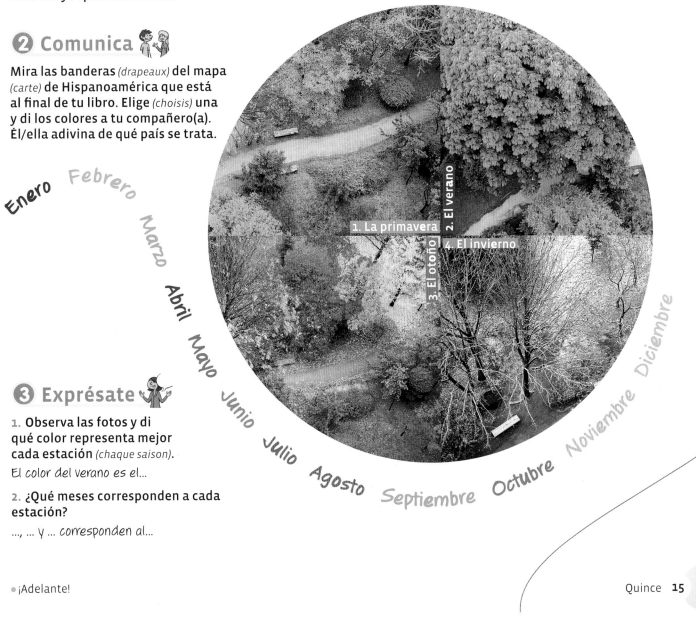

Enero Febrero Marzo Abril Mayo Junio Julio Agosto Septiembre Octubre Noviembre Diciembre

1. La primavera
2. El verano
3. El otoño
4. El invierno

❸ Exprésate

1. Observa las fotos y di qué color representa mejor cada estación *(chaque saison)*.

El color del verano es el...

2. ¿Qué meses corresponden a cada estación?

..., ... y ... corresponden al...

PROYECTO A

Ilustro mi cuaderno

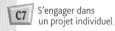

Je vais utiliser :

- l'alphabet espagnol.
- la numération de zéro à dix.
- les consignes de classe.

 Etapa 1

a. Busca en la unidad las frases o expresiones que te parecen necesarias para comunicarte en clase de español.

 Etapa 2

b. Haz una lista con las cuatro que te parecen más importantes.

 Etapa 3

c. Escríbelas en tu cuaderno de español de manera creativa, lúdica, ilustrándolas con dibujos o fotos.

¡Deja espacio libre para anotar las nuevas expresiones que vas a aprender más tarde!

PROYECTO B

Decoro la clase con carteles

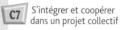

Je vais utiliser :

- l'alphabet espagnol.
- les consignes de classe.
- les saisons et les mois.
- les couleurs.

 Etapa 1

a. Los alumnos se dividen en tres grupos (alfabeto / instrucciones en clase de español / estaciones del año, meses y colores):

– El grupo A busca una palabra para cada letra del alfabeto español y dibuja el alfabeto ilustrado de manera divertida y atractiva.

– El grupo B hace una lista de las instrucciones y frases más corrientes en clase de español, elige cuatro y las ilustra con dibujos.

– El grupo C hace cuatro dibujos para ilustrar las cuatro estaciones, así como los colores y los meses que corresponden a cada una de ellas.

 Etapa 2

b. ¡Decorad vuestra clase!

Decorad vuestra clase.

¿Quién eres?

Balado diffusion

Dos chicas y dos chicos se saludan.

PROJET de l'unité

Je suis journaliste pour un magazine de cinéma pour adolescents et je réalise l'interview d'un(e) jeune acteur / actrice.

A1 Je vais...
- **Comprendre une présentation**
- **Dire comment je vais**
- **Comprendre des questions**
- **Présenter quelqu'un**
- **Comprendre une description**
- **Décrire physiquement quelqu'un**

Je vais utiliser...
- *Llamarse*, *ser* et *tener* au présent
- La phrase interrogative
- La négation simple
- Le genre et le nombre
- Les articles
- Le présent de l'indicatif (verbes réguliers)

Je vais réemployer...
- Les couleurs
- La numération de 0 à 10

Je vais découvrir...
- Le monde hispanophone
- Le lexique du collège, des salutations, des présentations, des nationalités, de la description physique

Me llamo Alejandro

❶ Escucha

CD CLASSE 1 / Piste 8 p.7

1. **Elige la respuesta correcta.**
   a. El documento es: *un monólogo / un diálogo entre varias personas.*
   b. Hablan: *dos profesores / tres alumnos y un profesor / dos profesores y dos alumnos.*

2. **Rectifica estas afirmaciones si es necesario.**
   a. Rosa es una nueva alumna.
   b. Alejandro es el amigo de Isabel.
   c. Es el primer día de clase de Alejandro.

3. **Completa la última** *(dernière)* **frase:** Hola, ... chicos.

4. **Deduce cuándo hablan las personas:** *por la mañana / por la tarde / por la noche.*

PALABRAS

• un(a) alumno(a)   • un(a) profesor(a)

• ¡Hola! ¡Buenas!   • ¡Buenos días!

• ¡Buenas tardes!   • ¡Buenas noches!

• ¡Adiós! ¡Hasta luego!

En clase.

la señora Belén Ibáñez

Sara

Rosa

Raúl

Martín

❷ Exprésate

1. **Presenta a las personas de la foto.**

2. **¿Cómo saluda la profesora por la mañana? ¿Y por la tarde?**

❸ Comunica

Es el primer día de clase. Con un(a) compañero(a), imagina el diálogo entre los chicos de la foto.

Lengua > p. 26 p. 7

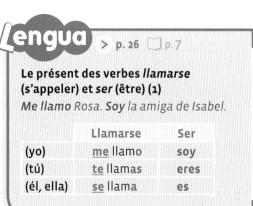

Le présent des verbes *llamarse* (s'appeler) et *ser* (être) (1)

Me llamo Rosa. *Soy* la amiga de Isabel.

	Llamarse	Ser
(yo)	me llamo	soy
(tú)	te llamas	eres
(él, ella)	se llama	es

1. **Utiliza el verbo *llamarse* para contestar o preguntar.**

CD CLASSE 1 / Piste 9

   a. ¿Cómo te llamas?
   b. ¿Cómo se llama tu mejor amigo(a)?
   c. ¿Cómo se llama tu colegio?
   d. ¿Cómo se llama tu actor favorito?
   e. Pregunta a tu compañero(a) cómo se llama.

2. **Completa con el verbo *ser*.**
   a. La señora Ibáñez ... la profesora.
   b. Yo ... una alumna.
   c. Tú ... la amiga de Ana.
   d. Raúl ... nuevo.

Hola, ¿qué tal?

❶ Prepárate para hablar

 CD. CLASSE
1 / Piste 10

p.8

1. **Di las palabras que oyes** *(tu entends)*: *chico / alumno / buenas tardes / hijo / profesor / amigas.*
2. **Completa.**
   Madre: ¿Y qué tal en el cole?
   Hijo: ...

❷ Comunica

1. **Es lunes, eres Gaturro y un(a) amigo(a) te pregunta qué tal estás. Contestas según el dibujo.**
2. **Te pregunta lo mismo el sábado. ¿Qué contestas?**

❸ Exprésate

Y tú, ¿qué tal estás los miércoles?
¿Y los domingos?
Explica por qué.

PALABRAS

¿Qué tal?   ¡Bien! / ¡Guay! / ¡Genial!

Vaya, vaya. / Regular.

¡¡Mal!! / ¡¡Fatal!!

- t**e**n**e**r [ie] clase, deb**e**res: *avoir cours, des devoirs...*
- t**e**ner [ie] piano, ballet, fútbol, gimnasia, piscina, yudo...

Evolución del estado de ánimo en la semana:

Martes   Miércoles   Jueves   Viernes

Sábado   Domingo   Lunes

Nik
(dibujante
argentino),
Gaturro 1,
2005.

www.mundogaturro.com

Lengua > p. 26   p. 8

Le présent du verbe *tener* (avoir) (1)
Tengo un amigo.

	Tener
(yo)	tengo
(tú)	tienes
(él, ella)	tiene

Completa con el verbo *ser* o *tener*.
a. Javi ... un alumno que ... muchos deberes.
b. –Y tú, ¿... deberes?
c. –Sí ... muchos deberes, porque ... una profesora que ... exigente.

C2 Établir un contact social

Mini **PROYECTO**

Al salir de la clase, saludas a un(a) nuevo(a) alumno(a) que parece simpático(a). Con un(a) compañero(a), imagina el diálogo.

¿Cómo te llamas?

Merceditas

CD CLASSE 1 / Piste 11 · CD ÉLÈVE Piste 6

1 –¿Cómo te llamas?
 –Merceditas para servirle…
 –Es un nombre muy bonito[1].
 –No, señor, es un nombre muy feo[2].
5 –¿Cuántos años tienes?
 –Diecisiete.
 –Eres muy joven[3]…
 –No, señor, ya no soy joven.
 –¿Tienes novio[4]?
10 –¡Huy! ¡Cuánto quiere saber!

Camilo José Cela (escritor español),
Viaje a la Alcarria, 1952.

1. *joli* - **2.** *moche* - **3.** *jeune* - **4.** *un novio: un petit copain*

PALABRAS

- 11 **o**nce
- 12 d**o**ce
- 13 tr**e**ce
- 14 cat**o**rce
- 15 qu**i**nce
- 16 diecis**é**is
- 17 diecis**i**ete
- 18 dieci**o**cho
- 19 diecinu**e**ve
- 20 v**e**inte
- 21 veint**i**uno

- 22 veintid**ó**s
- 23 veintitr**é**s
- 24 veinticu**a**tro
- 25 veinti**c**inco
- 26 veintis**é**is
- 27 veintisi**e**te
- 28 veinti**o**cho
- 29 veintinu**e**ve
- 30 tr**e**inta
- 31 tr**e**inta y **u**no

① Lee  p.9

1. ¿Cuántas personas hablan en este diálogo?
2. Hablan: *dos amigas / una chica y su novio / una chica y un señor.*
3. ¿Cómo se llama la chica?
4. Para el hombre, es un nombre … pero para la chica es un nombre …
5. ¿Cuántos años tiene la chica?
6. Para ella: *es joven / no es joven.*
7. Di todo lo que sabes de la chica.

② Escribe

Los dos jóvenes de la foto se encuentran por primera vez y se presentan. Escribe el diálogo.

Primer encuentro.

Lengua > p. 28 p. 9

1. La phrase interrogative

¿Tienes novio? ¿Tiene novio la chica?

• Pour **poser des questions**, on écrit un **point d'interrogation à l'envers au début de l'interrogation** (¿) et on **place le verbe avant le sujet**.

• Quelques mots interrogatifs : **¿Cómo?** (Comment ?), **¿Cuánto(-a, -os, -as)?** (Combien ?), **¿De dónde?** (D'où ?).

2. La négation simple (ne… pas)

No *soy joven.*

• Pour **exprimer la négation**, on emploie **no** devant le verbe.

1. **Escribe las preguntas que corresponden a estas respuestas.**
   a. Me llamo José.
   b. Tengo quince años.
   c. No, soy peruana.

2. **Contesta negativamente.**
   ¿Eres María? → No, no soy María, soy Merceditas.
   a. ¿Eres español? → No, no…
   b. ¿Tienes dieciocho años?
   c. ¿Eres profesor(a) de italiano?

¡Son famosas!

❶ Prepárate para escribir p.10

Completa la ficha de Mónica o la de Penélope.

Nombre: _____
Apellidos: _____
Edad: _____
Nacionalidad: _____
Domicilio: _____
Otras informaciones: _____

> Nos llamamos Penélope y Mónica Cruz Sánchez. Somos hermanas. Tenemos treinta y siete (37) y treinta y cuatro (34) años. Somos españolas, de Madrid. Tenemos un hermano. ¡Ah! Somos actrices y las mejores amigas del mundo.

❷ Escribe

Elige a dos miembros de una familia real o ficticia.

1. Redacta su ficha de identidad como en la actividad 1.
2. Imagina su presentación utilizando la tercera persona del plural. Puedes ayudarte con el texto de Mónica y Penélope.

   Se llaman...

PALABRAS

- el hermano, la hermana: *le frère, la sœur*
- los padres: *les parents*
- el primo, la prima: *le cousin, la cousine*

- alemán, alemana
- argelino(a)
- francés, francesa
- inglés, inglesa
- italiano(a)
- marroquí
- portugués, portuguesa
- tunecino(a)

Lengua > p. 26-27   p. 10

1. Le présent de *ser*, *llamarse* et *tener* (2)

	Ser	Llamarse	Tener
(yo)	soy	me llamo	tengo
(tú)	eres	te llamas	tienes
(él, ella)	es	se llama	tiene
(nosotros, as)	somos	nos llamamos	tenemos
(vosotros, as)	sois	os llamáis	tenéis
(ellos, ellas)	son	se llaman	tienen

2. Le nombre (singulier – pluriel)
- Mot **terminé par une voyelle sauf -*i* ou -*y* :**
  on ajoute -*s*. *la hermana → las hermanas*
- Mot **terminé par une consonne, -*i* ou -*y* :**
  on ajoute -*es*. *mejor → mejores*

1. ¿*Llamarse*, *tener* o *ser*?
a. La chica ... Elena y ... italiana.
b. Mis dos mejores amigos ... 14 años y ... franceses.

2. Escribe en plural.
a. Es mi mejor amigo.
b. Tú eres la hermana de Mario.

B2i C2 Écrire un message simple

Mini PROYECTO

Le escribes un e-mail a tu amigo(a) español(a). Le hablas de tu mejor amigo(a) y le haces preguntas sobre su mejor amigo(a).

Adivina quién soy

1 **Escucha** 🎵 CD CLASSE 1 / Piste 12 p.11

Di a qué personaje corresponde cada descripción.

rubia(o)

moreno(a)

pelirroja(o)

las pecas

1 **2** **3**

calvo(a) las gafas castaño(a) los ojos azules

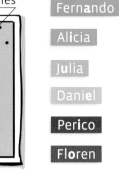

Fernando

Alicia

Julia

Daniel

Perico

Floren

4 **5** **6**

PALABRAS

• el bigote • la barba

• el pelo largo ≠ corto

• el pelo rizado ≠ liso

• la trenza

• bajo(a) ≠ alto(a)

• gordo(a) ≠ delgado(a)

• feo(a) ≠ guapo(a)

2 **Comunica** 👫

Piensa en un(a) famoso(a) de tu elección o en un(a) alumno(a) de la clase.
Tus compañeros adivinan de quién se trata haciendo preguntas.
Sólo puedes contestar *sí* o *no*.

Lengua > p. 27 📖 p. 11

1. **Le genre (masculin – féminin)**
• **Mots terminés par -o** : ils forment leur **féminin en -a**.
Pablo es moreno. Lucía es morena.

• **Mots terminés par une consonne** : on forme en général le
féminin en ajoutant un -a. *Pablo es español. Lucía es española.*

2. **Les articles définis et indéfinis**

	Singulier	Pluriel
Articles définis	**el / la** (el amigo, la amiga)	**los / las** (los amigos, las amigas)
Articles indéfinis	**un / una** (un amigo, una amiga)	**Ø** (amigos)

1. **Escribe en masculino.**
a. la chica pelirroja
b. las alumnas simpáticas
c. una hermana famosa

2. **Escribe en femenino.**
a. un chico pequeño
b. un profesor español
c. los amigos americanos de Luis

3. **Escribe en plural.**
a. El chico es español.
b. El amigo de Juan tiene diecisiete años.

¿Cómo son?

① Prepárate para hablar

1. Rafa vive en: *Cataluña / Andalucía / Castilla.*
2. Habla: *español / francés / catalán.*
3. Su pelo es: *largo y rizado / moreno y rizado.*
4. Sus ojos son: *azules / verdes / negros.*
5. Es: *delgado / bajo / alto.*

CD CLASSE
1 / Piste 13

CD ÉLÈVE
Piste 7

p.12

② Exprésate

1. Presenta y describe a la persona de la foto n°1.
2. Eres la persona de la foto n°2. Preséntate y descríbete.

1. Elsa Pataky, una actriz española.

Estatura: 1,61m
País de residencia: Estados Unidos
Lenguas habladas: español, inglés

Estatura: 2,13m
País de residencia: Estados Unidos
Lenguas habladas: español, catalán, inglés

2. Pau Gasol, un jugador de baloncesto español.

Lengua   > p. 26   p. 12

Le présent des verbes réguliers
Hablo francés. Aprenden a contar.
Vives en Andalucía.

Hablar	Aprender	Vivir
hablo	aprendo	vivo
hablas	aprendes	vives
habla	aprende	vive
hablamos	aprendemos	vivimos
habláis	aprendéis	vivís
hablan	aprenden	viven

Contesta.

CD CLASSE
1 / Piste 14

a. ¿Dónde vives?
b. Tú y tus compañeros, ¿qué lenguas estudiáis?
c. ¿Qué lenguas hablan tus padres?
d. Tú y tus amigos, ¿comprendéis el japonés?
e. ¿Dónde vive tu mejor amigo?

C2 Décrire, raconter, expliquer

mini PROYECTO

Estás en un parque con un niño pequeño y se pierde *(il se perd).* Se lo describes a un policía que te ayuda a encontrarlo.

Avec **DVD** ou **CD** classe

Un nuevo amigo

DVD Séq. 1   CD CLASSE 1 / Piste 15   p.13

1 **Mira las fotos y responde.**

a. Imagina las preguntas que hacen los chicos en la foto 3.

b. Describe a uno de los chicos de la foto 4.

c. Imagina lo que dicen los chicos en la última foto.

2 **Mira el vídeo o escucha la grabación y responde.**

a. El chico nuevo es de: *Barcelona / Alicante / Valencia*.

b. Javier tiene: *catorce años / quince años / dieciséis años*.

c. Los chicos: *se han confundido* (se sont trompés) *de móvil / tienen la misma música de móvil*.

PALABRAS

- la j**e**fa de est**u**dios: *la conseillère d'éducation*
- el m**ó**vil: *le portable (téléphone)*
- simp**á**tico(a)
- cono**ce**rse: *faire connaissance*
- ¡Qué coincid**e**ncia!

El colegio

1 Luis nos presenta su colegio.
Completa las frases con las
palabras siguientes: *clase – colegio –
profesora – alumnos – amigos.*

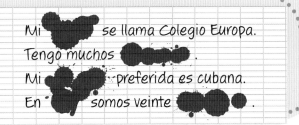

Mi ⬛ se llama Colegio Europa.
Tengo muchos ⬛.
Mi ⬛ preferida es cubana.
En ⬛ somos veinte ⬛.

Los saludos

2 **Relaciona cada expresión con la imagen correspondiente.**
  a. Vaya, vaya. / Regular.
  b. ¡Adiós! / ¡Hasta luego!
c. ¡Guay! / ¡Genial!
d. ¡Buenos días!
e. ¡¡Fatal!!
f. ¡Buenas noches!
g. ¡Buenas tardes!

Las presentaciones

3 **Relaciona cada palabra con su definición.**
a. la edad
b. el domicilio
c. la nacionalidad
d. los apellidos

1. Relativo al país donde
nací *(je suis né, e).*
2. En España tienen dos, el
del padre y el de la madre.
3. Relativo a los años.
4. Es el lugar donde vives.

Las nacionalidades y la descripción

4 **Busca el intruso.**
  a. argentino español México costarricense
b. rubio marrón castaño moreno
c. largo gafas corto liso
d. once veinte donde catorce

5 **Copia este cuadro. Tus compañeros y tú tenéis
cinco minutos para completarlo con adjetivos.
Gana el que más palabras correctas escribe.**

Para describir a una persona	Para hablar del pelo	Para hablar de la nacionalidad

La descripción

 Da lo contrario de...
a. alto   c. feo
b. gordo d. corto

Trabalenguas

CD CLASSE
1 / Piste 16

CD ÉLÈVE
Piste 8

C2 Reproduire
un modèle oral

En espagnol, toutes les lettres écrites se prononcent de façon distincte.

1
De Paraguay a Uruguay,
¡cuánto viento hay!
Hay buen viento
de Paraguay a Uruguay.

2
Paula cuenta
veinte cuentos.
¿Cuántos cuentos
cuenta Paula?

ROM
Plus d'activités
sur ton CD-Rom

1) Le présent de l'indicatif des verbes réguliers > Précis n°s 31A, 16, 17 • Conjugaisons p. 164

● En espagnol, il existe **trois groupes de verbes** : les verbes se terminant en **-ar** (1er groupe), en **-er** (2e groupe) et en **-ir** (3e groupe). Les terminaisons sont différentes pour chacun :

Pronoms personnels sujets	1er groupe (-ar) Hablar (parler)	2e groupe (-er) Aprender (apprendre)	3e groupe (-ir) Vivir (vivre)
(yo)	hablo	aprendo	vivo
(tú)	hablas	aprendes	vives
(él, ella)	habla	aprende	vive
(nosotros, nosotras)	hablamos	aprendemos	vivimos
(vosotros, vosotras)	habláis	aprendéis	vivís
(ellos, ellas)	hablan	aprenden	viven

● **Un verbe pronominal** : *llamarse* **(s'appeler)**

Llamarse est un **verbe pronominal ou réfléchi** : à l'infinitif, **le pronom personnel réfléchi est soudé à la fin du verbe** (*llamarse, llamaros*). Mais quand le verbe est conjugué, le pronom se place devant le verbe (*me llamo, se llama*).

● **Les pronoms**

– Il ne faut pas confondre les **pronoms sujets** (*yo, tú, él...*) et les **pronoms réfléchis** (*me, te, se...*).

– Les **pronoms personnels sujets ne sont pas obligatoires** et ne s'emploient que pour insister.
En effet, la terminaison du verbe suffit à indiquer le sujet :
*Habl**as** español.* (→ *tú*)

Llamarse (s'appeler)
me llamo
te llamas
se llama
nos llamamos
os llamáis
se llaman

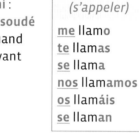

1 Completa con los verbos *hablar, aprender* o *vivir*.
a. Soy peruano, ... en Perú.
b. Pierre ... francés pero en el colegio ... español.
c. Mi mejor amigo y yo ... en la misma calle.
d. Los argentinos ... español.

2 Conjuga los verbos en la persona adecuada.
a. El profesor ... (escribir) en la pizarra y los alumnos ... (escribir) en el cuaderno.
b. Pedro y yo ... (estudiar) mucho para aprobar (*réussir*) la evaluación.
c. ... (hablar) mucho y soy simpática.
d. Lola y Marta, ¿dónde ... (vivir)?

3 Completa añadiendo los **pronombres reflexivos** (*pronoms réfléchis*).
a. Mi amigo ... llama José.
b. Chicas, ¿cómo ... llamáis?
c. ... llamo Teresa, y tú, ¿cómo ... llamas?
d. Estos alumnos ... llaman Víctor y Raúl.
e. ... llamamos Diego y Carlota.

2) Le présent de l'indicatif de deux verbes irréguliers : *ser* et *tener* > Précis n° 26 Conjug. p. 166

Pronoms personnels sujets	Ser (être)	Tener (avoir, posséder)
(yo)	soy	tengo
(tú)	eres	tienes
(él, ella)	es	tiene
(nosotros, nosotras)	somos	tenemos
(vosotros, vosotras)	sois	tenéis
(ellos, ellas)	son	tienen

● *Ser* est utilisé pour **présenter quelqu'un**, pour **indiquer la nationalité**, pour **indiquer l'origine** et pour **décrire**.
*Soy Lionel Messi, **soy** argentino, **soy** de Rosario, **soy** futbolista.*

4 Completa con el verbo *ser*.
a. –(Yo) ... una alumna del colegio Lorca. ¿Y vosotras?
b. –Nosotras también ... alumnas de este colegio.

5 Completa con el verbo *tener*.
a. –Miguel, ¿cuántos años ... tus amigas Marta y Rosa?
b. –Marta ... 13 y Rosa ... un año más.

3 Les articles définis et indéfinis ⟩ Précis n°4

	Les articles définis	Les articles indéfinis
Masculin singulier	*el chico*	*un chico*
Féminin singulier	*la chica*	*una chica*
Masculin pluriel	*los chicos*	Ø
Féminin pluriel	*las chicas*	Ø

● **Attention** : l'article indéfini pluriel « des » ne se traduit pas en espagnol.
Tengo amigos.

6 **Escribe en singular.**
a. los nombres
b. las chicas
c. personajes
d. artistas
e. las mujeres
f. profesoras
g. los periodistas
h. amigos

7 **Completa con el artículo adecuado.**
a. ... mejor amigo de Lucía vive en ... país europeo.
b. ... cuaderno de Luis, ... agenda de Ana y ... gafas de José son azules.
c. ... libros de español son interesantes.

4 Le genre (masculin - féminin) ⟩ Précis n°5

● **En espagnol, les mots terminés par la voyelle -o** font leur **féminin en -a**.
Su amigo es rubio. → Su amiga es rubia.

● **Avec les mots terminés par une consonne,** on forme en général le **féminin en ajoutant un -a**.
el profesor español → la profesora española

● **Il existe aussi des mots qui n'ont qu'une seule forme au masculin et au féminin.**
el chico inteligente → la chica inteligente
el cuaderno azul → la silla azul
un día importante → una fecha importante
un hombre elegante → una mujer elegante

8 **Escribe las frases en masculino.**
a. Mi amiga es española.
b. La joven es muy alta.
c. La profesora es francesa.
d. La pintora es mexicana.

9 **Completa las dos columnas del cuadro y escribe el artículo definido correspondiente.**

Masculino	Femenino
	la goma

a. goma
b. bolígrafo
c. regla
d. rotulador
e. pluma
f. libro
g. cuaderno
h. agenda
i. pizarra
j. diccionario

5 Le nombre (singulier - pluriel) ⟩ Précis n°6

● **Les noms et adjectifs terminés par une voyelle sauf *i* et *y* font généralement leur pluriel en -s**.
simpático → simpáticos
la goma → las gomas

● **Les noms et les adjectifs terminés par une consonne, *i* ou *y* font généralement leur pluriel en -es**.
el profesor → los profesores
azul → azules

● **Les noms et adjectifs terminés par -z font leur pluriel en -ces**.
la actriz capaz → las actrices capaces

10 **Escribe estas frases en plural.**
a. El amigo de Alejandra no es rubio.
b. Él es profesor.
c. La chica vive en Madrid.
d. No soy argentina.
e. La actriz es francesa.

6 La négation simple : « ne... pas » > Précis n°18

● En espagnol, **pour exprimer la négation,** on emploie *no* devant **le verbe.**
Juan es español. Paul no es español.

11 Transforma las frases siguientes con la negación.
a. Vivimos en Madrid.
b. Me llamo Juan.
c. Elena habla con el profesor.

7 La phrase interrogative > Précis n°19

● **Pour poser des questions,** il ne faut pas oublier le **point d'interrogation à l'envers au début de l'interrogation** (¿).

Voici les principaux mots interrogatifs :
- *¿Cómo?* Comment ?
- *¿Cuándo?* Quand ?
- *¿Cuántos? / ¿Cuántas?* Combien ?
- *¿De dónde?* D'où ?
- *¿Dónde?* Où ?
- *¿Por qué?* Pourquoi ?
- *¿Qué?* Que ? Quel(s) ? Quelle(s) ? Quoi ?
- *¿Quién? / ¿Quiénes?* Qui ?

Les mots interrogatifs portent toujours un accent écrit et quelques-uns s'accordent avec le mot qui suit.

12 Completa con el interrogativo necesario.
a. ¿... te llamas?
b. María y Paco, ¿... años tenéis?
c. ¿... viven los andaluces?
d. ¿... es esta señora rubia?

13 Escribe las preguntas que corresponden a estas respuestas.
a. Soy Javier.
b. Me llamo Julia.
c. Tengo trece años.
d. Vivo en Madrid.
e. Soy española.
f. Hablo francés y español.

 Reproduire un modèle oral
 Connaître et pratiquer diverses formes d'expression à visée littéraire

Aprende y representa

 CLASSE 1 / Piste 17   CD ÉLÈVE Piste 9   **Artes**

Lee este diálogo y apréndelo de memoria con un(a) compañero(a) para decirlo ante la clase.

¿Vienes mucho a este bar?

1 FERNANDO: ¿Cómo te llamas?
LIDIA: Lidia... Bueno... Lidia Constanza.
FERNANDO: Es un nombre precioso. [...]
LIDIA: ¿Y tú?
5 FERNANDO: Fernando... Berrugón. Eso... Fernando.
LIDIA: Berrugón.
FERNANDO: Sí. [...] *(Después de una pausa.)* ¿Estudias o trabajas? [...]
LIDIA: *(Después de otra pausa.)* Estudio. [...] ¿Tú vienes
10 mucho a este bar?
FERNANDO: Los miércoles. Sólo los miércoles.
LIDIA: Hasta el miércoles, Fernando.
FERNANDO: Adiós, Lidia...

Adolfo Marsillach (escritor español), *Feliz aniversario*, 1990.

Fernando Botero (pintor colombiano), *Pareja bailando*, 1987.

Foto cortesía del Museo Botero del Banco de la República

PROYECTO

 C2 • Établir un contact social
• Demander et donner des informations

 C7 S'intégrer et coopérer
dans un projet collectif

Entrevisto a un actor o a una actriz

Juego de rol:

- **Alumno A: Eres periodista** *(journaliste)* **y entrevistas a un(a) joven actor o actriz.**

- **Alumno B: Eres un(a) joven actor o actriz. Te presentas y presentas al personaje que interpretas.**

Je vais utiliser :

● **Objectifs de communication :** Je comprends une présentation – Je dis comment je vais – Je comprends des questions – Je décris physiquement quelqu'un.

● **Grammaire :** le présent de l'indicatif de *llamarse*, *ser* et *tener* et des verbes réguliers – la phrase interrogative – la négation simple.

● **Lexique :** les salutations, les présentations, la description.

Etapa 1

a. Con tu compañero(a), decide la identidad del actor o de la actriz y completa la ficha siguiente.

- Nombre:
- Apellidos:
- Edad:
- Domicilio:
- Nacionalidad:
- Lenguas habladas:

Etapa 2

b. El alumno A prepara las preguntas de la entrevista:

– Preguntas sobre el actor / la actriz.

– Preguntas sobre el personaje en la película.

El alumno B imagina la descripción física de su personaje. Puede escribir algunas palabras en su cuaderno.

Etapa 3

c. Con tu compañero(a), representa la escena de la entrevista.

¡Podéis grabarla o filmarla!

El actor mexicano Gael García Bernal.

PALABRAS

● Es una película hist**ó**rica / de aventuras / de ciencia ficci**ó**n / de am**o**r / de acci**ó**n.
● Es un person**a**je simp**á**tico / antip**á**tico.
● T**e**ngo el hon**o**r de entrevist**a**r a…
● V**a**mos a habl**a**r de…: *Nous allons parler de…*

¡EN TODO EL MUNDO SE HABLA ESPAÑOL!

¿Sabes que el español o castellano es una lengua hablada en veintiún (21) países? ¿Cuáles conoces? Pues son: España, diecinueve países de Hispanoamérica y Guinea Ecuatorial (África).

Hola, me llamo Lucy y soy mexicana. Vivo en México y hablo español e inglés.

MAPA DE HISPANO AMÉRICA

ESTADOS UNIDOS

MÉXICO
México

HONDURAS
La Habana **CUBA** **REPÚBLICA DOMINICANA**

GUATEMALA
Guatemala Tegucigalpa San Juan
San Salvador Santo **PUERTO RICO**
EL SALVADOR Managua **NICARAGUA** Domingo
COSTA RICA San José
Panamá

PANAMÁ Caracas
ECUADOR Bogotá **VENEZUELA**
Quito **COLOMBIA** **OCÉANO**
ATLÁNTICO

PERÚ
Lima **BRASIL**

OCÉANO
PACÍFICO **BOLIVIA**
La Paz

PARAGUAY
CHILE Asunción

Santiago **URUGUAY**
Buenos Aires Montevideo
ARGENTINA

Cabo de Hornos

ESTEBAN
argentino
Buenos Aires
español e italiano

PAULA – CATY – TAMARA
costarricenses
San José
español y francés

BLANCA
boliviana
La Paz
español y alemán

- argentino(a)
- boliviano(a)
- chileno(a)
- colombiano(a)
- costarricense
- cubano(a)
- dominicano(a)
- ecuatoriano(a)
- guatemalteco(a)
- hondureño(a)
- mexicano(a)
- nicaragüense
- panameño(a)
- paraguayo(a)
- peruano(a)
- puertorriqueño(a)
- salvadoreño(a)
- uruguayo(a)
- venezolano(a)

1. Presenta a los jóvenes de las fotos 2, 3 y 4.
2. Asocia cada adjetivo de nacionalidad con su país.

5

Hola, me llamo Javier, soy español, de Alicante. Hablo español y valenciano.

6

MIGUEL
español
Madrid
español e inglés

3. Presenta al chico madrileño.

Busca el (los) intruso(s)

1. Se habla español en: *Argentina / Brasil / Colombia / España / Guinea Ecuatorial.*

2. Viven en Hispanoamérica: *Esteban – Miguel – Blanca.*

3. Es mexicana: *Caty – Lucy – Blanca.*

4. La capital de Costa Rica es: *Madrid – Buenos Aires – San José.*

5. Hablan español e inglés: *Miguel – Lucy – Javier.*

6. La Sagrada Familia está en: *Sevilla / Valencia / Barcelona.*

¡Qué curioso!

España está formada por diecisiete comunidades autónomas. El español (castellano) es la lengua oficial del país pero también se hablan otras lenguas: el vasco en el País Vasco, el catalán en Cataluña, el valenciano en la Comunidad Valenciana y el gallego en Galicia.

@ Ciberencuesta B2i

Eres redactor(a) para una guía turística en español.

1. Consulta el sitio Internet www.animate-hatier.com para preparar la ficha de presentación de una comunidad autónoma de España o de un país de Hispanoamérica. Sigue el modelo.

- País o comunidad autónoma:
- Nombre de los habitantes:
- Número de habitantes:
- Capital:
- Colores de la bandera:
- Símbolos de la bandera:
- Lengua(s):
- Especialidades gastronómicas:
- Monumentos principales:
- Personajes famosos:

2. Escribe un párrafo para presentar otras particularidades de la comunidad o del país elegido. Puedes hacer tu trabajo utilizando un ordenador.

Evaluación

1 Je peux comprendre une brève présentation de quelqu'un.

CD CLASSE
1 / Piste 18

Escucha el mensaje del contestador.

1. **Elige la respuesta correcta.**
a. Es el contestador de: *Ana / Laura / Paula.*
b. La persona que deja un mensaje se llama: *Ana / Laura / Lucía.*
c. El nuevo alumno se llama : *Óscar / Jorge / Juanjo.*
d. Es: *bajísimo / gordísimo / guapísimo.*
e. Tiene: *acento / gafas.*

2. **Di qué número de teléfono oyes.**
a. 620 131 867   b. 720 131 876   c. 620 131 967

2 Je peux décrire physiquement quelqu'un.

Estás en el aeropuerto y esperas a tu nueva amiga por correspondencia. Ella te llama por teléfono porque **no te ve** *(elle ne te voit pas)*. **Te describes.**

3 Je peux poser des questions et me présenter.

1. **En parejas. Cada uno(a) elige ser una persona famosa.**
2. **Cada uno(a) adivina quién es su compañero(a) con preguntas.**

- Edad:
- Nacionalidad:
- Lenguas habladas:
- Características físicas:

4 Je peux comprendre la présentation de quelqu'un.

Mi amigo Freddy
Freddy es alemán y es mi amigo y vecino[1]. Su padre es muy alto y su madre también. Los tres son rubios y con los ojos azules. Todo lo contrario que en mi familia. […]

> Mabel Piérola (escritora española),
> *Las piernas del verano*, 2005.

1. *voisin*

Lee el texto y di si las afirmaciones son verdaderas o falsas. Justifica tus respuestas.
a. Freddy es español.
b. Freddy es compañero de la chica que habla.
c. Los padres de Freddy son altos.
d. Freddy tiene los ojos azules.

5 Je peux me présenter et me décrire brièvement.

Escribe un texto para participar en un casting de jóvenes actores para un anuncio *(une publicité)*. **Preséntate (nombre, apellido, edad) y descríbete.**

> **Fais le point sur tout ce que tu as appris en remplissant la grille d'autoévaluation de ton Cahier d'activités p. 13.**

C5 Savoir s'autoévaluer

¡Bienvenido a casa!

Una familia en su casa.

PROJET

de l'unité

Je participe à une émission de télévision pour redécorer ma maison en fonction de ce que veut ma famille.

A1 **Je vais...**

- **Comprendre des indications spatiales**
- **Décrire une maison**
- **Comprendre la présentation d'une famille**
- **Décrire une famille**
- **Comprendre des relations familiales**
- **Parler d'une action en cours**

Je vais utiliser...

- *Estar* et les adverbes de lieu
- La traduction de « il y a »
- *Este / esta*
- Les adjectifs possessifs
- Quelques verbes à diphtongue
- Quelques verbes irréguliers (1)
- *Ir a* + infinitif
- Le présent progressif

Je vais réemployer...

- La phrase interrogative
- La négation simple

Je vais découvrir...

- La famille royale espagnole
- Un peintre espagnol : Goya
- Le lexique de la localisation, de la maison, de la famille, des actions quotidiennes

Una nueva casa

❶ **Escucha**  CD CLASSE 1 / Piste 19 p.14

1. ¿Quiénes son las personas que hablan?
2. ¿Dónde están los dos adultos?
3. ¿Qué busca *(cherche)* Juanma? *Una caja con ropa / una caja con pósters / su armario.*
4. La caja está: *a la izquierda / a la derecha / detrás del sofá.*

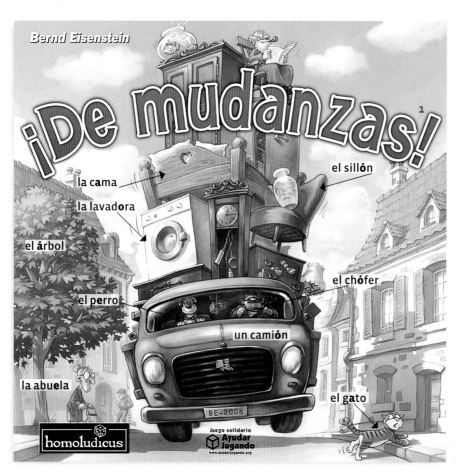

Bernd Eisenstein

¡De mudanzas!

- el sillón
- la cama
- la lavadora
- el árbol
- el perro
- un camión
- la abuela
- el chófer
- el gato

BE-2008

homoludicus

Juego solidario
Ayudar Jugando
www.ayudarjugando.org

PALABRAS

- la **c**aja
- el t**í**o, la t**í**a: *l'oncle, la tante*
- ayud**a**r: *aider*
- al l**a**do: *à côté*
- a la izqui**e**rda ≠ a la der**e**cha: *à gauche ≠ à droite*
- deb**a**jo ≠ enc**i**ma: *en dessous ≠ au-dessus*
- del**a**nte ≠ detr**á**s: *devant ≠ derrière*
- l**e**jos ≠ c**e**rca: *loin ≠ près*

❷ **Exprésate**

Observa el documento y di dónde están...

a. el árbol. **d.** la abuela.
b. el gato.   **e.** la cama.
c. el perro.

1. la mudanza: *le déménagement*

Lengua > p. 42 p. 14

Estar
estoy
estás
está
estamos
estáis
están

Le présent du verbe *estar*
*El sofá **está** en el salón.*

• Pour **situer des personnes ou des objets**, on utilise ***estar***.

1. Contesta las preguntas. CD CLASSE 1 / Piste 20
a. ¿Dónde está tu libro de español?
b. ¿Dónde están tus mejores amigos en la clase?
c. Y tú, ¿dónde estás ahora?

2. Completa con *estar*.
a. La mesa del profesor ... al lado de la puerta.
b. Y vosotros ¿dónde ...?
c. Tu póster ... cerca de la cama.
d. ¿Sabes dónde ... mis padres?

Aquí vivo yo

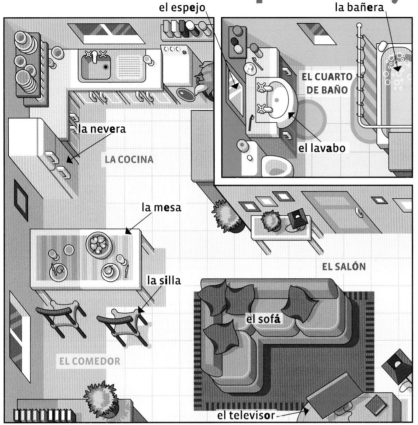

el espejo — la bañera — el armario — la lámpara

la nevera

LA COCINA

EL CUARTO DE BAÑO

el lavabo

EL CUARTO / LA HABITACIÓN

la cama

la mesa

la silla

EL SALÓN

el sofá

la estantería

el ordenador

EL COMEDOR

el televisor

① Prepárate para hablar

CD CLASSE 1 / Piste 21
CD ÉLÈVE Piste 10
p.15

1. **La chica comparte su cuarto con:** *su hermano / su hermana.*

2. **En su cuarto hay pósters:** *de actores / de animales.*

3. **Las paredes son:** *moradas* (violets) */ blancas.*

② Exprésate

1. **Observa el plano y sitúa: a.** los cuartos. **b.** la cocina.
2. **Di lo que hay en el cuarto de los padres.**

③ Comunica

Alumno A: Piensa en un elemento del plano.
Alumno B: Haz preguntas para encontrar en qué piensa tu compañero(a). Él / Ella te contesta con un *sí* o un *no*.
En este cuarto hay...   *Este objeto está en...*

Lengua
p. 15

1. La traduction de « il y a »
En la habitación de los padres **hay** *un armario.*
• **Hay** est l'équivalent de « **il y a** ».

2. Le démonstratif *este / esta*
En **esta** *casa hay dos cuartos.*
• **Este / esta** est l'équivalent de « **ce / cette** ».

1. **Completa con *este* o *esta*.**
   a. ... cuarto es muy oscuro.
   b. ... póster es genial.
   c. Vivo en ... casa desde mi infancia.

2. **Escribe dos frases sobre tu casa con *hay*.**

C2 Demander et donner des informations

Mini PROYECTO

Explica a tu compañero(a) dónde está tu cuarto y descríbeselo. Él / Ella lo dibuja.

Querida familia

La familia de Carlos

 CD CLASSE 1 / Piste 22    **CD ÉLÈVE** Piste 11

1 ¡Quieres saber más cosas de mi familia? Mi padre se llama Ricardo y mi madre María Luisa. Yo soy el pequeño de tres hermanos: Julio es el mayor[1] y luego va Conchi. [...]

5 Mis abuelos maternos se llaman Diego y Carmela, y los paternos, Benito y Ramona. Además, están mis tíos Jacinto, que es hermano de mi madre, y Elvira, su mujer. Raquel es hija de mis tíos y, por tanto, mi prima.

Alfredo Gómez Cerdá (escritor español), *El negocio de papá*, 1996.

1. *l'aîné*

❶ Lee   p.16

1. Relaciona los nombres con su parentesco.

a. Ricardo	**1.** el abuelo paterno
b. Benito	**2.** la prima
c. Elvira	**3.** la tía
d. Raquel	**4.** el padre
e. Conchi	**5.** la hermana

2. Dibuja en tu cuaderno de manera sencilla *(simple)* **el árbol genealógico de la familia de Carlos.**

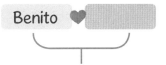 Benito ♥
 ♥ Carmela

PALABRAS

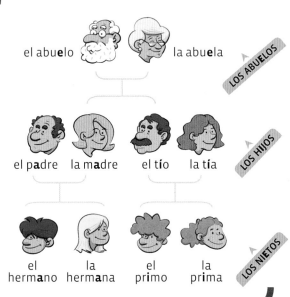

el abuelo   la abuela   **LOS ABUELOS**

el padre   la madre   el tío   la tía   **LOS HIJOS**

el hermano   la hermana   el primo   la prima   **LOS NIETOS**

❷ Escribe

Presenta a tu familia imitando el modelo dado en el texto.

Lengua > p. 42 📖 p. 16

Les adjectifs possessifs

mi(s)
tu(s)
su(s)
nuestro(s), nuestra(s)
vuestro(s), vuestra(s)
su(s)

Mi madre es de Sevilla, *mi padre* es de Córdoba.

• *Mi(s), tu(s), su(s)* s'utilisent pour des noms masculins et pour des noms féminins.

Nuestra abuela vive cerca del mar.

• *Nuestro(s)* et *vuestro(s)* prennent la marque du féminin si nécessaire.

1. Completa con el adjetivo posesivo.
a. ... amigos son españoles. *(2e pers. pl.)*
b. ... abuela nos cuenta historias. *(1re pers. pl.)*
c. ¿Son ... primos? *(3e pers. pl.)*

2. Imita el modelo: Tengo una mochila roja.
→ *Mi mochila es roja.*
a. Tienes un abuelo que se llama José.
b. Tenéis primos simpáticos.
c. Tienen una prima que vive en Francia.

Otras familias

Una familia diferente

CD CLASSE
1 / Piste 23

1 Mis padres ya no están casados[1], quiero decir casados entre
sí[2], y cada uno vive ahora con otra persona. Mi madre está
ahora casada con Juan, seguramente el tipo más antipático de
la historia de la humanidad. Bueno, puede que comparta[3] el
5 récord con su hijo Paco. Y mi padre no está casado, pero vive
con una novia que se llama Mónica, como mi madre.

Teresa Broseta (escritora española), *¡Hermanos hasta en la sopa!*, 2003.

1. *ne sont plus mariés* - 2. *(ici) ensemble* - 3. *il se peut qu'il partage*

La familia de Lidia.

Lidia

❶ Prepárate para escribir

p.17

1. **Apunta las palabras del texto que se relacionan con la familia.**

2. **Rectifica estas afirmaciones.**
   a. La familia de la narradora es una familia tradicional.
   b. La narradora puede vivir con sus padres.
   c. La narradora quiere a su padrastro.

❷ Escribe

1. **Inventa un nombre y un parentesco para cuatro miembros de la familia de Lidia.**

2. **Imagina la nacionalidad de estos miembros, su edad y dónde viven. Sitúalos y preséntalos.**

PALABRAS

- el medio hermano, la media hermana: *le demi-frère, la demi-sœur*
- el padrastro, la madrastra: *le beau-père, la belle-mère*
- una familia reconstituida: *une famille recomposée*
- querer [ie] a alguien: *aimer quelqu'un*

Lengua

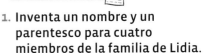
> p. 43   p. 17

Les verbes à diphtongue

Poder [o → ue]	Querer [e → ie]
puedo	quiero
puedes	quieres
puede	quiere
podemos	queremos
podéis	queréis
pueden	quieren

- Au présent de l'indicatif, **la voyelle du radical de certains verbes se modifie**. C'est ce qu'on appelle la **diphtongue**.

Il n'y a jamais de diphtongue à la 1re et à la 2e personne du pluriel.

Contesta.
a. ¿Queréis escribir un correo electrónico?
→ *No, no...*
b. Sara, ¿puedes hablar más alto? → *Sí, ...*
c. Inés, ¿puedes contar esta historia?
→ *No, no...*

C2 Décrire, raconter, expliquer

Mini PROYECTO

Organizáis el concurso "Familias originales". Cada uno(a) elige, en revistas, caras de personas famosas, presenta a su familia y le da un título. Al final, votáis cúal es la familia más original.

¡Buena suerte, hijo!

Madre e hijo
CD CLASSE
1 / Piste 24

1 Salgo a toda velocidad. Pulso el botón del ascensor.
–¡Adiós, mamá! –grito.
Ella sale al descansillo[1], se acerca[2] y me da un beso.
–Te vas a enfriar[3], mamá –le digo.
5 –Buena suerte en el examen –me responde.
El ascensor llega, abro la puerta. [...]
Ella permanece[4] mirándome hasta que la puerta
del ascensor se cierra.

Marcial Izquierdo (autor español), *El último día de mi vida*, 2007.

1. *le palier* - **2.** *acercarse: s'approcher* - **3.** *prendre froid* - **4.** *permanecer: rester*

❶ Lee [p.18]

1. El texto es un diálogo entre: *un hijo y su madre / una hija y su padre*.

2. Restablece el orden cronológico: *ella sale al descansillo / él grita adiós / le da un beso / él abre la puerta*.

3. Apunta dos expresiones que muestran el amor del adulto.

4. El chico no es indiferente. Busca *(cherche)* una expresión que lo muestra.

PALABRAS

- **u**n(a) pes**a**do(a): *un(e) casse-pieds*
- un t**á**ndem
- llev**a**rse bien / mal: *bien / mal s'entendre*
- pase**a**r j**u**ntos: *se promener ensemble*
- preocup**a**rse por: *s'inquiéter pour*
- sal**i**r: *sortir*

❷ Exprésate

1. Describe el cartel.
2. Imagina el parentesco entre los personajes.
3. ¿Cómo se llevan los personajes? ¿Y tú con tu familia?
4. Imagina lo que puedes hacer con tu familia para el "Día Internacional de la Familia".

© Junta de Castilla y León / Diseño: Mónica Carretero.

Lengua > p. 43 ☐ p. 18

Quelques verbes irréguliers au présent (1)
*Cuando **salgo** a la calle **digo** adiós.*

Dar	Decir	Salir	Ir
doy	digo	salgo	voy
das	dices	sales	vas
da	dice	sale	va
damos	decimos	salimos	vamos
dais	decís	salís	vais
dan	dicen	salen	van

Conjuga.
a. Todos los sábados yo (ir) a la piscina.
b. Nosotros (salir) juntos.
c. Antonio, ¿qué (decir)?
d. Mi madre (decir) que hoy (salir) tarde.

Observando, observando...

1

colgar cortinas

escribir
una carta

ver la televisión

leer un libro

pintar
un mueble

2

cambiar una bombilla

escribir
un e-mail

leer
el periódico

jugar con
la consola

hablar por
teléfono

dibujar
un plano

❶ Exprésate

Encuentra las diferencias entre los dos dibujos.
En el dibujo 1, el abuelo está leyendo un libro.
En el dibujo 2, ...

❷ Comunica

Pregunta a tu compañero(a) qué están haciendo los personajes del dibujo 1. Él / Ella te contesta sin mirar. Luego cambiáis los papeles (rôles) **y hacéis lo mismo con el dibujo 2.**

Lengua   > p. 43   ☐ p. 19

1. Le gérondif

Gérondifs réguliers	Gérondifs irréguliers
hablar → hablando	decir → diciendo
escribir → escribiendo	dormir → durmiendo
hacer → haciendo	leer → leyendo
	reír → riendo

2. Le présent progressif
Está hablando con su hija.
• Le **présent progressif** exprime une **action en train de se dérouler**.
Il se forme avec **estar + gérondif**.

Transforma las frases utilizando la forma progresiva.
a. Los niños aprenden una canción.
b. Habláis por teléfono.
c. Leemos el periódico.
d. Escribo una carta.
e. Duermes en el sofá.

C2 Réagir
à des propositions

Mini proyecto

¡Concurso de mimo! Toda la clase escribe en trozos de papel (des morceaux de papier) **los verbos que conoce en español. Luego cada uno(a) coge uno y mima el verbo escrito. Los otros adivinan. Ejemplo:**
¡Estás durmiendo!

1

2

3

4

5

6

1 **Mira el vídeo o escucha la grabación y responde.**

a. En casa de Miguel hay fotos: *de él / de sus amigos / de su familia.*

b. El cuarto de baño está: *a la derecha / a la izquierda* del cuarto de Miguel.

c. Miguel está buscando: *su móvil / su mochila / su ipod.*

2 **Mira las fotos y recuerda. ¿Qué dice?**

a. Belén en la foto 2.

b. Javi en la foto 3.

c. Miguel en la foto 5.

PALABRAS

- dej**a**r: *laisser*
- enseñ**a**r: *montrer*
- escond**e**r: *cacher*
- est**a**r enfad**a**do(a): *être fâché(e)*

PALABRAS

ROM . Plus d'activités sur ton CD-Rom

La situación

1 **Escribe lo contrario de...**
a. debajo   b. delante   c. cerca   d. izquierda

2 **Copia este dibujo en tu cuaderno.**
a. Lee la descripción y di de quién es cada mesa.

Rosa está a la izquierda de Sonia y delante de Lucía.
Pablo está al lado de Rosa. Manuel está delante de
Rosa y a la izquierda de Daniel.

b. Da un nombre a los alumnos de las mesas vacías
y sitúalos por escrito.

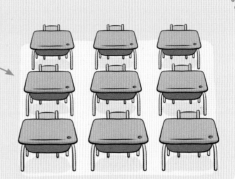

La casa

3 **Relaciona cada palabra con el lugar
que le corresponde.**

1. la cama   a. el cuarto de baño
2. el sofá   b. el salón
3. la bañera   c. la cocina
4. la nevera   d. el cuarto

4 **Busca el intruso.**
a. baile – sofá – silla – armario – cama
b. habitación – cocina – comedor – primo

5 **Ordena las sílabas.**
a. me-co-dor   c. ma-ar-rio
b. ción–ha–ta–bi   d. ci-co-na

La familia

6 **Adivina.**
a. El hermano de tu padre es tu...
b. Los padres de tu madre son...
c. Las hijas de tu tía son...
d. La hija de tus padres es...

7 **Dibuja el árbol genealógico que
corresponde al texto.**

Me llamo Juan, mi padre se llama Miguel y mi madre
Lucía. Tengo dos hermanos, el mayor se llama Pablo y
el menor David. Mis abuelos paternos se llaman Pedro
y María y los padres de mi madre se llaman Rosa
y Roberto.

Las acciones cotidianas

8 **Copia este cuadro en tu cuaderno y
complétalo con dos actividades que haces...**

...con tu familia	...con tus amigos

Trabalenguas

CD CLASSE 1 / Piste 26   CD ÉLÈVE Piste 12   C2 Reproduire un modèle oral

La lettre g suivie de e ou i et la lettre j se prononcent au fond de la gorge.

1 Juan, Julia y Jorge
juegan al ajedrez
el jueves en Jaén.

2 La gitana de Gibraltar
recoge girasoles y
geranios.

Plus d'activités
sur ton CD-Rom
ROM

1 Le verbe *estar* et les adverbes de lieu > Précis n° 27

● Le verbe *estar* s'utilise **pour situer et se situer**.

● On l'emploie **souvent avec des expressions de lieu** comme :

el ratón

Estar (être)
estoy
estás
está
estamos
estáis
están

delante (de) ≠ **detrás (de)**

cerca (de) ≠ **lejos (de)**

dentro (de) ≠ **fuera (de)**

a la izquierda (de) ≠ **a la derecha (de)**

encima (de) / sobre ≠ **debajo (de)**

● Ces expresssions de lieu sont **souvent suivies de la préposition** *de*.
José está a la izquierda de la profesora.

● **Attention :** *de + el = del. Sofía está delante del profesor.*

1 Completa con el verbo *estar*.
a. Vosotros ... en Madrid y nosotros ... en Valencia.
b. Mamá, ¿dónde ... mis libros de francés?
c. Rafa, Lola y yo ... aquí.
d. Mi abuela ... en la cocina y mis primos ... en el salón.
e. Alicia, no te veo. ¿Dónde ...?

2 Sitúa dando la información contraria.
a. La mochila está encima de la mesa.
b. Mis primos viven lejos de aquí.
c. La profesora está detrás de mi mesa.
d. La cama de mi hermana está a la derecha de la ventana.

3 Mira los dibujos y sitúa el boli de José.

1   2   3

a. El boli ... estuche.
b. El boli ... cuaderno.
c. El boli ...

2 Les adjectifs possessifs > Précis n° 14

Adjectifs possessifs	
Singulier	**Pluriel**
mi	mis
tu	tus
su	sus
nuestro, nuestra	nuestros, nuestras
vuestro, vuestra	vuestros, vuestras
su	sus

Es mi hermana.

Es mi hermano.

● **Seuls les adjectifs possessifs de la 1ʳᵉ et de la 2ᵉ personne du pluriel ont un féminin.**
Nuestra casa está lejos del colegio.

● *Mi / tu / su* **s'utilisent pour le masculin et pour le féminin.**
Mi hermano y mi hermana están en Madrid.

4 Completa con el adjetivo posesivo que corresponde.
a. Lola, ¿es ... cuaderno?
b. Con ... padre, practico deporte.
c. Vosotras salís siempre con ... amigas los sábados.

5 Imita el modelo.
La hermana de Pablo es rubia.
→ *Su hermana es rubia.*
a. Los abuelos de Leonor son españoles.
b. El ordenador de Lola es nuevo.
c. Los amigos de Belén son simpáticos.

3 Les verbes à diphtongue > Conjugaisons p. 164

● En espagnol la voyelle du radical de certains verbes change au présent de l'indicatif aux trois personnes du singulier et à la troisième personne du pluriel. Le *e* devient *ie* et le *o* devient *ue*.

C'est ce que l'on appelle les **verbes à diphtongue**.

Contar [o → ue]	Querer [e → ie]
(compter, raconter)	*(vouloir, aimer)*
cuento	quiero
cuentas	quieres
cuenta	quiere
contamos	queremos
contáis	queréis
cuentan	quieren

Remarque : on retrouve cette même transformation en français avec les verbes « venir » ou « tenir » : « je ti<u>e</u>ns », « tu ti<u>e</u>ns »...

● *Poder, recordar* (se souvenir) et *dormir* se conjuguent comme c<u>o</u>ntar.
Pensar et emp<u>e</u>zar (commencer) se conjuguent comme qu<u>e</u>rer.
Pienso que *quiere* venir pero no *puede*.

6 Conjuga los verbos.
a. Mi padre ... (querer) hablar.
b. Vosotros ... (poder) entrar.
c. ¿Quién me ... (contar) esta película?
d. Yo no ... (recordar) nada.

7 Completa con los verbos *poder, querer, contar* o *recordar*.
a. –¿... ir al cine?
–No, no ..., tengo muchos deberes.
b. –¿Qué ... vosotros? ¿Salir otra vez?
–No, no es posible, no ...
c. Mis abuelos me ... historias de su infancia.
d. Ella no ... la canción.

4 Le présent de l'indicatif des verbes irréguliers (1) > Conjugaisons p. 166

Decir	Venir	Hacer	Salir	Ir
(dire)	*(venir)*	*(faire)*	*(sortir)*	*(aller)*
digo	vengo	hago	salgo	voy
dices	vienes	haces	sales	vas
dice	viene	hace	sale	va
decimos	venimos	hacemos	salimos	vamos
decís	venís	hacéis	salís	vais
dicen	vienen	hacen	salen	van

Digo a mi madre que hoy *salgo* tarde.
Vamos al cine.
Voy al cole a pie, ¿y tú?

● **Le futur proche** > Précis n° 31C
Pour traduire une **action qui va se produire**, on emploie *ir a* + infinitif.
Vamos a visitar un piso esta tarde.

8 Completa con verbos del cuadro en primera persona del singular.
Los fines de semana ... muchas cosas: ... de casa después de comer, ... adiós a mis padres, ... al cine, y ... deporte.

5 Le présent progressif (« être en train de ») > Précis n° 28 et n° 31B

● Le **gérondif** se forme avec le **radical suivi de -*ando*** pour les **verbes en -*ar***, et de -*iendo* pour les **verbes en -*er* et -*ir*** : habl**ar** → habl**ando**, com**er** → com**iendo**, escrib**ir** → escrib**iendo**.

● Attention aux **gérondifs irréguliers** :
decir → d**i**ciendo   leer → le**y**endo
dormir → d**u**rmiendo   reír → r**i**endo

● Pour exprimer une **action qui est en train de se passer**, on utilise le verbe *estar* conjugué à la personne voulue suivi du gérondif.
Estoy hablando pero tú *estás haciendo* ruido.

9 Escribe frases que indican la acción.

a.

b.

c.

d.

Avant de prendre la parole
- Je me concentre sur ce que je vais dire.
- Je respire profondément et lentement.

Pendant que je parle
- J'essaie de ne pas lire mes notes et de regarder mes camarades.
- Je fais des phrases courtes : sujet + verbe + complément.
- Je peux joindre quelques gestes à la parole pour donner une explication. Des gestes simples peuvent faciliter la communication.

¿Comprendéis?

- J'articule, je parle fort pour être entendu(e).
- Je varie le ton de mes phrases pour soutenir l'attention de la classe.
- Je respire tranquillement à chaque fin de phrase. Je respecte la ponctuation et je ne parle pas trop vite.

Je me lance ! > p. 45

C2 Reproduire un modèle oral
C5 Connaître et pratiquer diverses formes d'expression à visée littéraire

Aprende y representa

 CLASSE 1 / Piste 27 CD ÉLÈVE Piste 13

  Artes

Lee este poema y apréndelo para decirlo delante de la clase. Puedes representarlo con gestos.

Mi casita

1   Tengo una casita[1]
    linda[2] como el sol
    yo la quiero mucho
    allí vivo yo

5   Tiene, cocinita
    también comedor
    y una camita donde
    duermo, yo

    Tú serás mi amigo
10 y te voy a invitar
    con toda mi familia
    a casa, a jugar.

http://www.bebesangelitos.com, H.G., 2010.

1. casita: *diminutif de* casa
2. linda = bella

Patricia Tobaldo (artista argentina), *Paisaje*, 1984.

 C2 Présenter un projet
et lire à haute voix

 C7 S'engager dans
un projet individuel

Participo en un programa televisivo de decoración

Has sido seleccionado(a) *(tu as été selectionné, e)* **para participar en el programa de decoración** *Decora*. **Vas a renovar la decoración de tu casa pero antes, para comenzar el programa, la animadora necesita conocer tu casa, a tu familia y a ti mismo.**

Je vais utiliser :

- **Objectifs de communication :** Je donne des indications spatiales – Je décris une maison – Je présente ma famille – Je décris des relations familiales.
- **Grammaire :** le verbe *estar* et les adverbes de lieu – le démonstratif *este* – les adjectifs possessifs – les verbes à diphtongue au présent de l'indicatif.
- **Lexique :** la famille, la maison, la localisation.

 Etapa 1

a. Dibuja un plano simple de tu casa o de tu piso actual y ensaya *(répète)* para presentarlo.

b. Piensa en los cambios *(changements)* que quiere cada miembro de tu familia. Apúntalos.

 Etapa 2

Delante de la cámara: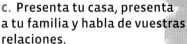

c. Presenta tu casa, presenta a tu familia y habla de vuestras relaciones.

d. Explica cómo va a cambiar tu casa o tu piso y lo que quiere cada miembro de tu familia.

PALABRAS

- col**o**res cl**a**ros ≠ col**o**res osc**u**ros
- cambi**a**r: *changer*
- coloc**a**r: *mettre*
- orden**a**r: *ranger*
- transform**a**r

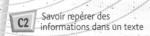
C2 Savoir repérer des informations dans un texte

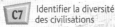
C7 Identifier la diversité des civilisations

Una familia del siglo XXI...

Juan Valentín — Pablo Nicolás — Froilán — Victoria — Miguel — Irene — Sofía — Leonor

Iñaki — Cristina — Elena — Letizia — Felipe

Doña Sofía — Don Juan Carlos

La familia real española.

1. Elige a tres miembros de la familia real y sitúalos.

¿Conoces al rey de España y a su familia? El rey se llama Juan Carlos de Borbón y su mujer, que es de origen griego, se llama Sofía. Tienen tres hijos: Elena, Cristina y Felipe. Los reyes son "abuelos dinámicos" y tienen numerosos nietos. Las hijas de Felipe, las infantas Leonor y Sofía, son las menores. Se llevan muy bien con sus primos.

30/01/1968
Futuro rey de España
Leonor. Sofía.
Serio
Príncipe de Asturias
Letizia Ortiz
Madrid
Simpático
Trabajador
Su lema: "Quiero conocer a los españoles y ser útil."

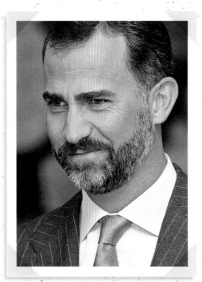

Don Felipe de Borbón y Grecia.

Doña Letizia Ortiz Rocasolano.

15/09/1972
Ortiz Rocasolano
Princesa de Asturias
Leonor. Sofía.
Felipe de Borbón
Madrid
Elegante
Discreta
Inteligente
Su lema: "Hago lo que puedo para ser una madre como las otras y servir a mi país."

2. Escoge a Felipe de Borbón o a Letizia. Imagina que se presenta (habla en primera persona del singular).

y una familia del siglo XVIII

Goya, pintor del siglo XVIII, representa a la familia real española. En el cuadro, podemos ver a la reina y a sus dos hijos pequeños. A su lado, a la derecha, está el rey Carlos IV.

3. Sitúa a la reina y al rey.

4. Descríbelos brevemente.

Francisco de Goya (pintor español), *La familia de Carlos IV*, 1800.

Busca el (los) intruso(s)

1. Son hijos de los reyes: *Elena / Letizia / Felipe / Cristina.*

2. La reina es de origen: *español / griego / inglés / italiano.*

3. Los reyes tienen: *dos hijos / tres hijos / cuatro hijos.*

4. Goya representa al rey: *a la derecha de la reina / a la izquierda de la reina / detrás de la reina.*

@ Ciberencuesta B2i

Es la semana de las artes. Tienes que redactar una biografía sobre Goya y un breve texto sobre uno de sus cuadros para el periódico del colegio. Consulta el sitio www.animate-hatier.com para prepararlos.

1. Busca las informaciones siguientes.

2. Escribe en presente una breve biografía del pintor.

3. Escoge otro cuadro de Goya y preséntalo.

Puedes presentar tu trabajo utilizando un ordenador.

- Fecha de nacimiento
- Lugar de nacimiento
- Nombre de su primer maestro
- País a donde viaja
- Lugar de trabajo entre 1774 y 1783
- Edad cuando es nombrado pintor de cámara
- Enfermedad que le afecta
- Lugar de su muerte

Evaluación

① Je peux comprendre des indications spatiales.

Escucha un fragmento de esta audioguía del Museo del Prado.

CD CLASSE
1 / Piste 28

a. ¿Dónde está el Museo del Prado?
b. ¿Cuántas plantas *(étages)* tiene el Museo?
c. Cuando entras en el Museo para ver los cuadros de Goya vas: *a la derecha / a la izquierda.*
d. La rotonda de Ariadna está: *cerca / lejos* de los cuadros de Goya.

② Je peux décrire ma famille et mes relations familiales.

Vas a participar en el concurso "Mi familia contra todos". Presenta a tu familia (lugar de residencia, padres, hermanos o hermanas, nombre, edad, cómo te llevas con ellos).

③ Je peux parler d'une action en cours.

Piensa en dos acciones y mímalas delante de la clase. Tus compañeros las adivinan utilizando la forma progresiva *(estar + gerundio).*

④ Je peux comprendre un dialogue sur les relations familiales.

Lee el texto, escoge la respuesta correcta y justifícala.

> **En casa de mi abuela**
>
> 1 –¿Qué tal tú con la abuela Balbina?
> –Muy bien. […] Como bien, duermo bien…
> Incluso[1] voy a ponerme a terminar los deberes. […]
> –¿Te aburres[2], hija?
> 5 –No, papá. ¡Sabes?, creo que estoy aprendiendo mucho de los viejos. […]
> –Me alegro[3], Malú.
>
> Blanca Álvarez (escritora española),
> *Malú y el marciano del ordenador,* 2002.
>
> 1. *même* - 2. *Tu t'ennuies* - 3. *(ici) Tant mieux*

a. La abuela se llama: *Malú / Balbina / Blanca.*
b. La hija se llama: *Balbina / Malú / Blanca.*
c. La chica habla con: *su abuela / su padre / su madre.*
d. Con la abuela, la chica: *aprende mucho / se aburre.*

⑤ Je peux décrire une maison.

Vas a intercambiar tu casa con otra familia. Les escribes un e-mail describiendo tu casa.

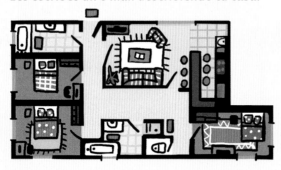

> **Fais le point sur tout ce que tu as appris en remplissant la grille d'autoévaluation de ton *Cahier d'activités* p. 20.**

 **C5** Savoir s'autoévaluer

¡Tiempo libre!

¡A bucear!

PROJET de l'unité

Je crée une page de type Facebook pour partager ma passion (sport, musique, art) avec des amis espagnols.

A1 Je vais...

- **Comprendre une interview sur le sport**
- **Exprimer mes goûts en matière de sports**
- **Comprendre quelqu'un qui décrit ses habitudes**
- **Présenter ma semaine**
- **Comprendre le récit d'activités quotidiennes**
- **Interroger un(e) artiste**

Je vais utiliser...

- *Gustar* (1) / *encantar*
- *Ser* et *estar* + adjectif
- *Soler*
- Quelques verbes irréguliers (2)
- L'heure
- L'affaiblissement de *e* en *i*
- Le vouvoiement (*usted*)

Je vais réemployer...

- Les verbes à diphtongue
- Les nombres jusqu'à 31
- Le présent progressif

Je vais découvrir...

- Des sportifs hispanophones
- Le lexique des loisirs, des actions quotidiennes, des matières scolaires

Balado diffusion

COMPRENSIÓN ORAL | Je comprends une interview sur le sport.

Me gusta el deporte

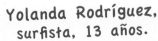

**Yolanda Rodríguez,
surfista, 13 años.**

↗ **lo mejor:**
las **o**las

↘ **lo peor:**
el fr**í**o

♥ el **a**gua
y la m**ú**sica

estar con
sus am**i**gos

españ**o**la

MATERIAL  tabla de surf
+ traje de neopreno + bañador

**Manex Azula,
snowboarder, 15 años.**

↗ **lo mejor:**
la velocid**a**d
(la vitesse)

↘ **lo peor:**
ca**e**rse
(tomber)

españ**o**l

♥ la ni**e**ve p**o**lvo
(poudreuse) y las
p**i**stas l**a**rgas

levant**a**rse
tempr**a**no

MATERIAL + botas + tabla + gafas de esquí
casco + guantes

---

① Escucha 🎧 | CD CLASSE 1 / Piste 29 | CD ÉLÈVE Piste 14 | p.21

1. En la entrevista hablan: *dos chicos /
   dos chicas / un chico y una chica.*
2. A Alba le encanta… porque…
3. ¿Qué deportes le gustan a Pablo?
4. Pablo propone a Alba un partido
   de: *tenis / fútbol / fútbol-tenis.*

② Comunica 👥

Y. Rodríguez y M. Azula son los invi-
tados de tu cole. Vas a entrevistar a
uno de ellos. Con un(a) compañero(a),
prepara el diálogo.

PALABRAS

• el dep**o**rte: *le sport*
• emp**e**zar [ie]=
  com**e**nzar [ie]
• jug**a**r [ue]: *jouer*
• ¡No me d**i**gas!:
  Non ! / Sans blague !

Lengua > p. 58 □ p. 21

Les verbes de type *gustar* (1)

	Gustar	
a mí	me gusta(n)	*Me gusta /encanta el tenis.* J'aime / j'adore le tennis.
a ti	te gusta(n)	
a él/ella/María	le gusta(n)	
a nosotros, as	nos gusta(n)	*Me gustan /encantan los deportes de equipo.* J'aime / j'adore les sports d'équipe.
a vosotros, as	os gusta(n)	
a ellos/ellas/los chicos	les gusta(n)	

• *Gustar* et *encantar* se construisent comme « plaire ».

1. **Completa con *gustar* o *encantar*.**
   a. A mí … los deportes de agua.
   b. A vosotros … el fútbol.
   c. A Alba y a Pablo … jugar al baloncesto.

2. **Contesta estas preguntas.** 🎧 CD CLASSE 1 / Piste 30
   a. ¿No te gusta el tenis?
   b. ¿Te gustan los deportes de agua?
   c. ¿Qué tipo de deporte te encanta?

J'exprime mes goûts en matière de sports.

¡Estoy en forma!

¡¡ QUÉ ESTRICTO ES EL INSTRUCTOR DE LA COLONIA DE VACACIONES !!

NATACIÓN

ABDOMINALES

ESCALAR

FLEXIONES

MARATÓN...

PERO, UN MOMENTITO...

www.mundogaturro.com

Nik (dibujante argentino), *Gaturro 1*, 2005.

❶ Prepárate para hablar

1. ¿Qué deportes está practicando Gaturro en la colonia?
2. Elige las características de Gaturro y del monitor.

estar + 👉   ser + 👉

    cans**a**do(a)   din**á**mico(a)
    cont**e**nto(a)   estr**i**cto(a)
    en f**o**rma   autorit**a**rio(a)
    agot**a**do(a) *(épuisé, e)*   v**a**go(a)
    h**a**rto(a) *(en avoir marre)* *(paresseux, euse)*

3. ¿Cómo está Gaturro en la última viñeta? ¿Por qué?

❷ Exprésate

Di qué deportes del cómic te gustan, te encantan o no te gustan. Justifica tu opinión. ¿Cómo te sientes cuando los practicas?

PALABRAS

- el atlet**i**smo
- la escal**a**da
- la gimn**a**sia
- corr**e**r

- agotad**o**r(a): *épuisant(e)*
- h**á**bil
- r**á**pido(a) ≠ l**e**nto(a)
- sorprend**i**do(a): *surpris(e)*

 **engua** ➤ p. 58   📖 p. 22

Ser et estar + adjectif
El monitor es hiperactivo.
Gaturro está sorprendido.

- **Ser →** caractéristique profonde.
- **Estar →** caractéristique passagère.

¿Ser o estar?
a. Él ... triste.
b. El profesor ... exigente.
c. Los monitores ... autoritarios.
d. Tú ... agotada.
e. Vosotros ... más rápidos que Gaturro.

C2 Établir un contact social

 Mini PROYECTO

Estás en una colonia de vacaciones. El (La) monitor(a) se presenta y os hace preguntas. Quiere conoceros y saber qué deportes os gustan. Con tres compañeros, imagina el diálogo.

¡Me pongo las pilas!

1 Lee   p.23

Contesta las preguntas.

a. ¿Se ven mucho los dos chicos?

b. ¿Por qué estudia Enrique en un nuevo centro?

c. ¿Se dan las clases en inglés?

d. ¿Cómo suele venir Enrique del centro escolar?

e. En la radio, ¿habla español?

f. ¿Qué instrumentos suele tocar Enrique?

tuenti   Inicio | Perfil | Mensajes | Gente | Vídeos   Buscar 🔍   Subir fotos ⬆   Mi cuenta ▼

✉ Escribir nuevo mensaje

Bandeja de entrada

Enviados

De desconocidos

Mis Mensajes

seleccionar Todos | Ninguno

🗂 Lucas Celas (2)

Yo Hoy 11:25
¡Hola Lucas! Sí, soy Enrique. ¡Cuánto tiempo! Yo este año he decidido ponerme las pilas[1] con el inglés y estudiar en un centro escolar piloto porque el año que viene voy a vivir en Australia con mis padres. Tengo clases por la mañana y actividades extraescolares en inglés por la tarde. ¡Es genial! Está un poco lejos de casa pero voy y vengo en bici. Las actividades son múltiples: talleres[2] de radio, informática, videojuegos, teatro, música (tocar[3] y cantar[4]), baile[5]. Yo toco la guitarra y la batería y suelo participar en el progama de radio del centro. ¿Y tú? ¿Qué haces?
See you soon!

Enrique

Lucas Celas Ayer 23:19
¿Tú eres Enrique, del cole Cervantes de Valencia? Soy Lucas, el músico. ;-) ¿Qué tal?

Lucas

PALABRAS

- prim**e**ro: *premièrement*
  - → despu**é**s: *après*
  - → lu**e**go: *ensuite*

2 Escribe

Escribe la respuesta de Lucas a Enrique. Utiliza *soler* y las palabras siguientes.

Primero...
Después...
Luego...
Al final...

1. (fam.) j'ai décidé de me bouger - **2.** ateliers - **3.** (ici) jouer (d'un instrument) - **4.** chanter
5. el baile: la danse

Lengua > p. 59 📖 p.23

1. Le verbe *soler* [ue]
Suelo tocar el piano el miércoles.
• **Expression de l'habitude = *soler* + inf.**

2. Quelques verbes irréguliers au présent (2)

Poner	Venir	Ver
pongo	vengo	veo
pones	vienes	ves
pone	viene	ve
ponemos	venimos	vemos
ponéis	venís	véis
ponen	vienen	ven

1. Transforma estas frases con *soler*.
Yo escribo cuentos. → *Yo suelo escribir cuentos.*

a. Este artista pinta por la mañana.

b. Escribes poemas de amor.

c. Nosotros tocamos música juntos *(ensemble)*.

d. Vosotras bailáis muy bien la salsa.

e. Yo voy al teatro el sábado por la noche.

2. Escribe en primera persona del singular.

a. Pones la música muy alta.

b. Vemos la televisión por la noche.

c. Viene con su hermana.

¿A qué hora bailas?

HORARIOS	LUNES	MARTES	MIÉRCOLES	JUEVES	VIERNES
8:15 a 9:10	Inglés	Biología	Inglés	Lengua	Educación física
9:10 a 10:05	Matemáticas	Francés 2° idioma	Lengua	Sociales	Inglés
10:05 a 11:00	Lengua	Educación plástica	Matemáticas	Francés 2° idioma	Biología Laboratorio
11:00 a 11:25	RECREO				
11:25 a 12:20	Tutoría	Sociales	Biología	Inglés	Lengua
12:20 a 13:15	Francés 2° idioma	Tecnología	Francés 2° idioma	Matemáticas	Francés 2° idioma
13:15 a 14:10	Sociales	Inglés Conversación	Educación física	Música	Refuerzo Lengua o Matemáticas
14:10 a 16:00	COMIDA				
16:00 a 18:00 (a elegir)	Música Taller de radio Baile	Informática Teatro Visitas	Videojuegos Baile Conferencias	Música Informática Teatro	Taller de radio Videojuegos Visitas

IES (Instituto de Enseñanza Secundaria) Piloto Mario Vargas Llosa – 3° ESO.

❶ Prepárate para escribir

1. Haz una lista de las asignaturas *(matières)*
y di a qué corresponden en tu horario.

2. ¿Qué día es?
a. Termina la clase de sociales a las doce y veinte.
b. A la una y cuarto tiene clase de educación física.
c. Ese día va al laboratorio.
d. Sale de matemáticas y tiene una hora más en
la que toca un instrumento.
e. Puede hablar con su tutor a las once y veinticinco.

⌐ PALABRAS

• 35 treinta y cinco	• 60 sesenta	
• 40 cuarenta	• 70 setenta	} minutos
• 50 cincuenta	• 80 ochenta	
	• 90 noventa	

❷ Escribe

Tu clase suele corresponder por e-mail con una
clase española. Hoy vais a explicar los horarios
de un alumno francés. Podéis añadir un cuadro **B2i**
con vuestro horario.

Lengua > p. 59 ⬜ p. 24

L'heure
Es la una y diez. Son las
siete menos veinte.
• **Pour indiquer**
l'heure → Es la... / Son las...
Como a la una en punto.
• **Pour dire à quelle heure**
on fait quelque chose → **A la... / A las...**
• Attention : pour dire l'heure, **on n'utilise**
pas les chiffres au-delà de 12.

Escribe en letras.
14h10 → Son las
dos y diez de la
tarde.

a. 16h15
b. 21h40
c. 08h30
d. 12h00
e. 13h05
f. 12h45

B2i **C2** Rendre compte de faits

Mini PROYECTO

Estás en un congreso
europeo y vas a presen-
tar tu cole piloto en español.
Con tres compañeros,
preparad un diaporama
o unos carteles con vuestro
horario, las asignaturas
y las actividades.

¡Te invito!

❶ **Lee** p.25

1. ¿Cuál es la sorpresa de Marta?
2. ¿Cómo se siente Antonio cuando Marta se lo dice?
3. Imagina lo que quiere decirle Marta en la viñeta n°3.
4. Explica la reacción de Antonio en la última viñeta.
5. ¿Por qué los bocadillos *(bulles)* tienen varias formas?

❷ **Exprésate**

Enumera tres acciones que sueles hacer cuando te levantas y antes de acostarte.

PALABRAS

• acostarse [ue]
≠ levantarse:
se lever

1. vestirse [i]: *s'habiller*
2. desayunar: *prendre le petit déjeuner*
3. *tu es un amour*
4. seguir [i]: *suivre* - 5. *Bien sûr !*

F. San Millán (dibujante español), diciembre de 2010.

Lengua > p. 60 📖 p. 25

L'affaiblissement de e en i

Antonio se viste rápido.

Vestirse	
me visto	
te vistes	
se viste	
nos vestimos	
os vestís	
se visten	

• **Le e** des verbes comme *vestirse* ou *pedir* se **change en i** au présent de l'indicatif **à toutes les personnes sauf aux deux premières du pluriel**. On dit que le verbe **s'affaiblit**.

Completa.
a. Tú ... (pedir) permiso.
b. Yo ... (vestirse) después de ducharme.
c. Antonio y yo ... (decir) que es un buen partido.
d. Los profesores ... (corregir) los exámenes.
e. El móvil ... (servir) de reloj.

¿Es usted cantante?

Entrevista a Montserrat Caballé

 CD CLASSE 1 / Piste 31   CD ÉLÈVE Piste 15

1 –¿Cómo es un día normal en su casa?
–Desde que me levanto preparo el día a día.
Estudio, que no quiere decir cantar, sino aprender
nuevas óperas. [...] Hacemos una pausa para
5 almorzar[1] y por la tarde tenemos ensayos[2].
–¿Qué considera que es lo mejor y lo peor
de su profesión?
–Lo mejor es todo lo que te ofrece. Lo peor es el hecho de
tener que estar siempre en plan trotamundos[3].
10 –¿Cómo se logra[4] estar tantos años en escena y con éxito[5]?
¿Cuáles son sus trucos?
–La verdad es que trucos no hay, o llevas una vida sana y
estudias, perseveras en lo que quieres y en lo que ofreces
o no se puede conseguir.

www.diariosur.es, 16/07/2007.

❶ Prepárate para escribir p.26

1. **Escribe los adjetivos posesivos de las preguntas. ¿Cómo ves que el periodista no tutea a Montserrat Caballé?**
2. **Completa estas frases:**
   a. A Montserrat le gusta...
   b. A Montserrat no le gusta...
3. **Cita las tres cosas que permiten tener éxito según Montserrat.**

1. comer - 2. *des répétitions* - 3. *par monts et par vaux* - 4. lograr = conseguir: *réussir*
5. *succès*

❷ Escribe

Quieres matricularte *(t'inscrire)* **en una escuela de música, teatro o cine para ser profesional. Escribe a un(a) famoso(a) que sale de esa escuela para que te cuente:**
a. el ritmo de la escuela a lo largo del día (varias preguntas).
b. sus puntos positivos y negativos.

❸ Comunica

En grupos de tres, participáis en un juego radiofónico. El "invitado misterioso" es un(a) profesional del mundo del arte o del deporte y debéis hacerle preguntas para adivinar quién es. Utilizad *usted***.**

PALABRAS

- cen**a**r: *dîner*
- desper**tarse** [ie]
- d**o**rm**i**r [ue]

- hac**e**r los deb**e**res
- ser aficion**a**do(a) a: *avoir une passion pour*
- v**o**lv**e**r [ue] a c**a**sa: *rentrer chez soi*

 > p. 60 p. 26

Le vouvoiement d'une personne
(Usted) tiene éxito.
(A usted) no le gustan los viajes.

- **Pour vouvoyer** une personne, on conjugue le **verbe à la 3ᵉ personne du singulier**.
- Le pronom sujet correspondant est *usted*. On utilise les adjectifs possessifs *su* ou *sus*.

Transforma las frases pasando de *tú* **a** *usted***.**
a. Llevas una vida sana.
b. A ti te gusta el canto.
c. Tocas la guitarra.
d. Tu escuela es muy profesional.

 C2 • Écrire un message simple
• Renseigner un questionnaire

Mini **PROYECTO**

En grupos de cuatro:
1. Redactáis una encuesta para conocer los hábitos de vida de vuestros profesores (trabajo, pasiones).
2. La rellenáis con ellos.
3. Ponéis los resultados en común para redactar un artículo.

Tu serie

Avec **DVD** ou CD classe

Una tarde de ocio

 DVD Séq. 3 CD CLASSE 1 / Piste 32 p.27

1 **Mira el vídeo o escucha la grabación y responde.**

a. Natalia suele jugar al tenis: *en verano / todo el año / todos los días.*

b. Para Javi el baile: *es muy divertido / es un deporte de chicas / no sirve para nada.*

c. A Belén le encanta: *el patinete / el atletismo / la gimnasia rítmica.*

2 **Mira las fotos y recuerda.**

a. ¿Qué pide Natalia en la foto 1?

b. ¿Qué día y a qué hora Raquel invita a sus amigos en la foto 4?

c. ¿Qué le dice Belén a Javi en la foto 5 y qué le pasa en la 6?

PALABRAS

- **u**na carr**e**ra: *une course*
- el cumple**a**ños: *l'anniversaire*
- el patin**e**te: *la trotinette*
- **u**na rev**i**sta: *une revue*
- divert**i**do(a): *amusant(e)*
- A ver…: *Voyons…*
- todav**í**a: *encore*

Plus d'activités sur ton CD-Rom

El deporte

1 **Relaciona las definiciones con los deportes.**
a. Juego entre dos equipos de once jugadores.
b. Juego entre jugadores que se lanzan una pelota con una raqueta.
c. Juego que consiste en introducir una pequeña bola en un hoyo *(trou)*. Es la misma palabra que en francés.
d. Juego entre dos equipos de cinco jugadores muy altos.

Las acciones cotidianas

2 **Relaciona las frases con el dibujo correspondiente.**

a. Suelo levantarme temprano.
b. Sueles almorzar después de clase.
c. Solemos acostarnos a las 22h30.
d. Soléis desayunar antes de ir al cole.
e. Suelen ducharse después de hacer deporte.

Las asignaturas

3 **Completa el cuadro con asignaturas.**
Gana el primero que consigue escribir tres nombres en cada casilla.

Me gusta(n)...	No me gusta(n)...

Adivina, adivinanza.

4 **a.** En esta clase estudias el álgebra y la geometría.
b. Con esta clase, comprendes la formación del planeta y su historia.
c. Esta clase te sirve para comunicarte cuando viajas al extranjero.

El ocio

5 **Busca el intruso.**
a. fútbol - natación - buceo - surf
b. ciclismo - sociales - atletismo - alpinismo
c. tocar - correr - cantar - bailar
d. piano - escalada - batería - guitarra

La música

6 **Ordena las letras.**
a. praoe   **c.** ipoan
b. tariurga   **d.** tarbeaí

Trabalenguas

CD CLASSE 1 / Piste 33   CD ÉLÈVE Piste 16   C2 Reproduire un modèle oral

En espagnol, *ch* se prononce « tch ».

1
Pan**ch**o plan**ch**a con cuatro plan**ch**as. ¿Con cuántas plan**ch**as plan**ch**a Pan**ch**o?

2
Charo **ch**arla con Na**ch**o en el **ch**alé de **Ch**ema.

1 Les verbes de type *gustar* (1) > Précis n° 23

● *Gustar* (aimer quelque chose) et *encantar* (adorer quelque chose) **se construisent comme « plaire » en français. Ils s'emploient généralement à la 3ᵉ personne du singulier ou du pluriel.**

Me gusta el surf. → J'aime le surf (le surf me plaît).

Me encanta jugar al fútbol. → J'adore jouer au football (jouer au football me plaît beaucoup).

Me gustan los videojuegos. → J'aime les jeux vidéo (les jeux vidéo me plaisent).

● **Lorsqu'on veut insister sur une personne ou un groupe de personnes, on utilise a suivi d'un pronom, d'un nom ou d'un groupe de noms.**

A mí me gusta el baloncesto. → **Moi**, j'aime le basket (à moi, le basket me plaît).

A Carla le encanta el tenis. → **Carla** adore le tennis (le tennis plaît beaucoup à Carla).

A Pablo y a su amigo les gusta el snowboard. → **Pablo et son ami** aiment le snowboard (le snowboard plaît à Pablo et à son ami).

1 Conjuga los verbos
a. A ti (gustar) ... la pintura.
b. A ellas (encantar) ... los libros.
c. A él (gustar) ... bailar.
d. A nosotros (gustar) ... montar en bici.
e. A mí (encantar) ... los ritmos latinos.

¡Me encanta el buceo!

Facultatif	Obligatoire	*Gustar* au présent de l'indicatif	
A + nom /groupe de noms / pronom	**Pronom**	*Gusta*	*Gustan*
A mí	me	gusta el esquí. gusta esquiar.	gustan los deportes de agua.
A ti	te		
A él / ella / usted / María	le		
A nosotros, as	nos		
A vosotros, as	os		
A ellos / ellas / los chicos	les		

2 *Ser* et *estar* > Précis n° 26 et 27 • Conjugaisons p. 166-167

● *Ser* et *estar* sont les deux verbes « être » espagnols.

● **Avec un nom :**

– *ser* s'utilise pour une définition, pour caractériser : *Soy un chico.*

– *estar* s'utilise pour la situation dans l'espace et le temps : *Estoy en el estadio de fútbol.*

● **Avec un adjectif :**

– on utilise *ser* quand il s'agit d'une caractéristique profonde, essentielle, habituelle : *Soy dinámica.*

– on utilise *estar* si la caractéristique est passagère : *Estoy cansado después del partido.*

● **Avec les nombres cardinaux** (trois, quatre...) **et pour dire l'heure :**

– on utilise toujours *ser* :

Somos treinta. Es la una. Son las seis. ¿Cuántos somos?

2 ¿*Ser* o *estar*?
Conjuga el verbo adecuado.
a. (Yo) ... una mujer.
b. La selección española ... en el campo de fútbol.
c. (Tú) ... dinámica.
d. (Vosotras) ... de mal humor hoy.
e. Antonio Banderas ... español pero su domicilio ... en Estados Unidos.
f. ¿Cuántos ... (vosotros)? (Nosotros) ... diez en total.
g. ¿Cuándo ... en casa tus padres? (Ellos) ... en casa a las diez.

3 Soler [ue]

> Précis n° 25C

Soler [ue]
(avoir l'habitude de)
suelo
sueles
suele
solemos
soléis
suelen

● Le verbe *soler* signifie « avoir l'habitude de ».
Il est suivi d'un verbe à l'infinitif.
Il diphtongue en *[ue]*.
Suelo jugar al tenis el miércoles.
J'ai l'habitude de jouer au tennis le mercredi.

3 Completa las frases conjugando el verbo *soler*.

a. Yo ... desayunar a las ocho menos cuarto.
b. Mi hermana y yo ... bailar juntas.
c. Tú ... dormir mucho.
d. Ella ... escuchar música por la mañana.
e. Usted ... jugar al tenis los fines de semana.
f. Toni y tú ... tocar el piano.

4 Le présent de l'indicatif de quelques verbes irréguliers

> Conjugaisons p. 164 et 166

● Certains verbes sont irréguliers à la 1ʳᵉ personne du singulier du présent de l'indicatif.

Poner *(mettre)*	Venir *(venir)*	Ver *(voir)*
pongo	vengo	veo
pones	vienes	ves
pone	viene	ve
...	...	...

● Attention : certains verbes cumulent les irrégularités.
Par exemple, *venir [ie]* est aussi un verbe à diphtongue.

4 Eres el joven del dibujo. Di lo que haces.

a   b   c

5 L'heure

● Pour donner l'heure, on utilise le verbe *ser* à la 3ᵉ personne du singulier ou du pluriel. Il est toujours accompagné du déterminant *la* (heure) ou *las* (heures). *Es la una. Son las dos. Son las siete.*

● **Pour indiquer les minutes :**
– entre l'heure pile et la demie (partie rose du dessin), on utilise *y*.
Es la una y diez.   Son las siete y veinte.
– entre la demie et l'heure pile (partie bleue du dessin), on utilise *menos*.
Es la una menos cinco.
Son las siete menos veinticinco.
– pour indiquer l'heure pile, on dit : *en punto*.
Son las tres en punto.
– pour les quarts d'heure, on dit *y cuarto*, *menos cuarto*.
– pour la demie, on dit *y media*.

● **Pour demander l'heure :**
– pour demander quelle heure il est, on dit :
¿Qué hora es?

–Por favor, ¿qué hora es?   –Son las diez y diez.

– pour demander à quelle heure on fait quelque chose, on dit : *¿A qué hora...?*
–¿A qué hora te levantas?
–Me levanto a las siete y media.

● Attention : pour dire l'heure, **on n'utilise pas les chiffres au-delà de 12.**

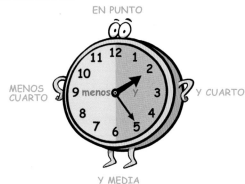

5 Escribe en letras.
a. Il est 2h10.
b. Il est 1h25.
c. Il est 7h50.
d. À 4h15.
e. À 11h30.
f. À 12h40.

6) Les verbes à affaiblissement > Conjugaisons p. 164

● Au présent de l'indicatif, les verbes du type *pedir,* comme *servir, repetir* ou *vestirse* sont irréguliers.
Le e du radical se change en *i* à toutes les personnes sauf aux deux premières du pluriel. On dit que le verbe s'affaiblit.
*Mi madre **sirve** la cena. La profesora **repite** las palabras.*

● Attention : il faut parfois faire une **modification orthographique pour garder le son de l'infinitif** :
*se**gu**ir → si**g**o, corre**g**ir → corri**j**o.*

Vestirse (s'habiller)
me visto
te vistes
se viste
nos vestimos
os vestís
se visten

6 Completa las frases conjugando el verbo entre paréntesis.
a. Yo (pedir) ... el desayuno a las cinco de la mañana.
b. Natalia, Enrique y yo (repetir) ... la pregunta.
c. Tú (elegir) ... bailar el miércoles por la tarde.
d. Ana (vestirse) ... en su cuarto.

7) Le vouvoiement d'une personne > Précis n° 22

● Pour vouvoyer une personne, on met toute la phrase à la 3ᵉ personne du singulier, pronoms y compris. C'est comme si en français on disait à quelqu'un « votre grâce » à la place de « vous ».

● Le pronom sujet correspondant est *usted*, mais il est facultatif.
*¿**Practica** (usted) la natación?* Pratiquez-vous la natation ?
*(Usted) **juega** muy bien al futbolín.* Vous jouez très bien au baby-foot.
*¿**Le** gusta el arte?* Aimez-vous l'art ?

● On utilise les **adjectifs possessifs *su* et *sus*.**
Su guitarra es muy bonita. Votre guitare est très belle.

● En Espagne, **le vouvoiement s'utilise peu.**

7 Imita el modelo.
(Yo) practico la natación.
→ (Usted) practica la natación.
a. (Yo) bailo la salsa.
b. Paco pinta muy bien.
c. (Yo) juego al tenis.
d. (Tú) escribes poemas.
e. ¿Es tu raqueta?
f. Mis gafas de sol son negras.
g. Mi horario es genial.

  Reproduire un modèle oral   Connaître et pratiquer diverses formes d'expression à visée littéraire

Aprende y representa CLASSE 1 / Piste 34   CD ÉLÈVE Piste 17   *Artes*

Lee este texto y apréndelo para representarlo con accesorios delante de la clase.

El árbitro

1   El árbitro es arbitrario por definición.
[...] Es el abominable tirano que ejerce[1]
su dictadura sin oposición posible
[...]. Ejecuta su poder absoluto con
5   gestos de ópera. Silbato en boca, el
árbitro [...] otorga[2] o anula los goles[3].
Tarjeta en mano, alza los colores de la
condenación: el amarillo [...] y el rojo.

Eduardo Galeano (escritor uruguayo),
El fútbol a sol y sombra, 1995.

1. *exerce -* **2.** *accorde -* **3.** *un gol: un but*

Francisco Ibáñez (dibujante español), *Mundial 2006*, 2006.

PROYECTO

 C2 Écrire un court récit, une description

C7 S'engager dans un projet individuel

Creo una página de tipo Facebook

  B2i

Juego de rol:

Tienes una afición (deporte o actividad artística) y decides compartirla (la partager) **con tus amigos españoles creando una página de tipo Facebook en la que:**
– te presentas
– presentas tu afición
– presentas un día en que practicas tu afición (día, horas, actividades).

Je vais utiliser :

• **Objectifs de communication** : J'exprime mes goûts en matière de loisirs – J'exprime des habitudes – Je présente une journée.

• **Grammaire** : *gustar* et *encantar* – *soler* – quelques verbes à affaiblissement – *ser* et *estar* + adjectif – l'heure.

• **Lexique** : les sports, les loisirs, les actions quotidiennes.

En la pestaña *Información*

 Etapa 1

a. Completa la pestaña: alias, edad, nacionalidad.

En la pestaña *Muro*

 Etapa 2

b. Presenta tu afición: el material indispensable, lo que más te gusta y lo que menos te gusta, las cualidades necesarias para tener éxito.
Da el nombre de un(a) famoso(a) que tiene la misma afición que tú.

c. Di cómo es tu profesor(a) o entrenador(a) y cómo te sientes cuando practicas tu afición.

 Etapa 3

d. Explica lo que sueles hacer un día en que practicas tu afición, desde que te levantas hasta que te acuestas.
Un día de entrenamiento, me levanto a...

En la pestaña *Fotos*

 Etapa 4

e. Ilustra tu pasión con fotos y escribe un pie de foto (*légende*) **en cada una.**

Puedes presentar tu trabajo haciendo carteles si no tienes ordenador.

Deporte y música.

PALABRAS

• **u**na pes**t**a**ñ**a: *un onglet*
• gan**a**r **u**na competici**ó**n
• mont**a**r en bicicl**e**ta: *faire du vélo*
• ser fel**i**z: *être heureux(euse)*

Unidad 3 • ¡Tiempo libre!   Sesenta y uno **61**

¡Campeones españoles...

C2 Savoir repérer des informations dans un texte

El deporte español tiene figuras mundialmente conocidas: Nadal (tenis), Alonso (fórmula uno), Gasol (baloncesto) y, claro está, la Roja (la Selección española de fútbol) que ganó *(a gagné)* el Mundial en 2010 y la Eurocopa en 2008. ¿Te interesa ampliar tus conocimientos? Lee la presentación de los tres campeones siguientes.

Deporte ▸ Natación sincronizada

Andrea Fuentes es nadadora. Compite en la prueba individual, de dúo y por equipo.
Le gustan las fiestas, el patinaje artístico y la gimnasia artística.
Y le encanta la música, lo que le permite mejorar la coreografía de sus actuaciones.

1 Andrea Fuentes.

Deporte ▸ Tenis

2 Rafael Nadal.

Rafael Nadal es tenista. Lo llaman Rafa. Es el número uno del mundo. Su tío Toni es su entrenador. Durante los torneos, suele jugar a los videojuegos con sus compañeros. Cuando está en Mallorca, le gusta salir a pescar. Le encanta el fútbol. Es una pasión que le viene de familia. Su tío Miguel Ángel era[1] futbolista del FC Barcelona.

1. *était*

Deporte ▸ Fútbol

Iker Casillas es futbolista. Su puesto es portero o guardameta[1], juega en el Real Madrid. También es capitán de la selección española y campeón del mundo. La gente le conoce como un hombre honesto y humilde[2]. Le encanta estar con sus amigos y su familia. Le gusta ir al cine para ver películas de ciencia ficción y le gusta escuchar música.

1. *gardien de but* - 2. *humble*

3 Iker Casillas.

1. **Adivina por qué el equipo de fútbol español se llama también "la Roja".**
2. **¿Qué punto en común tienen Andrea Fuentes e Iker Casillas?**
3. **¿Qué suele hacer Rafael Nadal cuando está en Mallorca?**

e hispanoamericanos!

En Hispanoamérica, también hay campeones... pero tienen menos fama en Europa. El deporte más practicado es el fútbol. Hay grandes equipos y grandes jugadores. También hay deportistas de élite que brillan en otras competiciones mundiales. Lee la presentación siguiente para descubrir a algunos.

Deporte › Fútbol

Lionel Messi es futbolista. En 2009 y 2010, ganó[1] el balón de oro. Para él, lo peor de su profesión es pasar tiempo lejos de su familia y lo mejor es jugar partidos y recibir el cariño de los aficionados. Cuando está en casa, suele jugar con la consola. Le encanta dormir.

1. *il a gagné*

5 Lionel Messi, argentino.

Deporte › Triatlón

4 Bárbara Riveros, chilena.

Bárbara Riveros es triatleta. Practica la natación, el ciclismo y la carrera[1] desde los ocho años. En 2010, lidera[2] el Mundial pero su principal objetivo es aprender porque dice que es muy joven. No le gusta mucho el fútbol porque piensa que hay otros deportes más bonitos.

1. *course* – 2. liderar: *être à la tête de*

Deporte › Clavados

Paola Espinosa es clavadista[1]. Nace en La Paz, en 1986. En 2009, ganó la medalla de oro en plataforma de 10 metros, su especialidad. Estudia Comunicación en la Universidad para poder ser comentarista deportiva después de su carrera. Considera que la preparación mental es fundamental.

1. *plongeuse*

6 Paola Espinosa, mexicana.

4. ¿Cuántos deportes practican los tres deportistas?
5. ¿Qué es lo que más le gusta a Lionel Messi?

Busca el (los) intruso(s)

1. R. Nadal / P. Espinosa / I. Casillas son españoles.
2. L. Messi practica un deporte: *individual / extremo / de equipo*.
3. P. Espinosa suele: *comentar el deporte / prepararse mentalmente / estudiar Comunicación*.
4. A. Fuentes, B. Riveros y P. Espinosa practican su deporte en: *la piscina / el agua / la montaña*.
5. El fútbol es el punto en común de: *B. Riveros / I. Casillas / L. Messi*.

@ Ciberencuesto B2i

En grupos de cuatro. Tu clase organiza una exposición sobre el deporte presentada en diaporamas. Cada grupo elige a un(a) representante español(a) o hispanoamericano(a) de un deporte y redacta una o dos diapositivas.

1. Elige un deporte en el sitio www.animate-hatier.com.
2. Elige a un(a) representante español(a) o hispanoamericano(a) y:
- preséntalo(la): nombre, nacionalidad, edad, domicilio...
- di lo que suele hacer: entrenamiento, horarios...
- enumera sus gustos.

3. Cada grupo pone su trabajo en común para realizar un diaporama que se puede publicar en el sitio o en la biblioteca del colegio.

Evaluación

① Je peux comprendre des goûts en matière de sports.

Escucha a Cristina y di si estas afirmaciones son verdaderas o falsas. Justifica tu respuesta.

CD CLASSE 1 / Piste 35

a. A Cristina le gusta el golf.
b. Le encanta el submarinismo.
c. Cristina suele ver mucho la tele.
d. Le gusta el baloncesto.

PALABRAS

- at**a**rse los cord**o**nes: *faire ses lacets*
- bostez**a**r: *bâiller*
- cepill**a**rse los di**e**ntes

② Je peux présenter une journée.

¿Qué hace Enriqueta por la mañana? Imagina el resto del día.

Liniers (dibujante argentino), *Macanudo 1*, 2004.

③ Je peux exprimer des habitudes.

Para que los alumnos se **conozcan** *(se connaissent)* mejor, el (la) tutor(a) os distribuye una ficha con los verbos *levantarse, almorzar [ue], estudiar, ver la tele...*

1. **Haz dos preguntas a tu compañero(a) y memoriza lo que te dice.**
2. **Repite sus respuestas** asegurándote de que has **comprendido** *(que tu as compris).*
Así que yo suelo... Y tú sueles... ¿No?
3. **Ahora le toca a tu compañero(a).**

④ Je peux comprendre des goûts en matière de loisirs.

El violín

Luna y Roberto están hablando.

1 –¿Tocas en alg**ú**n grupo?
–A veces he tocado[1] con algún grupo, a veces solo. El domingo por la mañana voy
5 a tocar en el Centro Cultural de Majadahonda; está cerca de Madrid.
–¿Y qué tocas? –volvió a preguntar[2] Luna con curiosidad.

10 –El viol**í**n. Lo hago desde los cuatro años. [...] ¿Te extraña[3]?
–Pues sí.
–¿Por qué?
–Pues..., no sé. Tengo amigos
15 que tocan en alg**ú**n grupo, pero ninguno toca el violín.
–Imagino que ellos y yo interpretamos distinto[4] tipo de música.

Alfredo Gómez Cerdá (escritor español), *Sin máscara*, 1996.

Di si la frase es correcta o falsa. Si es falsa, corrígela.

a. El chico toca en un grupo.
b. Para Luna, tocar el violín es inhabitual.
c. El domingo Roberto toca en Madrid.
d. Roberto toca la misma música que los amigos de la chica.

1. *J'ai parfois joué*
2. *demanda à nouveau*
3. *Ça t'étonne ?*
4. *différent*

⑤ Je peux interroger une personne connue.

Un(a) artista o deportista famoso(a) es el(la) invitado(a) de <u>elpais.com</u>. **Aprovechas** *(tu en profites)* **para hacerle preguntas. Utiliza** *usted*.

> **Fais le point sur tout ce que tu as appris en remplissant la grille d'autoévaluation de ton Cahier d'activités p. 27.**

C5 Savoir s'autoévaluer

Unidad

4

¿Vamos de compras?

DVD
De turismo...

Balado
diffusion

De compras por la ciudad.

PROJET

de l'unité

Je téléphone à un(e) ami(e) espagnol(e) pour organiser un week-end dans sa ville.

A1 Je vais...

- **Comprendre des informations météorologiques**
- **Parler de vêtements**
- **Comprendre le récit d'événements récents**
- **Écrire une lettre pour raconter ma journée**
- **Comprendre un itinéraire**
- **M'exprimer dans un magasin**

Je vais utiliser...

- L'obligation personnelle et impersonnelle
- Les comparatifs
- Le passé composé
- Quelques prépositions de lieu (1)
- Quelques adverbes de temps

Je vais réemployer...

- *Gustar*
- Les nombres jusqu'à 99
- Les couleurs

Je vais découvrir...

- La mode hispanique
- Le lexique du climat, des vêtements, des magasins, de la ville, des itinéraires

Primavera en Madrid

❶ **Escucha**   CD CLASSE 2 / Piste 1 | p.30

1. ¿Quiénes hablan?
2. **Rectifica estas afirmaciones.**
   a. Irene va a ir a ver a Isabel este fin de semana.
   b. Isabel sabe qué ropa meter en su maleta.
   c. En primavera, siempre hace sol y calor en Madrid.
   d. Irene tiene que llevar algo de abrigo.

PALABRAS

- la mal**e**ta: *la valise*
- el par**a**guas: *le parapluie*
- la r**o**pa de abr**i**go / lig**e**ra: *les vêtements chauds / légers*
- **H**ace fr**í**o / cal**o**r / bu**e**no / m**a**lo: *Il fait froid / chaud / beau / mauvais.*

- **H**ace sol. • **H**ace vi**e**nto.

- Llu**e**ve. • Ni**e**va.
  (→ la ll**u**via) (→ la ni**e**ve)

Diciembre en Buenos Aires.

1

Diciembre en Madrid.

2

❷ **Exprésate**

En parejas, elegid una foto. Decid qué estación es, qué tiempo hace y qué ropa tenéis que llevar si viajáis a esa ciudad.

Lengua > p. 74 ☐ p.30

L'obligation personnelle («Je dois, tu dois... »)
Tienes que traer ropa ligera.
- **Obligation personnelle = *tener que* + infinitif.**

Haz frases con *tener que* + infinitivo.
En invierno, la gente usa ropa de abrigo.
→ *En invierno la gente tiene que usar ropa de abrigo.*

CD CLASSE 2 / Piste 2

a. Cuando hace calor, llevas ropa ligera.
b. Si llueve, Ana y Carlos cogen el paraguas.
c. Nosotros preparamos la maleta para este fin de semana.
d. Para ver muchas flores, espero la llegada de la primavera.

Ropa para todos los estilos

1

la camiseta
de tirantes
15€

la falda
30€

el bolso
22€

las sandalias
35€

Estilo "fashion"

2

la camiseta
20€

el pantalón
de cuadros
35€

las playeras
o zapatillas
de deporte
28€

Estilo desenfadado
(décontracté)

3

la chaqueta
65€

el cinturón
12€

los vaqueros
40€

Estilo
deportista

4

el abrigo
80€

la corbata
15€

el jersey
25€

la camisa
20€

los zapatos
45€

Estilo
formal

❶ Prepárate para hablar

Elige dos personajes, compara la ropa que llevan
y los precios. ¿Qué estilo te gusta más?

❷ Comunica

Tu compañero(a) y tú queréis regalarle algo de ropa a un(a) amigo(a).
Según el dinero que podéis gastar *(dépenser)*, decidid qué es mejor
comparando las posibilidades y teniendo en cuenta su estilo.

PALABRAS

- la m**a**nga c**o**rta ≠ l**a**rga: *la manche
courte ≠ longue*
- bar**a**to(a) ≠ c**a**ro(a): *bon marché
≠ cher, chère*
- bon**i**to(a) ≠ f**e**o(a): *joli(e) ≠ laid(e)*
- estr**e**cho(a) ≠ **a**ncho(a): *étroit(e)
≠ large*
- cost**a**r [ue]: *coûter*
- pon**e**rse: *mettre*

Lengua ▸ p. 74 ☐ p. 31

1. Les comparatifs réguliers

*La chaqueta es **tan** elegante **como**
la falda.*
- **Pour comparer :**
– **más** + **adjetivo** + **que** (plus que)
– **menos** + **adjetivo** + **que** (moins que)
– **tan** + **adjetivo** + **como** (autant que).

2. Les comparatifs irréguliers

bueno(a) →**mejor** ≠ *malo(a)* →**peor**
grande →**mayor** ≠ *pequeño(a)* →**menor**

1. Haz frases con los comparativos.
Isabel (+ desenfadada) Irene.
→ *Isabel es más desenfadada que Irene.*
a. La camisa azul (– cara) la marrón.
b. Sergio (+ elegante) Luis.
c. Este pantalón (= bonito) este otro.

**2. Completa con comparativos
irregulares.**
a. Lo ... de esta camiseta es su color.
(bueno)
b. La talla 38 es ... que la 40. (pequeño)

C2 Demander et donner
des informations

Mini PROYECTO

Vas a una
fiesta y no tienes
nada que ponerte.
Hablas con un(a)
amigo(a) por telé-
fono para que te
preste algo. Imagina
el diálogo con un(a)
compañero(a).

Una carta de Londres

Ana escribe a su madre CD CLASSE 2 / Piste 3

> ₁ Londres, 1 de abril, 12h30m (p.m.)   Sra. Rosario Durán (Barcelona)
>
> Querida mamá:
>   Hemos llegado¹ a Heathrow a la hora prevista. Puntualidad británica.
> ₅ No hemos tenido ningún problema de papeles, porque, con todo esto de la
> Unión Europea, los miembros de la comunidad no pasamos los controles.
> Hemos recogido las maletas y hemos cogido un taxi hacia el centro
> de la ciudad. [...] Tío Alex me ha prometido que esta tarde saldremos
> a pasear²... ¡Y a comprar! Tío Alex es, es, es... (No doy con la palabra,
> ₁₀ pero tú ya me entiendes, ¿verdad, mamá?) [...]
> Hemos llegado al hotel, un edificio pequeño, blanco, con columnas en la
> entrada. [...]
> Por un momento he creído que Holmes y Watson saldrían³ del hotel para
> ir a resolver algún misterio. [...]
> ₁₅ Bueno, y ahora te dejo, mamá, que tío Alex me acaba de llamar por
> teléfono y quiere que baje a recepción para ir a comer y dar una vuelta⁴
> por Londres. ¡Me muero de ganas!⁵... Te quiero.

Jaume Fuster (escritor español), *Las cartas de Ana*, 1996.

❶ Lee   p.32

1. ¿Qué personas aparecen en el texto?
2. ¿Cómo se llevan Ana y Alex?
3. ¿Cómo han ido del aeropuerto al hotel?
4. Cuenta lo que ha hecho *(a fait)* Ana desde que ha llegado a Londres.

1. llegar: *arriver*
2. *nous sortirons nous promener*
3. *sortiraient*
4. *faire un tour*
5. *Je meurs d'envie !*

❷ Escribe

Cuando llega al hotel, después de dar una vuelta, Ana escribe en su diario lo que ha hecho con su tío. Imagina lo que cuenta.

PALABRAS

- **u**na entr**a**da: *un ticket*
- el m**e**tro: *le métro*
- alquil**a**r **u**na bicicl**e**ta: *louer un vélo*
- visit**a**r un mus**e**o: *visiter un musée*

Lengua > p. 75 ☐ p.32

1. Le passé composé
Ana ha ido a Londres con su tío.
- **Passé composé = auxiliaire *haber*** (he, has, ha, hemos, habéis, han) + **participe passé**.

2. Le participe passé
*lleg**ado** recog**ido** sal**ido***
- **Verbes en *-ar*: radical du verbe + *-ado*.**
- **Verbes en *-er* et *-ir*: radical du verbe + *-ido*.**

Transforma las frases usando el pretérito perfecto *(passé composé)*.
a. Nosotros subimos al avión a las nueve de la mañana.
b. El avión no llega al aeropuerto a su hora.
c. Los viajeros esperan sus maletas más de una hora.
d. Yo bebo un café en la cafetería.

Ana continúa su carta...

De paseo *(promenade)* **por Londres**

❶ Prepárate para escribir
 p.33

1. Indica los siguientes elementos de la carta de Ana (p. 68 y 69).
- Lugar
- Fecha
- Fórmula de saludo
- Fórmula de despedida *(au revoir)*
- Firma *(signature)*

2. Copia este cuadro en tu cuaderno y complétalo con la información del texto. Utiliza *primero* y *después*.

Lugares a los que han ido	Cosas que han hecho

---

1 He ido a comer con el tío Alex. Me ha llevado a un restaurante del barrio[1] de Chelsea. [...]
Cuando hemos salido del restaurante, tío Alex me ha llevado a una tienda de material informático. [...] Después de comprar el ordenador, hemos
5 ido a una tienda de ropa, una de Laura Ashley, y me ha comprado dos vestidos[2] muy ingleses, con florecillas, que me sientan muy bien[3], dos jerséis de shetland[4] y una falda de cuadritos escoceses. Me han dicho que así parecería[5] una británica de verdad. [...]
Y acabo[6] la carta porque el tío me espera, que me quiere llevar al British
10 Museum, a ver las momias, a cenar y después... Al teatro, mamá.
De verdad, a ver un musical muy bueno que él ya ha visto pero que quiere que yo también vea...

Te quiero

Jaume Fuster (escritor español), *Las cartas de Ana*, 1996.

1. *le quartier* - **2.** el vestido: *la robe* - **3.** s**e**ntar [ie] bien: *aller bien (vêtements)*
4. *tissu de laine d'Écosse* - **5.** *je ressemblerais* - **6.** acabar = terminar

---

❷ Escribe

Escribe una carta a un(a) amigo(a) español(a) contando lo que has hecho este fin de semana. Utiliza todos los elementos típicos de una carta.

PALABRAS

- ir a la bol**e**ra: *aller au bowling*
- ir al p**a**rque de atracci**o**nes: *aller au parc d'attractions*
- ir de c**o**mpras: *faire du shopping*
- ir de excursi**ó**n al c**a**mpo: *faire une excursion à la campagne*

 ▸ p. 75 📖 p. 33

Quelques participes passés irréguliers
decir → **dicho**
hacer → **hecho**
ver → **visto**
escribir → **escrito**
poner → **puesto**
volver → **vuelto**

Escribe frases en pretérito perfecto.
a. Esta mañana yo (ver) al tío Alex.
b. Ana (ponerse) una falda escocesa.
c. Mis padres me (escribir) una postal.
d. Vosotros (volver) pronto de viaje.

C2 Rendre compte de faits

¡Has cambiado de estilo! Escribe en un papel la ropa que has comprado y lo que has hecho de acuerdo con tu nueva imagen. Después, cada uno(a) lee un papel al azar y adivina de quién es.
He comprado ropa de deporte y he jugado al golf.

El centro de la moda

Plano
de una zona
comercial.

❶ Escucha CD CLASSE 2 / Piste 5

1. Escucha el diálogo, sigue
el itinerario y di en qué lugar
termina.

2. Copia este cuadro y complétalo con
el nombre de las tiendas del diálogo.

Ropa	Discos y libros	Deportes

3. ¿Verdadero o falso? Justifica tu respuesta.
   a. La informadora les dice cómo ir
   en metro.
   b. Van primero a comprar discos y libros.
   c. Paula quiere ir a ver zapatos.
   d. Andrés quiere ir a la tienda del Real
   Madrid.

PALABRAS
- la **c**a**l**le: *la rue*
- la esqu**i**na: *le coin*
- cruza**r**: *traverser*
- gi**r**a**r**: *tourner*
- s**e**gu**ir** [i] **t**o**d**o **r**ecto: *continuer
tout droit*
- al fin**al** de: *au bout de*

❷ Exprésate

Estás en el hotel Capitol y quieres
ir a la tienda del Real Madrid.
Describe el recorrido para ir a pie.

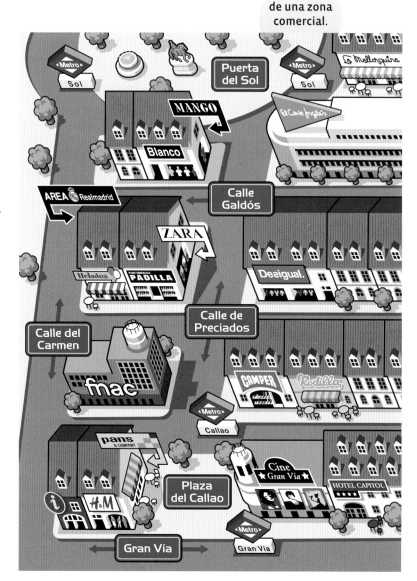

Lengua > p. 74-75 ☐ p. 34

1. L'obligation impersonnelle (« Il faut... »)
Hay que seguir todo recto.
- **Il faut + infinitif = hay que + infinitif.**

2. Quelques prépositions de lieu (1)
- ***A*** = **mouvement.** *Vamos a Zara.*
- ***De... a* / *desde... hasta*** = **mouvement d'un
point à un autre.** *Vamos de Callao a Sol.*
- ***En*** = **lieu où l'on se trouve.** *Estoy en Gran Vía.*
- ***Por*** = **lieu que l'on traverse.** *Volvemos por la
calle del Carmen.*

**1. Haz frases
para expresar
la obligación impersonal.** CD CLASSE 2 / Piste 6
a. Ir a la librería.
b. Comprar un libro a Juan
para su cumpleaños.
c. Después, coger la calle
de Preciados.
d. Llegar a Rodilla a las
siete.

**2. Elige la preposición
correcta.**
a. Paula te espera *a / desde /
en* la calle de Preciados.
b. Quiero ir *en / a / por* una
tienda de ropa.
c. *Por / En / Hasta* esta calle
no se va al cine.
d. Viajáis *desde / en / por*
Segovia *a / por / hasta* Madrid.

¡Ya han llegado las rebajas!

❶ Prepárate para hablar

CD CLASSE 2 / Piste 7   CD ÉLÈVE Piste 19

Di algunas expresiones del vendedor y del cliente que oyes en el diálogo. p.35

❷ Exprésate

Vas a comprarte dos prendas de vestir *(vêtements)*. **Piensa qué quieres comprarte, de qué color y a qué tienda(s) vas. Di qué talla usas y qué precio quieres pagar.**

❸ Comunica

Con un(a) compañero(a), escribe un diálogo entre un(a) vendedor(a) y un(a) cliente(a) y represéntalo delante de la clase.

Eligiendo ropa en las rebajas *(soldes)*.

el probador

la vendedora

la clienta

algunas prendas

PALABRAS

- pag**a**r: *payer*
- pr**o**b**a**rse [ue]: *essayer*
- qued**a**r bien / mal: *aller bien / mal*

Si eres el (la) vendedor(a)

1. Saludas al cliente (a la clienta) y le preguntas qué quiere.
2. Le preguntas qué talla usa.
3. Le indicas dónde están los probadores.
4. Dices el precio, indicando que ya / todavía no está rebajado.
5. Das las gracias y te despides.

Si eres el (la) cliente(a)

1. Saludas y dices qué quieres y de qué color (pides dos cosas).
2. Dices tu talla y si puedes probarte las prendas.
3. Vuelves, dices qué has elegido y preguntas el precio.
4. Si te parece bien, dices que te llevas la prenda y pagas.
5. Te despides y sales de la tienda.

Lengua > p. 75   p. 35

Quelques adverbes de temps

Todavía no me he decidido.
- **Todavía no = pas encore.**

Ya han empezado las rebajas.
- **Ya = déjà.**

Forma frases según el ejemplo.
elegir el jersey – probárselo
→ *Ya he elegido el jersey pero todavía no me lo he probado.*

a. elegir un regalo – ir a comprarlo
b. preguntar el precio – pagar
c. empezar las rebajas – ir a mirar
d. llegar a la tienda – entrar

C2 Demander et donner des informations

Mini PROYECTO

Trabajas en una tienda y tu compañero(a) ha leído que la marca va a abrir otra nueva tienda. Responde a sus preguntas: si ya ha abierto, dónde está o va a estar y cómo ir.

De compras

 DVD Séq. 4   CD CLASSE 2 / Piste 8   p.36

1

2

3

4

5

6

 Mira el vídeo o escucha la grabación y responde.

a. ¿Qué miran los chicos para regalar a Raquel?

b. ¿Qué talla usa Raquel?

c. ¿De qué color es la camiseta que compran Natalia y Cristina?

 Mira las fotos y recuerda. ¿Qué dice...?

a. Miguel sobre el bolso en la foto 1.

b. Paloma sobre los dos vestidos que le enseña Natalia en la foto 3.

c. El chico desconocido cuando se acerca a Natalia en la última foto.

PALABRAS

- la bufanda: *l'écharpe*
- la cazadora: *le blouson*
- el collar: *le collier*
- el pañuelo: *le foulard*
- la pulsera: *le bracelet*
- chulo(a) *(fam.)*: *chouette*

PALABRAS

Plus d'activités sur ton CD-Rom

El clima

1 Relaciona cada expresión con la imagen correspondiente.

a. Hace sol. **c.** Nieva. **e.** Hace viento.
b. Hoy llueve. **d.** Hace frío.

La ropa

2 Tienes que ayudar al (a la) vendedor(a) a poner las etiquetas a cada prenda.
Una pista: las decenas del precio corresponden al número de letras de la palabra.
Ejemplo: C-a-5 (falda = 5 letras = 56 euros)

Prendas de vestir	Nombre	Precio
A	**a.** falda	**1.** 83 €
B	**b.** camisa	**2.** 67 €
C	**c.** vestido	**3.** 92 €
D	**d.** sandalias	**4.** 74 €
E	**e.** chaqueta	**5.** 56 €

3 Se te ha mojado la lista de lo que tienes que llevar en la maleta y no se entienden las palabras porque se han borrado algunas letras. Complétalas.

- VE T D
- PAT S
- J S Y
- P R GU S
- P T LÓN
- PL Y R S
- C M S T

Las tiendas

4

En grupos de dos. Cada uno(a) observa el dibujo y escribe todas las palabras que conoce. Gana el (la) que más escribe. Tenéis dos minutos.

La ciudad

5 Adivina qué es.
a. Lugar donde se compra ropa.
b. Lugar donde se informa a los turistas.
c. Lugar de la ciudad por donde se camina.
d. Lugar donde hay obras de arte.

Los itinerarios

6 Escribe las expresiones que corresponden a estos símbolos.

a. ↑ **b.** ↱ **c.** ↰

Trabalenguas

CD CLASSE 2 / Piste 9 CD ÉLÈVE Piste 20 **C2** Reproduire un modèle oral

En espagnol, la combinaison **ll** se prononce comme dans le mot « lier ».

1
Si te vas al Himalaya,
no te lleves tu toalla.
Pero si vas a Sevilla
lleva siempre una sombrilla.

2
Desde la calle Mayor
llegas a la Puerta del Sol;
aunque llueve ya
llena de gente está.

Lengua

Plus d'activités
sur ton CD-Rom
ROM

1 Les comparatifs réguliers et irréguliers > Précis n° 11

● Pour **comparer des personnes et des objets**, on peut utiliser :

– le comparatif de **supériorité** : *más + adjetivo + que*.
*Esta camiseta es **más barata que** el abrigo.*

– le comparatif d'**infériorité** : *menos + adjetivo + que*.
*El pantalón verde es **menos elegante que** el negro.*

– le comparatif d'**égalité** : *tan + adjetivo + como*.
*Los zapatos son **tan bonitos como** las botas.*

● Les **comparatifs irréguliers** sont les suivants :

– *bueno(a)* → *mejor* (meilleur, e / mieux)

– *grande* → *mayor* (plus grand, e)

– *malo(a)* → *peor* (pire / moins bien)

– *pequeño(a)* → *menor* (plus petit, e / moindre)

1 Observa los tres dibujos y haz frases con los comparativos.

2 Sustituye por el comparativo irregular correspondiente.

a. Este vaquero es (+ bueno) que el otro.

b. Esta falda es de (+ mala) calidad que la mía.

c. Mi hermana es (+ grande) que yo, tiene tres años más.

d. Luis es (+ pequeño) que Sergio, tiene dos años menos.

2 L'obligation personnelle > Précis n° 24

● Pour exprimer une **obligation personnelle** (« je dois », « tu dois »...), on utilise *tener que* suivi de l'infinitif.

● **Attention** : il ne faut pas oublier de **conjuguer le verbe** *tener [ie]* à la bonne personne.
Tengo que ver la tele para saber qué tiempo hace mañana.
Tenéis que coger el paraguas porque está lloviendo.

3 Transforma estas frases para expresar la obligación personal.

a. Cuando hace frío, llevar abrigo. (nosotros)

b. Cuando hace calor, ponerse sandalias. (ellas)

c. Cuando llueve, coger un paraguas. (vosotros)

d. Cuando viajas, preparar la maleta con atención. (tú)

3 L'obligation impersonnelle > Précis n° 24

● Pour exprimer une **obligation impersonnelle** (« il faut »), on emploie *hay que* suivi de l'infinitif. On parle d'obligation impersonnelle car **la personne n'est pas indiquée**.
*Para ir al cine, **hay que girar** a la izquierda.*

● **Attention** : *hay* (« il y a ») ≠ *hay que* (« il faut »).
*Ahora **hay** rebajas.*

4 Transforma estas frases para expresar la obligación impersonal.

a. Este fin de semana, ir al concierto de Shakira.

b. Reservar las entradas el jueves.

c. Comprar la camiseta oficial del concierto.

d. Llegar pronto para coger un buen sitio.

e. Cantar todas las canciones con ella.

f. Aplaudir al final.

g. Divertirse mucho.

● **Formation**

– Le **passé composé** se forme avec l'auxiliaire *haber* au présent de l'indicatif suivi du participe passé.

– Le **participe passé** se forme avec la terminaison *-ado* pour les verbes en *-ar*, et la terminaison *-ido* pour les verbes en *-er* et *-ir*. Il est **invariable**.

llegar → *lleg**ado***   *coger* → *cog**ido***   *salir* → *sal**ido***

Llegar *(arriver)*	Coger *(prendre)*	Salir *(sortir)*
he lleg**ado**	he cog**ido**	he sal**ido**
has lleg**ado**	has cog**ido**	has sal**ido**
ha lleg**ado**	ha cog**ido**	ha sal**ido**
hemos lleg**ado**	hemos cog**ido**	hemos sal**ido**
habéis lleg**ado**	habéis cog**ido**	habéis sal**ido**
han lleg**ado**	han cog**ido**	han sal**ido**

– **Quelques participes passés irréguliers :**

abrir → *abierto*   *poner* → *puesto*
decir → *dicho*   *romper* (casser) → *roto*
escribir → *escrito*   *ver* → *visto*
hacer → *hecho*   *volver* → *vuelto*

● **Emploi**

– Le **passé composé** s'utilise pour parler de **faits passés qui ont un lien avec le présent**.

*Este fin de semana **he ido** a Londres, **he llegado** al aeropuerto a la hora y **he cogido** un taxi.*

– Il s'utilise avec **des expressions de temps** (*hoy, esta mañana, esta tarde, esta semana, este fin de semana, este año...*) **et avec** les adverbes *ya* (déjà) et *todavía no* (pas encore).

Ya has terminado de leer la carta de Ana.
Todavía no has comprado la falda escocesa.

5 Conjuga el verbo en pretérito perfecto *(passé composé)*.
a. Vosotros (regalar) ... a Ana un cuaderno de viaje.
b. ¿Alguien (ir) ... ya a Londres?
c. (Volver, tú) ... al hotel muy tarde porque (hacer) ... muchas cosas por la ciudad.
d. Esta mañana, yo (ver) ... el reloj más famoso de Londres.
e. Este mes, mis amigos me (escribir) ... muchos sms.

6 Di lo que ya has hecho (◉) y lo que todavía no (×) de esta lista. Ejemplo: Ver zapatos. ×
→ *Todavía no he visto zapatos.*

a. Visitar la Puerta del Sol. ◉
b. Comprar ropa. ◉
c. Comer un helado. ×
d. Tomar un café en la terraza de Rodilla. ×

---

5 **Quelques prépositions de lieu** > Précis n° 9

● *En* indique le **lieu où l'on se trouve**.
*Estoy **en** la cafetería esperando a Luis.*

● *A* indique un **mouvement**.
*Mamá, esta tarde voy **al** museo con Celia.*

● *De... a* et *desde... hasta* indiquent le **mouvement d'un point à un autre**.
*Voy **de** mi casa **al** centro de la ciudad a pie.*

● Avec le verbe *pasar*, *por* indique le **lieu que l'on traverse**.
*Podemos **pasar por** el parque para ir más rápido.*

Estoy en el autobús y no puedo hablar, lo siento.

7 Anota las preposiciones de lugar de este e-mail, explica su uso e inventa una frase con cada una.

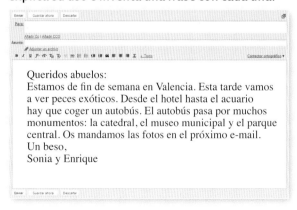

Queridos abuelos:
Estamos de fin de semana en Valencia. Esta tarde vamos a ver peces exóticos. Desde el hotel hasta el acuario hay que coger un autobús. El autobús pasa por muchos monumentos: la catedral, el museo municipal y el parque central. Os mandamos las fotos en el próximo e-mail.
Un beso,
Sonia y Enrique

LO ÚTIL PARA... hablar por teléfono

1 Pour entamer la conversation

- ¿Dígame? / ¿Diga? / ¿Sí? / ¿Aló? (América)
→ Allô ? (lorsqu'on décroche)

2 Pour demander quelqu'un

—Marta, ¿eres tú?	→ Marta, c'est toi ?
—Sí, soy yo.	→ Oui, c'est moi.
—¿Está Carlos, por favor?	→ Est-ce que Carlos est là, s'il vous /te plaît ?
—¿De parte de quién?	→ C'est de la part de qui ?
—Sí, ahora se pone.	→ Oui, je vous le passe.
—No, ¿quieres dejarle un mensaje?	→ Non, veux-tu lui laisser un message ?

3 Pour prendre congé

—Tengo que colgar, mi madre me llama.	→ Je dois raccrocher, ma mère m'appelle.
—Te llamo más tarde.	→ Je t'appelle plus tard.
—¡Hasta pronto!	→ À bientôt !

> ¿Está Marta, por favor?

> No, pero soy su novio. ¿Quieres dejarle un mensaje?

> Tengo que colgar, mi madre me llama. ¡Hasta pronto!

Je me lance ! > p. 77

C2 Reproduire un modèle oral

C5 Connaître et pratiquer diverses formes d'expression à visée littéraire

Aprende y representa

Artes

CLASSE 2 / Piste 10   CD ÉLÈVE Piste 21

Lee este fragmento de teatro con un(a) compañero(a).
Aprendedlo de memoria para representarlo delante de la clase.

Cambio de imagen

1 SARA: ¡Vaya colección de ropa! [...]

CHARO: No podemos descuidar[1] la imagen. Así que vamos a cambiar el fondo de tu armario, [...] renovar el vestuario, los zapatos, los complementos...

5 SARA: ¿Qué le pasa a mi ropa? A mí me gusta.

CHARO: Hay que cambiarte un poco la imagen, cielo[2], aunque respetando tu estilo. No te preocupes. [...] Ropas entre gipsy y hippy, un poco retro y fashion total. Pintada[3] lo mínimo.

César López Llera (dramaturgo español),
La chica de ayer, 2005.

1. *négliger* – 2. *(ici) ma chérie* – 3. *Maquillée*

Arturo Elena
(ilustrador de moda
español), 1985.

PROYECTO

C2
· Établir un contact social
· Demander et donner des informations

C7 S'intégrer et coopérer dans un projet collectif

Organizo un fin de semana por teléfono

Juego de rol:

Alumno A: Vas a pasar dos días en casa de un(a) amigo(a) español(a). Llamas para preguntar cosas prácticas.

Alumno B: Respondes a las preguntas y explicas las actividades previstas para el fin de semana.

Je vais utiliser :

• **Objectifs de communication** :
Je comprends et donne des informations météo-rologiques – Je parle de vêtements – Je comprends et indique un itinéraire.

• **Grammaire** : les comparatifs – l'obligation personnelle et impersonnelle – les prépositions de lieu – le passé composé.

• **Lexique** : le climat, les vêtements, les itinéraires, la ville.

Etapa 1

a. El alumno A llama por teléfono a su amigo(a) y le pregunta qué tiempo hace para saber qué ropa tiene que llevarse.

El alumno B descuelga el teléfono y dice al alumno A qué tiempo hace y qué tiene que traer.

Etapa 2

b. El alumno A pregunta cómo ir de la estación de tren (*gare*) a casa de su amigo(a) (Calle de Cavanilles, n°3).

El alumno B le indica el itinerario.

Cuando sales de la estación, hay que...

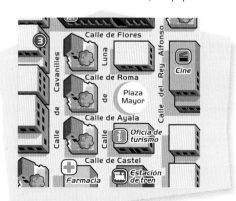

PALABRAS

• la pista de patinaje: *la patinoire*
• dar una vuelta: *faire un tour*
• ir a tomar algo: *aller prendre un verre*
• ir de marcha: *faire la fête*
• quedar: *avoir / donner rendez-vous*

Etapa 3

c. El alumno A pregunta qué actividades ha elegido el alumno B para el fin de semana.

El alumno B le explica a su amigo(a) lo que ha pensado y le pregunta si le gusta.

Etapa 4

d. Decís adiós y colgáis.

¡Podéis representar la escena delante de la clase o / y grabarla!

MARCAS ESPAÑOLAS

C2 Savoir repérer des informations dans un texte

¿Sabes que algunas marcas españolas de ropa tienen una importante dimensión internacional? Aquí tienes algunas de ellas.

ZARA

Fundada por Amancio Ortega, Zara pertenece a un grupo de tiendas que se llama Inditex. La primera tienda se crea en 1975 (mil novecientos setenta y cinco). Presente en más de setenta países, Zara ofrece moda internacional a precios razonables. Tiene un gran éxito entre un público masculino, femenino y adolescente. También tiene una línea infantil.

Un escaparate de Zara.

Concierto de "The Last 3 lines" en una tienda de Bershka en Barcelona.

Bershka

Bershka pertenece también al grupo Inditex. Aparece en 1998 (mil novecientos noventa y ocho). Presente en casi cincuenta países, ofrece una moda dirigida a un público joven. Sus tiendas quieren ser un lugar de encuentro entre la moda, la música y el arte de la calle. ¡En sus tiendas puedes ver vídeos, escuchar música o leer revistas!

Hay gente que siempre sigue las tendencias del momento. Son los denominados "fashion". Si se convierte en una obsesión, se les denomina "fashion victims" (víctimas de la moda). ¿Eres tú un(a) de ellos(as)? Haz este test para saberlo.

1 ¿A qué tiendas prefieres ir?
- ☆ De ropa y zapatillas.
- ♥ De música y multimedia.

2 Cuando compras zapatillas de deporte:
- ☆ Son para salir.
- ♥ Son para hacer deporte.

3 Cuando compras una prenda nueva, piensas en:
- ☆ La moda del momento.
- ♥ Tus propios gustos.

4 En una fiesta llevas:
- ☆ Algo original.
- ♥ Algo discreto.

Soluciones

Mayoría de ☆:
¡Eres víctima de la moda! Te encanta ir de compras y llevar las últimas tendencias. Tienes que ser el centro de atención.

Mayoría de ♥:
¡Tienes tu propio estilo! No te interesa la moda del momento. Prefieres ir cómodo(a) a llamar la atención.

SIN FRONTERAS

MANGO

Mango se crea en 1984 (mil novecientos ochenta y cuatro). También tiene una dimensión internacional en más de noventa países. Su propietario se llama Isak Andic, es catalán y se dirige a un público femenino y masculino con ropa de tendencia. Sus campañas de publicidad siempre cuentan con artistas importantes como Penélope Cruz o Scarlett Johansson.

Scarlett Johansson promoviendo Mango.

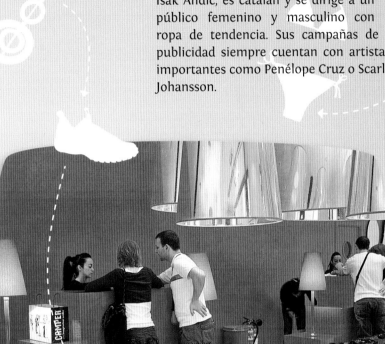

Una tienda de zapatos Camper.

CAMPER

¿Conoces esta tienda de zapatos presente en más de treinta países? Pertenece a la familia mallorquina Fluxá. En 1877 (mil ochocientos setenta y siete), Antonio Fluxá viaja a Inglaterra para conocer nuevos métodos de fabricación industrial y vuelve a España con las primeras máquinas para fabricar zapatos. Camper crea su logotipo en 1975 (mil novecientos setenta y cinco). Sus zapatos combinan artesanía[1] y modernidad con comodidad y creatividad. ¿Sabes que "Camper" significa campesino[2] en catalán?

1. *artisanat* - 2. *paysan*

Busca el (los) intruso(s)

1. Algunas firmas de ropa españolas son: *Zara / Gucci / Mango*.
2. No combina moda y actuaciones musicales en directo: *Bershka / Mango / Zara*.
3. Están presentes en menos de cincuenta países: *Mango / Berskha / Camper*.
4. Son tiendas de ropa: *Camper / Mango / Bershka*.

@ Ciberencuesta B2i

Es la semana de la moda y vas a realizar un cartel sobre un(a) diseñador(a) hispano(a). Consulta el sitio Internet www.animate-hatier.com.

1. Elige a un(a) diseñador(a) y completa la ficha. Puedes usar un procesador de datos.
- Nombre: - Estilo:
- Nacionalidad: - Particularidades:
2. Inventa uno o varios modelos para la próxima colección en función de su estilo.
3. Di a tus compañeros qué diseñador(a) has elegido, preséntalo(a) y describe el modelo que has creado explicando por qué corresponde a su estilo.

Evaluación

① Je peux comprendre des informations météorologiques.

Escucha el mensaje del contestador y contesta las preguntas.

🔵 **CD CLASSE** 2 / Piste 11

a. El chico va de vacaciones a: *España / Argentina / Inglaterra*.

b. En Madrid: *hace frío / hace calor / llueve*.

c. En Buenos Aires hay: *18 grados / 25 grados / 8 grados*.

d. Mateo tiene que llevar ropa: *de abrigo / ligera*.

② Je peux indiquer un itinéraire.

En grupos de dos. Os situáis en el Café de la Ópera. Cada uno(a) indica un itinerario y su compañero(a) tiene que decir a donde llega.

Mapa de Barcelona.

Norte
Oeste — Este
Sur

③ Je peux parler de vêtements.

Describe estos dos jerséis comparándolos. Elige uno y di por qué.

30 €
20 €
1
2

④ Je peux comprendre le récit d'événements récents.

Nuevos tiempos, nueva moda

1 –Oye, me he comprado un par de vaqueros y unas camisetas de colores. Estoy harto[1] del traje[2] y la corbata. […]
–Menos mal que uno de mis ejecutivos[3] no lleva el uniforme habitual. No sé por qué […] en esta empresa vais todos
5 vestidos de gris. Los ejecutivos de otras compañías ya se han empezado a vestir de un modo más informal, pero más acorde con los nuevos tiempos.
–Julio […] siempre ha sido un poco rompedor[4].
–Pues gente así es la que necesitamos. Gente con nuevas
10 ideas, con nuevas formas de vestir, con un estilo nuevo.

Juan José Millás (escritor español), *El desorden de tu nombre*, 1988.

1. *J'en ai assez* - 2. *costume* - 3. *cadres supérieurs* - 4. *(ici) rebelle*

¿Verdadero o falso? Justifica tu respuesta.
a. Julio se ha comprado unas camisas blancas.
b. Todos van vestidos con colores vivos en esa empresa.
c. Julio siempre ha sido original.

⑤ Je peux écrire un récit au passé.

Has ido a la fiesta de tu mejor amigo(a). Cuenta qué ropa te has puesto y lo que has hecho.

> **Fais le point sur tout ce que tu as appris en remplissant la grille d'autoévaluation de ton Cahier d'activités p. 36.**

C7 Savoir s'autoévaluer

¡Ponte en forma!

Balado diffusion

Pasarlo bien cocinando.

PROJET
de l'unité

Je crée une publicité pour la campagne « *En forma todo va* ».

A1/A2 Je vais...
- **Comprendre une discussion sur l'alimentation**
- **Donner des conseils d'hygiène de vie**
- **Comprendre un article sur la santé**
- **Décrire un état de santé**
- **Comprendre une recette de cuisine**
- **Formuler des demandes**

Je vais utiliser...
- Les verbes de type *gustar* (2 et 3)
- Les indicateurs de quantité
- Le subjonctif présent (1)
- L'expression du conseil, du but, de l'hypothèse
- L'impératif

Je vais réemployer...
- *Gustar* et *encantar*
- *Soler*
- Le lexique des loisirs

Je vais découvrir...
- Des spécialités culinaires
- Un grand chef espagnol : Ferran Adrià
- Le lexique des aliments, du corps et de la santé

¡Vivan las vitaminas!

❶ Escucha

CD CLASSE
2 / Piste **12**

CD ÉLÈVE
Piste **22**

p.37

1. Enumera las palabras relacionadas con la alimentación.

2. Da la respuesta correcta.
 a. Manuela está: *en forma / cansada*.
 b. Manuela come: *muchas / pocas* chucherías.
 c. A Manuela le chifla: *el gazpacho / el chorizo*.
 d. ¿En qué consiste el menú que van a preparar las chicas?

╭ PALABRAS

- el arr**o**z: *le riz*
- el bocad**i**llo: *le sandwich*
- las chucher**í**as
- el gazp**a**cho = s**o**pa fr**í**a a b**a**se de tom**a**tes
- el pesc**a**do: *le poisson*
- el p**o**stre: *le dessert*

frutasy
verduras
de**temporada**,[1]
es**su**mejor**momento**

alimentación.es

frambuesa	calabaza
fresa	cardo
granada	cebolla
	col lombarda
higo	coliflor
kiwi	
limón	endibia
mandarina	escarola
mango	espárrago verde
	espinaca
manzana	guisante
melocotón	haba
	judía verde
melón	lechuga
membrillo	
naranja	nabo
nectarina	pepino
níspero	pimiento
paraguaya	puerro
pera	rábano
	remolacha
plátano	
pomelo	repollo
sandía	
uva	tomate
	zanahoria

Ministerio de Medio Ambiente y Medio Rural y Marino, www.alimentación.es, 2008.

❷ Exprésate

1. Tenéis tres minutos para memorizar el mayor número de frutas (grupo A) y verduras (grupo B). Gana el grupo que más palabras memoriza y dice.

2. ¿Comes mucha fruta cada día? ¿Y bastante verdura?

3. Di qué fruta o verdura no te gusta / te encanta.

4. ¿Qué fruta y verdura te apetece comer en verano? ¿Y en invierno?

1. *fruits et légumes de saison*

Lengua > p. 90 📖 p. 37

1. Les verbes de type *gustar* (2)
Le apetecen las chucherías. Me chifla el gazpacho.

- ***Apetecer*** (avoir / donner envie) et ***chiflar*** (adorer, registre familier) **se construisent comme *gustar*.**

2. Les indicateurs de quantité
- ***mucho - poco - bastante - demasiado***
Estudio mucho. Duermo pocas horas.
- Employés comme **adverbes**, ces mots sont **invariables**.
- Employés comme **adjectifs**, ces mots **s'accordent**.

1. Forma una frase a partir de estos elementos.
 a. chiflar / yo / los tomates
 b. las fresas / encantar / mi madre
 c. apetecer / pimientos / comer / nosotros

2. Contesta empleando *mucho, poco o bastante*.

CD CLASSE
2 / Piste **13**

 a. ¿Comes chucherías?
 b. ¿Te gustan las espinacas?
 c. ¿Consumes fruta de temporada?

¡Come bien y muévete!

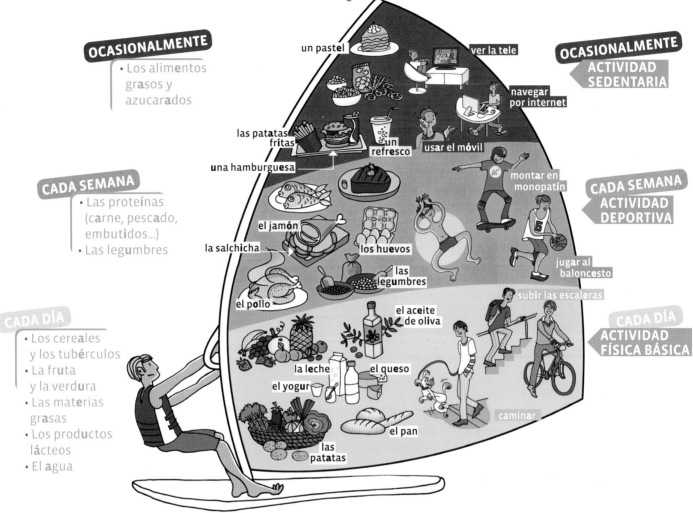

OCASIONALMENTE
- Los alimentos grasos y azucarados

OCASIONALMENTE
ACTIVIDAD SEDENTARIA

un pastel ver la tele

navegar por internet

las patatas fritas

un refresco

usar el móvil

una hamburguesa

montar en monopatín

CADA SEMANA
- Las proteínas (carne, pescado, embutidos...)
- Las legumbres

CADA SEMANA
ACTIVIDAD DEPORTIVA

el jamón

la salchicha los huevos

jugar al baloncesto

las legumbres

subir las escaleras

el pollo

el aceite de oliva

CADA DÍA
ACTIVIDAD FÍSICA BÁSICA

CADA DÍA
- Los cereales y los tubérculos
- La fruta y la verdura
- Las materias grasas
- Los productos lácteos
- El agua

la leche el queso

el yogur

caminar

el pan

las patatas

❶ Prepárate para hablar

Observa la vela *(voile)* **y di qué nos aconseja:**
a. cada día. **b.** cada semana. **c.** ocasionalmente.

Nos aconseja que comamos...

❷ Comunica

Dialogas con un(a) compañero(a) que no come bien y no practica actividades físicas. Te explica lo que suele hacer y tú le das cuatro consejos.

—*Veo mucho la tele.* —*Es importante que...*

Lengua ▸ **p. 90-91** 📖 p. 38

1. Le subjonctif présent des verbes réguliers
- Verbes en **-ar** :
radical + -e, -es, -e, -emos, -éis, -en.
- Verbes en **-er** et **-ir** :
radical + -a, -as, -a, -amos, -áis, -an.

2. L'expression du conseil
Te aconsejo que tomes vitaminas.
- *Aconsejar que* **+ subjonctif.**
Ou : *Es importante / bueno que* **+ subjonctif.**

Conjuga en presente de subjuntivo.

a. Es importante que vosotros (consumir) alimentos frescos.
b. Te aconsejo que (caminar) mucho.
c. Es bueno que nosotros (beber) mucha agua.

C2 Décrire, raconter, expliquer

MINI PROYECTO

Realiza un cóctel de vitaminas utilizando como mínimo tres frutas y verduras. Di cuáles has elegido y por qué. Luego aconseja a un(a) amigo(a) que lo beba. *Te aconsejo que tomes este cóctel porque es bueno que...*

Comida basura... ¡No!

©Josep Lluís Sellart/El País

Una máquina expendedora en el colegio.

Comer en el cole

CD CLASSE 2 / Piste 14   CD ÉLÈVE Piste 23

1 El gobierno[1] le ha declarado la guerra a las chucherías y los refrescos. El campo de batalla: los centros escolares públicos. Las patatas fritas, la bollería[2] tienen los días contados en las cafeterías escolares y en las máquinas expendedoras de los patios. El Ministerio de Sanidad[3]
5 ha acordado[4] este miércoles con las comunidades autónomas un plan para desterrar[5] estos alimentos de los colegios. […] Medidas[6] con las que tratan de frenar el aumento de la obesidad infantil, una epidemia que está llegando a niveles alarmantes en España, donde uno de cuatro niños padece sobrepeso[7] u obesidad. […]
10 "Lo que hay que hacer es educar al niño para que tenga conciencia de lo que come", dice Susana Monereo, jefa de Endocrinología del Hospital de Getafe.

www.elpaís.com, Madrid, 21/07/2010.

1. *le gouvernement* - **2.** *les viennoiseries* - **3.** *le ministère de la Santé* - **4.** *a signé un accord* - **5.** *bannir* - **6.** *Des mesures* - **7.** *souffre de surpoids*

---

❶ Lee   p.39

1. Las máquinas expendedoras contienen...
2. El gobierno quiere suprimirlas en: *los centros comerciales / las escuelas*.
3. En España hay: *pocos / muchos* niños con sobrepeso.
4. ¿Es importante educar a los niños sobre la alimentación? Justifica tu respuesta.

❷ Escribe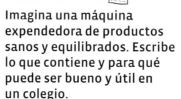

Imagina una máquina expendedora de productos sanos y equilibrados. Escribe lo que contiene y para qué puede ser bueno y útil en un colegio.

Es bueno para que los alumnos...

Puede servir para que los adolescentes...

PALABRAS

- los alimentos biológicos
- la botella de agua mineral
- la ensalada: *la salade composée*
- el pan integral: *le pain complet*
- los productos frescos
- el zumo de fruta: *le jus de fruits*

Lengua > p. 91   p. 39

1. Le subjonctif présent des verbes irréguliers

Tener	Hacer	Querer
tenga	haga	quiera
tengas	hagas	quieras
tenga	haga	quiera
tengamos	hagamos	queramos
tengáis	hagáis	queráis
tengan	hagan	quieran

2. L'expression du but

*Hay que educar a los niños **para que coman** bien.*

- **Para que +** subjonctif.

Conjuga en presente de subjuntivo.
a. El médico nos da consejos para que (tener) buenos hábitos alimenticios.
b. Compro mucha fruta para que vosotros (hacer) zumos naturales.
c. Mis padres se las ingenian *(s'arrangent)* para que mi hermano (querer) comer de todo.

¡Ay, cómo duele!

① Prepárate para escribir

1. Apunta las palabras
y expresiones que se
relacionan con el estado
de salud de Enriqueta.
¿Qué verbo se repite dos
veces?

2. Completa estas frases.
Es posible que Enriqueta
tenga…
Quizás (peut-être) no quiera..
Es probable que su madre…

ME SIENTO PÉSIMO,[1] MADARIAGA.

TENGO FIEBRE, ME DUELE LA CABEZA.

NO PEGUÉ UN OJO[2] EN TODA LA NOCHE.

ME DUELE LA GARGANTA[3]... ESTOY RESFRIADA[4].

1. très mal
2. je n'ai pas fermé l'œil
3. gorge
4. enrhumée

Liniers (dibujante argentino),
Macanudo 3, 2009.

② Escribe

Estás en clase y te sientes mal. Vas a consultar al (a la)
enfermero(a) del colegio. Imagina el diálogo.

la mano
el brazo
el estómago / la tripa
la cabeza
¿Qué le pasa? ¿Qué le duele?
el hombro
la espalda
la pierna
la rodilla
el pie

PALABRAS

- los di**e**ntes: *les dents*
- cuid**a**r la salud: *prendre soin de sa santé*
- estar enf**e**rmo(a)
- guard**a**r c**a**ma: *garder le lit*

- t**e**n**e**r [ie] anginas / bronqu**i**tis / gr**i**pe / **u**na indigesti**ó**n
- tom**a**r medicam**e**ntos (aspirina, jarabe…)

Lengua ▸ p. 90-91 📖 p. 40

1. Les verbes de type *gustar* (3)
Me duele la garganta. Le duelen los dientes.
- ***Doler* [ue]** (avoir mal) se construit comme *gustar* et diphtongue.

2. L'expression de l'hypothèse
Es probable que tenga fiebre.
Quizá(s) esté enferma.
- ***Es posible / probable que* + subjonctif**
Ou : ***Quizá(s)* + subjonctif.**

Observa la foto de
la joven e imagina lo
que le puede pasar.
Quizá(s)…
Es posible que…

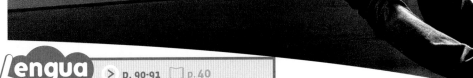

C2 — Écrire un message simple

MINI PROYECTO
Estás enfermo(a)
y no puedes ir al cole.
Le envías un e-mail a un(a)
amigo(a) para avisarle.
Describe tus síntomas y pregúntale si puede venir a verte
para que te dé los deberes.

Cocinar, ¡qué fácil es!

Tacos de pollo con guacamole

Tacos: especialidad mexicana
Tortilla doblada[1] que se rellena[2] prácticamente con cualquier tipo de carne y verdura. Comida popular que se vende en puestos en la calle o en taquerías. Se come directamente con las manos.

DIFICULTAD 📏 fácil

Ingredientes

PARA LOS TACOS:
- 10 tortillas
- 750 gramos de pollo
- 1 tomate
- el zumo de medio limón verde
- 2 cebollas
- 2 dientes de ajo
- lechuga
- queso semiduro
- sal y pimienta

PARA LA SALSA GUACAMOLE:
- 2 aguacates
- ½ cebolla
- 1 tomate
- ½ limón
- sal y chile

Modo de preparación de los tacos

1 Cortar en trocitos[3] las verduras y el pollo.
2 Echar a freír el pollo con aceite.
3 Añadir[4] el zumo de limón, las cebollas, el ajo, la sal y la pimienta.
4 Mezclar[5] bien y rehogar[6] durante diez minutos.
5 Rellenar las tortillas con esa mezcla.
6 Añadir encima queso y lechuga.
7 Servir con salsa de guacamole picante.

¡Buen provecho!

Modo de preparación del guacamole

1 Pela los aguacates y aplástalos[7].
2 Añade el resto de los ingredientes.
3 Mézclalo bien y rellena los tacos con la salsa guacamole.

¡Qué rico está!

❶ Lee 📖 p.41

Contesta.
a. Los tacos son especialidades de: *México / Argentina / España*.
b. Es una comida: *popular / variada / complicada*.
c. ¿Qué verbos se relacionan con la cocina?
d. Ordena los ingredientes de esta receta en diferentes categorías: verdura, especias *(épices)*, carne...

❷ Exprésate

1. ¿Te apetece comer tacos? ¿Por qué?

2. **Tu tía quiere preparar una comida original y fácil. Le explicas la receta de los tacos. Puedes variar los ingredientes pero conserva los alimentos esenciales (tortilla, verdura, carne).**

   Primero, compra los ingredientes siguientes...

   1. *galette de blé ou de maïs repliée*
   2. *qu'on remplit*
   3. *Couper en petits morceaux*
   4. *Ajouter -* 5. *Mélanger*
   6. *faire revenir -* 7. *écrase-les*

Lengua > p. 92 📖 p. 41

L'impératif des verbes réguliers

	Cocinar	Comer	Añadir
tú	cocina	come	añade
vosotros	cocinad	comed	añadid

- **Tú → 2e personne du singulier au présent ⊖ S.**
- **Vosotros → infinitif ⊖ R ⊕ D.**
- **L'enclise est obligatoire :** *Córtalos.*

Conjuga en imperativo.
a. (Cuidar) tu salud.
b. (Comer, tú) alimentos sanos.
c. (Añadir, vosotros) un poco de sal.
d. (Probar, tú) esta tapa, está buenísima.
e. (Darme, tú) la botella de agua.
f. (Llamar, vosotros) al restaurante.

¡Ven a la fiesta!

❶ Prepárate para escribir

1. Observa el cartel y rellena la ficha siguiente.

- Tema:
- Fecha:
- Lugares:
- Personajes:
- Alimentos/platos
  que conoces:

2. Imagina que dos grupos de personas del cartel están hablando. Escribe lo que dicen en globos *(bulles)*.

❷ Escribe  p.42

Quieres organizar la fiesta de los vecinos en tu edificio o barrio. Redacta la invitación. Presenta la fiesta (fecha, horario, lugar) y explica a la gente lo que puede hacer y traer para pasarlo bien.

Para la fiesta, traed...

⌐ PALABRAS

- los cubi**e**rtos: *les couverts*
- el mant**e**l: *la nappe*
- el v**a**so: *le verre*
- el pl**a**to: *l'assiette / le plat*
- compart**i**r: *partager*
- pas**a**rlo bien = div**e**rt**i**rse [ie]
- ten**e**r [ie] h**a**mbre / sed:
  avoir faim / soif
- tra**e**r: *apporter*

**día europeo
del
vecino**

viernes, 28 de mayo

www.european-neighbours-day.eu, 2010.

engua > p. 92 □ p. 42

**L'impératif
des verbes irréguliers**

• Certains verbes sont **irréguliers à la 2ᵉ personne du singulier** *(tú)*.

decir → **di**	*poner* → **pon**
hacer → **haz**	*tener* → **ten**
ir → **ve**	*venir* → **ven**

Conjuga en imperativo.
a. (Poner, tú) la mesa por favor.
b. (Decirme, tú) si te gusta este plato.
c. (Hacer, tú) la lista de la compra.
d. (Ir, tú) al mercado a comprar fruta.
e. (Venir, tú) a la fiesta.

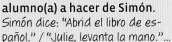

C2 Comprendre un message oral pour réaliser une tâche

Mini PROYECTO

Vais a jugar a "Simón dice" *(Jacques a dit)*. Un(a) alumno(a) es Simón y da tres órdenes a la clase que hace lo que pide. Después viene otro(a) alumno(a) a hacer de Simón.
Simón dice: "Abrid el libro de español." / "Julie, levanta la mano."...

Avec **DVD** ou **CD** classe

¡Feliz cumpleaños!

 DVD Séq. 5 CD CLASSE 2 / Piste 15 p.43

1

2

3

4

5

6

1 **Mira el vídeo o escucha la grabación y responde.**

a. Están celebrando el cumpleaños de: *Javier / Raquel / Belén*.

b. Natalia y Cristina están comiendo: *la tarta / chucherías / sándwiches*.

c. Al final Belén: *se va / se queda en la fiesta / llama a sus padres*.

2 **Mira las fotos y recuerda. ¿Qué dice(n)?**

a. El padre de Raquel en la foto 1.

b. Los amigos cuando entran en casa en la foto 3.

c. Javi a su hermana en la foto 5.

PALABRAS

• las aceitunas: *les olives*
• la bebida
• la tarta

• celebrar un cumpleaños: *fêter un anniversaire*

PALABRAS

Plus d'activités
sur ton CD-Rom

Los alimentos

1 Busca las siete diferencias entre los dos dibujos.

2 Piensa en el nombre de un alimento y juega al juego del ahorcado con la clase.

C - - - O - A - E

3 Completa el menú del comedor escolar variando los alimentos.

lunes	martes	miércoles
ensalada mixta	....	gazpacho
....	carne	....
flan	....	....

El cuerpo

4 Lee la descripción de *Invencible*, el viejo pirata. Dibújalo.

Sus ojos son verdes. Su nariz es grande. Sólo le quedan tres dientes. Tiene una cicatriz cerca de la boca. Le falta un brazo. Tiene una pierna más corta que la otra. Tiene poco pelo. Su tripa es enorme.

5 Forma palabras en relación con el cuerpo humano.

a. PIER-   1. -DA
b. CABE-   2. -ZO
c. BRA-   3. -NA
d. ESPAL-   4. -ZA

La salud

6 Relaciona los elementos de cada columna.

a. Me duele la tripa...   1. porque como sanamente.
b. Toso mucho...   2. porque tengo bronquitis.
c. Estoy en forma...   3. porque tengo una indigestión.

Trabalenguas

CD CLASSE
2 / Piste 16

CD ÉLÈVE
Piste 24

C2 Reproduire
un modèle oral

Dans la majeure partie de l'Espagne, la lettre *c* devant *e* ou *i* et la lettre *z* se prononcent un peu comme le « *th* » anglais. Devant les autres voyelles, la lettre *c* se prononce [k].

1
Cereza, ciruela
Cereza, ciruela
Cereza, ciruela

2
El que poco coco come,
poco coco compra.
Como yo poco coco como,
poco coco compro.

Plus d'activités
sur ton CD-Rom
ROM

1 L'expression de la quantité > Précis n° 8

Voici quelques indicateurs de quantité :

– *bastante* (assez) – *demasiado* (trop)
– *mucho* (beaucoup) – *poco* (peu)

● Lorsqu'ils sont employés **comme adjectifs**,
ils s'accordent avec le nom qu'ils déterminent.

Dans ce cas-là, le « de » du français ne se traduit pas :
Ha comido muchas cerezas.
Il a mangé beaucoup de cerises.

● Lorsqu'ils sont employés **comme adverbes**,
ils sont invariables.
Desayuno poco. Me gustan mucho las fresas.

1 Indica el alimento y la cantidad.

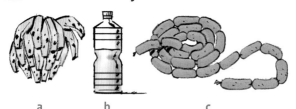

a b c

2 Elige la respuesta correcta.

a. Tienes una alimentación sana porque no comes
demasiadas / mucho / bastantes grasas.
b. Estudio mucho. Tengo *demasiado / poco / mucho*
tiempo para practicar deporte.
c. Suelo comer frutas de temporada, me gustan
mucho / muchas / pocas.

2 Les verbes de type *gustar* (2 et 3) > Précis n° 23

● Les verbes *apetecer* (« faire / avoir envie »), *molar* et
chiflar (« aimer » en langage familier) expriment respec-
tivement l'envie et le goût et **se construisent comme le**
verbe *gustar* (cf p. 58).
Me apetece comer gazpacho.
A Luisa le chiflan los caramelos.

● Le verbe *doler [ue]* signifie « avoir mal ».
**Il se construit sur le modèle du verbe *gustar* et
diphtongue.**
Te duele la cabeza.
A nosotros nos duelen los pies de tanto caminar.

3 Forma una frase a partir de estos elementos.
Emplea un verbo de gusto.
a. Belén / ❤❤ / la paella
b. Vosotros / ❤ / las legumbres
c. Manuel y Diego / 🗡 / la leche
d. yo / ❤ / el deporte
e. tú / 🗡 / la carne

4 Di lo que le(s) duele.

a b c

3 Le présent du subjonctif des verbes réguliers > Précis n° 31E • Conjugaisons p. 164

● **Formation**

Cenar (dîner)	Beber (boire)	Consumir (consommer)
cene	beba	consuma
cenes	bebas	consumas
cene	beba	consuma
cenemos	bebamos	consumamos
cenéis	bebáis	consumáis
cenen	beban	consuman

● **Emplois (1)**

– Pour **exprimer un but** : *para que* + subjonctif.
Te llamo para que vengas a la fiesta.

– Pour **donner un conseil** :
• *aconsejar que / recomendar que* + subjonctif.
• *es mejor que / es necesario que / es bueno que /
es importante que* + subjonctif.

*Los nutricionistas nos recomiendan que comamos
cinco frutas y verduras cada día.*

– Pour **exprimer une hypothèse** :
- *es posible que / es probable que / puede que* + subjonctif.
- *quizá(s) / acaso / tal vez* (peut-être) + **subjonctif**.

Puede que la niña tenga fiebre.
No viene, tal vez esté enfermo.

5 Completa las frases con la expresión que convenga y conjuga los verbos.
a. Le duele el estómago, ... (tener) una indigestión.
b. La educación es importante ... los niños (saber) alimentarse bien.
c. ... que ... (consumir, tú) más verdura cada día.
d. ... que ... (hacer, vosotros) ejercicio con regularidad.
e. Elena no está en el cole, ... (estar) enferma.

6 Escribe un consejo para cada dibujo.

a   b   c

4 Le présent du subjonctif : verbes à irrégularités

> Conjugaisons p. 164 et 166

● **Les verbes irréguliers**

Lorsqu'un verbe est irrégulier à la première personne du singulier du présent de l'indicatif, il conserve cette irrégularité à toutes les personnes au présent du subjonctif.

Conocer (connaître)	Hacer (faire)	Poner (mettre)	Tener (avoir)	Venir (venir)
conozca	haga	ponga	tenga	venga
conozcas	hagas	pongas	tengas	vengas
conozca	haga	ponga	tenga	venga
conozcamos	hagamos	pongamos	tengamos	vengamos
conozcáis	hagáis	pongáis	tengáis	vengáis
conozcan	hagan	pongan	tengan	vengan

● **Les verbes à diphtongue et à affaiblissement**

Au présent du subjonctif :

– La diphtongue (*e → ie, o → ue*) se fait aux mêmes personnes qu'au présent de l'indicatif.

– L'affaiblissement (*e → i*) se fait à toutes les personnes.

Querer (vouloir)	Poder (pouvoir)	Pedir (demander)
quiera	pueda	pida
quieras	puedas	pidas
quiera	pueda	pida
queramos	podamos	pidamos
queráis	podáis	pidáis
quieran	puedan	pidan

● **Les verbes totalement irréguliers**

Il existe aussi des **verbes totalement irréguliers** au **subjonctif présent**.
En voici quelques exemples dans le tableau ci-contre.

Dar (donner)	Haber (aux. avoir)	Ir (aller)	Saber (savoir)	Ser (être)
dé	haya	vaya	sepa	sea
des	hayas	vayas	sepas	seas
dé	haya	vaya	sepa	sea
demos	hayamos	vayamos	sepamos	seamos
deis	hayáis	vayáis	sepáis	seáis
den	hayan	vayan	sepan	sean

7 Indica el infinitivo y las personas de estos verbos y subraya los irregulares.
a. desayunes
b. comáis
c. diga
d. vayamos
e. consumamos
f. bebas
g. tengas
h. traigan
i. sepáis
j. cocine

8 Conjuga los verbos entre paréntesis en subjuntivo.
a. Te aconsejo que (ir) a este restaurante.
b. Es bueno que nosotros (hacer) ejercicio físico.
c. Es importante que los alimentos no (perder) sus vitaminas.
d. Ana viene a la fiesta, quizás no (saber) a qué hora es.

5 L'impératif des verbes réguliers (*tú / vosotros*)

Précis nº 31F • Conjugaisons p. 164

● **Tutoiement singulier (*tú*)**

Pour former la 2ᵉ personne du singulier à l'impératif, on utilise la 2ᵉ personne du singulier du présent de l'indicatif sans le -*s* final.

● **Tutoiement pluriel (*vosotros*)**

Pour former la 2ᵉ personne du singulier à l'impératif, on utilise la **forme infinitive sans le -*r* final que l'on remplace par un -*d*.**

– **L'enclise** (pronom collé après le verbe) **est obligatoire à l'impératif** : *Dime lo que quieres.*

Il ne faut pas oublier d'écrire **l'accent sur la voyelle normalement accentuée du verbe** :

Invítale a tu fiesta de cumpleaños.

– **Attention** : lorsque le verbe est **pronominal**, il faut **supprimer le -*d* à la 2ᵉ personne du pluriel** :

Levantarse → ¡Levantaos!

Une exception : *ir → idos*

	Présent de l'indicatif	Impératif singulier (*tú*)
Cenar (*dîner*)	cenas →	cena
Beber (*boire*)	bebes →	bebe
Vivir (*vivre*)	vives →	vive

	Impératif pluriel (*vosotros*)
Cenar →	cenad
Beber →	bebed
Vivir →	vivid

9 Conjuga los verbos en imperativo.

a. (Cenar, vosotros) ligeramente.
b. (Comprar, tú) productos frescos.
c. (Tomarse, tú) estos medicamentos.

6 L'impératif des verbes irréguliers

> Conjugaisons p. 164 et 166

● Il existe quelques verbes qui sont **irréguliers à la 2ᵉ personne du singulier.**

decir: di   ir: ve   ser: sé   tener: ten
hacer: haz   poner: pon   salir: sal   venir: ven

10 Transforma las frases en órdenes.

a. Te aconsejo que lo hagas.
b. ¿Me puedes decir cómo está?
c. Es importante que vengas.

| C2 | Reproduire un modèle oral |
| C5 | Connaître et pratiquer diverses formes d'expression à visée littéraire |

Aprende y representa

 CLASSE 2 / Piste 17   CD ÉLÈVE Piste 25

Artes

Lee este poema y apréndelo para decirlo delante de la clase.

Oda a la manzana

1 A ti, manzana,
quiero
celebrarte
llenándome
5 con tu nombre
la boca,
comiéndote. [...]
Qué difíciles
son
10 comparados
contigo
los frutos de la tierra

las celulares uvas,
los mangos
15 tenebrosos,
las huesudas[1]
ciruelas, los higos
submarinos:
tú eres pomada pura,
20 pan fragante,
queso
de la vegetación.
[...]

Pablo Neruda (poeta chileno), *Tercer libro de las odas*, 1957.

1. *aux gros noyaux*

Nicanor Piñole (pintor español, Gijón, 1878-1978), *Recogiendo la manzana*, 1922, Óleo / lienzo, 150 x 206 cm, Museo de Bellas Artes de Asturias.

PROYECTO

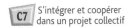
Participo en una campaña publicitaria

Juego de rol:

El Ministerio de Sanidad lanza la campaña publicitaria "*En forma todo va*" para promover hábitos saludables entre los jóvenes. Invita a los alumnos a participar creando un anuncio. Puedes presentar tu trabajo de dos formas:

– un cartel `B2i`
– un mensaje radiofónico.

Je vais utiliser :

• **Objectifs de communication** : Je donne des conseils – Je formule des demandes – Je m'exprime sur l'alimentation et la santé.

• **Grammaire** : les verbes de type *gustar* – le subjonctif – l'expression du conseil – l'expression du but – l'impératif.

• **Lexique** : les aliments, le corps, la santé.

Etapa 1

a. Con dos o tres compañeros(as) apuntad en una hoja de papel el mayor número de consejos para llevar una vida saludable.

b. Escoged en esta lista tres consejos en los que vais a basar el anuncio.

Etapa 2

c. Redactad un texto para presentar y explicar los tres consejos de vida saludable.

d. Inventad un eslogan corto y atractivo.

e. Para ilustrar el texto:
– si realizáis un cartel, buscad una foto o haced un dibujo.
– si realizáis un anuncio para la radio, buscad una canción o música.

Etapa 3

f. Realizad el anuncio.

g. Presentad el anuncio a la clase. Votad por el que vais a enviar para la campaña "*En forma todo va*".

© Legacom Comunicación, S.A.U.
(Empresa pública de comunicación del Ayuntamiento de Leganés).

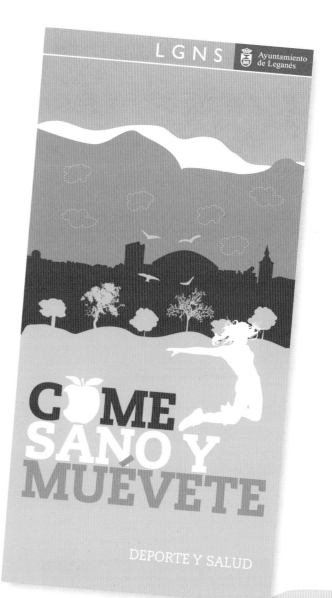

COCINA ENTRE TRADICIÓN...

¡VAMOS DE TAPAS!

Las tapas son pequeñas cantidades de comida que se sirven como acompañamiento de una bebida. Pueden ser frías o calientes. Existe una gran variedad. La tapa es gratuita o bastante barata.

¿TAPAS O TAPAR?

La tapa tiene su origen en las tabernas del siglo XIX cuando se solía poner encima del vaso servido una loncha[1] de jamón o queso para taparlo[2] y protegerlo de los insectos.
De ahí viene la palabra "tapa".

1. *tranche* - 2. *le couvrir*

Unas tapas muy ricas. ¿Las quieres probar?

Tomando tapas en un bar.

CHICOS, ¡A TAPEAR!

Los españoles suelen reunirse con los amigos y la familia en los bares para "tapear", es decir picar[1] algunas tapas, beber y conversar. Tradicionalmente toman las tapas de pie[2] y las piden en la barra[3]. Ir de tapeo es ir de bar en bar picando un poco en cada uno. ¿Quién paga una ronda[4]?

1. *grignoter* - 2. *debout* - 3. *comptoir* - 4. *tournée*

LAS TAPAS MÁS POPULARES

Las tapas pueden variar de una región a otra pero algunas son muy populares y se encuentran en la mayoría de los bares, como los calamares a la romana, las albóndigas[1], las patatas bravas, la ensaladilla rusa, las croquetas, la tortilla de patatas, los boquerones[2], el chorizo frito...

1. *boulettes de viande* - 2. *anchois*

Una tortilla de patatas.

Calamares a la romana.

1. ¿De dónde viene la palabra "tapas"?
2. ¿En qué consiste la costumbre de "tapear"?

ESPAÑOLA:
Y MODERNIDAD

Ferran Adrià: una cocina de vanguardia *(avant-garde)*.

TE PRESENTAMOS A UN GRAN CHEF: FERRAN ADRIÀ

Distinguido con tres estrellas en la Guía Michelin, Ferran Adrià ha obtenido varias veces el premio[1] del mejor cocinero[2] y mejor restaurante del mundo.

Su famoso restaurante *El Bulli* está en Cataluña. El menú típico se compone de unas treinta y cinco degustaciones, entre ellas muchas tapas. El lema del chef es: "La cocina es un lenguaje mediante el cual se puede expresar armonía, creatividad, felicidad[3], belleza[4], poesía, complejidad[5], magia, humor, provocación y cultura."

1. *prix* - 2. *cuisinier* - 3. *bonheur* - 4. *beauté* - 5. *complexité*

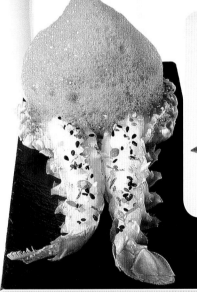

Cigala *(langoustine)* **unilateral con aire de té matcha.**

LA GASTRONOMÍA MOLECULAR

Ferran Adrià se interesa por todos los aspectos tecnológicos y científicos de la cocina. Investiga la obtención de nuevas texturas: gelatinas calientes, emulsiones, espumas y aires[1], helados salados. Emplea técnicas como el destilado[2], el uso del nitrógeno líquido, la liofilización, la esferificación[3]...

1. *écumes et mousses* - 2. *distillation* - 3. técnica que consiste en dar una forma de esfera a un alimento

Raviolis de remolacha *(betterave)* **con su sorbete, pistacho y espuma de frambuesas.**

3. ¿Cómo ilustran las fotos el lema del chef catalán?

4. Compara las tapas de Adrià con las tapas tradicionales.

Busca el intruso

1. Ferran Adrià es un chef: *español / con dos estrellas / vanguardista.*

2. Este chef ha obtenido el premio de mejor: *cocinero / restaurante / libro de recetas.*

3. Las tapas son una: *tradición culinaria / porción de comida / bebida.*

4. El tapeo es: *ir al bar con amigos / comer tapas / ir de compras.*

@ Ciberencuesto B2i

Se organiza una exposición en el comedor escolar. Vais a realizar un póster sobre la gastronomía hispanoamericana y los alimentos originarios de este continente.

1. Consulta el sitio www.animatehatier.com **y completa esta ficha para cada especialidad.**

2. Pincha en la dirección que aparece en el sitio y busca otra receta con tres ingredientes de origen hispanoamericano. Redacta su ficha (cf. 1).

3. Realiza el póster integrando la ficha de todos los platos, unas fotos y la lista de los alimentos de origen hispanoamericano. Puedes situarlos en un mapa.

- Nombre del plato
- País / Países
- Ingredientes (subraya en rojo los alimentos originarios del continente americano)
- Particularidad

Evaluación

❶ Je peux comprendre des conseils alimentaires.

1. Escucha el mensaje radiofónico y elige la respuesta correcta.

CD CLASSE 2 / Piste 18

a. Este documento es: *un artículo de prensa / una campaña de prevención.*

b. Se dirige a: *las familias / los profesores.*

c. Da consejos sobre: *la salud / los estudios.*

2. ¿Qué consejos se repiten?

3. ¿En qué consiste un desayuno equilibrado?

❷ Je peux donner des conseils d'hygiène de vie.

Ayudas al (a la) enfermero(a) del colegio que viene a hablar de los buenos hábitos de una vida saludable en la escuela primaria. Con él (ella) explicas a los niños lo que es bueno / importante que hagan para que estén en forma.

❸ Je peux participer à une discussion sur l'alimentation.

Vas a celebrar tu cumpleaños en casa con los amigos y tus padres te acompañan a hacer la compra. Imaginad el diálogo:

– **Alumno A:** Eres el hijo / la hija. Te encanta la "comida basura" y quieres comprar mucha para tus amigos.

– **Alumno B:** Eres el padre / la madre y prefieres que tu hijo(a) compre comida sana.

❹ Je peux comprendre un état de santé.

Lee el texto y di si las afirmaciones son verdaderas o falsas. Justifica tus respuestas.

> **En el consultorio**
>
> 1 –Pues hijo, eso es algo que te ha sentado mal[1]– le decía don Ildefonso, mientras le tocaba concienzudamente su enorme barriga[2].
> –¿Has comido algo que no te haya sentado bien?
> 5 Y si tienes fiebre no me lo niegues, ¡que te conozco!
> –Pues, señor doctor –se resignaba a confesar Pedrico– como no sean los treinta y nueve albaricoques[3] que me comí anoche…
>
> Miguela del Burgo (escritora española), *Adiós, Álvaro*, 1989.
>
> **1.** *ça, c'est quelque chose qui t'a fait mal* - **2.** la barriga = la tripa - **3.** *abricots*

a. El médico se llama Pedrico.

b. Al enfermo le duele la garganta.

c. El paciente es gordo.

d. Está enfermo porque ha comido demasiada fruta.

❺ Je peux formuler des demandes.

En el cole, se organiza una fiesta de fin de curso. Redacta un artículo para el sitio web del colegio. Incita a los alumnos a que vengan y pídeles que participen trayendo cosas (comida, música, utensilios / objetos...).

> **Fais le point sur tout ce que tu as appris en remplissant la grille d'autoévaluation de ton Cahier d'activités p. 43.**

C5 Savoir s'autoévaluer

Unidad

6

Todos responsables

DVD *La tierra está enferma*

Balado diffusion

Comprométete con el clima.

PROJET
de l'unité

Je présente une information sur l'environnement pour le journal télévisé du collège.

A1/A2 Je vais...

- **Comprendre une conversation sur l'avenir de la planète**
- **Parler des conséquences de la pollution**
- **Comprendre des revendications**
- **Formuler des interdictions**
- **Comprendre l'expression de souhaits**
- **Donner mon avis sur un thème d'actualité**

Je vais utiliser...

- Le futur
- Le subjonctif présent (2)
- Les diminutifs

Je vais réemployer...

- L'impératif
- *Tener que* + infinitif
- *Aconsejar que* + subjonctif

Je vais découvrir...

- Les merveilles de la nature
- Le lexique du recyclage, des animaux et de leurs soins, de la nature, de l'énergie

¡Salvemos el planeta!

❶ Escucha

CD CLASSE 2 / Piste 19 · CD ÉLÈVE Piste 26 · p.44

1. Es una conversación entre: *dos amigas / una profesora y una alumna / una madre y su hija.*

2. Es: *por la mañana / por la noche.*

3. ¿Verdadero o falso? Justifica tu respuesta.
   a. En el futuro, el aire será puro y la vida sana.
   b. Desaparecerán animales.
   c. Sofía tiene una pesadilla.
   d. La madre piensa que la destrucción total de nuestra tierra se realizará.
   e. De momento, Sofía no quiere llegar tarde al cole.

⌐ PALABRAS

- **u**na pesad**i**lla: *un cauchemar*
- un su**e**ño: *un rêve*
- apoy**a**r: *soutenir*
- desapar**ec**er: *disparaître*
- es**t**ar en pel**i**gro: *être en danger*
- ma**t**ar: *tuer*
- pon**e**r su gran**i**to de ar**e**na *(fam.)*: *apporter sa contribution*

WWF

Cuantos más seamos, más pequeña será la herida.[1]

...ambia Alem...
...Guinea Hungría Islandia
...ública de Laos Lituania Luxem...
...xico Mónaco Mongolia Marruecos
...ruega Omán **Corea del Norte** Perú Pol...
...o San Kitts **Japón Estados Unidos** Nevis
...gal Argentina **Canadá Islandia** Eslovaca
...iam Suecia Suiza **Noruega** Tanzania Togo
...ua y Barbuda Kiribati Australia Austria Fe...
...ca Belice Brasil Bulgaria Camboya Camerún...
...n de Marfil Croacia Chipre Chile República Checa Dinamarca...
...ala Guinea - Bissau India Italia China Kenia España M...
...Nicaragua Surinam Costa Rica Dominica Benín L...
...Tanzania Togo Palau Panamá Guine...
...aca San M...
...mínica

¿Nos apoyas?

❷ Exprésate

1. ¿Qué puedes ver en este documento?

2. ¿Por qué vemos países en rojo? ¿En qué te hace pensar esta mancha *(tache)* roja?

3. ¿Cómo ves el futuro de las ballenas?

4. El eslogan insiste en: *la unión / el egoísmo / la brutalidad.* Justifica tu respuesta.

1. *Plus nous serons nombreux, plus petite sera la blessure.*

Lengua ❭ p. 106 ☐ p.44

Le futur des verbes réguliers

Ser
seré
serás
será
seremos
seréis
serán

Si no haces nada, **desaparecerán** *ciertos animales.*

- **Le futur se forme à partir de l'infinitif.** Les terminaisons du futur sont les mêmes pour les trois groupes de verbes.

1. Relaciona cada letra con la cifra correspondiente e indica el infinitivo del verbo.
   a. apoyaré esta asociación
   b. produciremos oxígeno
   c. estarán en peligro
   d. protegerás el medio ambiente

   1. nosotros 3. tú
   2. los animales 4. yo

2. Contesta en futuro.

   CD CLASSE 2 / Piste 20

   a. Hoy planto árboles. ¿Y vosotros? → El año próximo nosotros...
   b. Hoy escribo en papel reciclado. ¿Y tú? → Mañana...
   c. Hoy protejo las ballenas. ¿Y todo el mundo? → Mañana...
   d. Hoy se manifiestan para salvar el planeta. ¿Y ella? → Mañana...

Je parle des conséquences de la pollution.

¿Qué traerá el futuro?

❶ Prepárate para hablar

Para cada viñeta del cómic:
– el <u>alumno A</u> describe lo que ve.
– el <u>alumno B</u> imagina el futuro si nada cambia.

PALABRAS

- la contaminación: *la pollution*
- el envase de vidrio: *l'emballage en verre*
- una fábrica: *une usine*
- el humo: *la fumée*
- el ruido: *le bruit*
- ahorrar: *économiser*
- seleccionar: *trier*
- talar: *abattre (un arbre)*

www.mundogaturro.com

GATUDO... ¿ POD QUÉ[1] AL MEDIO AMBIENTE[2] LE DICEN MEDIO[3] AMBIENTE ?

PORQUE A LA OTRA MITAD YA LA HICIERON BOLSA[4]...

Nik (dibujante argentino), *Gaturro 1*, 2005.

1. por qué
2. el medio ambiente: *l'environnement*
3. el medio: *la moitié*
4. (*amér.*) ils l'ont déjà détruite

❷ Comunica

Gaturro y Gaturrín hablan de los gestos que podremos adoptar para solucionar el problema de la contaminación. Con un(a) compañero(a), imagina el diálogo.

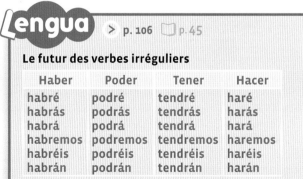

> p. 106   ☐ p. 45

Le futur des verbes irréguliers

Haber	Poder	Tener	Hacer
habré	podré	tendré	haré
habrás	podrás	tendrás	harás
habrá	podrá	tendrá	hará
habremos	podremos	tendremos	haremos
habréis	podréis	tendréis	haréis
habrán	podrán	tendrán	harán

- **L'irrégularité ne concerne que le radical des verbes.**

Escribe en futuro.
Los hombres hacen esfuerzos para salvar el planeta, pero no es suficiente; los científicos dicen que hay que proteger la flora y la fauna porque pueden desaparecer. Todos tenemos que poner nuestro granito de arena.

C2 Décrire, raconter, expliquer

Mini PROYECTO

Participas en una exposición de dibujos que se titula "Nuestro futuro". Haz un dibujo y explica oralmente cómo serán la flora y la fauna si nada cambia.

¡Manos a la obra!

¡¡No al nuevo aparcamiento!!

 CD CLASSE 2 / Piste 21 **CD ÉLÈVE** Piste 27

En un barrio de Madrid las autoridades quieren talar árboles para construir un túnel que lleva a un aparcamiento[1]. Don Joaquín protesta organizando una manifestación. Responde a un periodista.

1 –¿De quién ha partido la idea de salir a la calle?
–De nosotros, los viejos y los niños, que somos quienes más disfrutamos[2] de los árboles […].
–¡Sabéis que todos los medios de comunicación de Madrid están
5 con vosotros?
–Sí, os lo agradecemos y pedimos que nos sigan ayudando[3] hasta que se revoque la orden de continuar destrozando nuestros árboles. […]
–En definitiva, ¿qué pedís?
–Que cesen las obras[4] y se haga un nuevo estudio para el túnel que
10 quieren construir, y cualquier árbol que caiga debe ser reemplazado.

Carlos Villanes Cairo (escritor peruano), *La batalla de los árboles*, 1996.

❶ Lee  p.46

1. **¿Quién sale a la calle para manifestarse? ¿Por qué?**
2. **Completa: Para construir el aparcamiento, las autoridades...**
3. **Esta manifestación tiene impacto. Cita el elemento que lo muestra.**
4. **¿Qué piden don Joaquín y sus amigos?**

1. *un parking -* 2. *profitons*
3. *qu'ils continuent à nous aider*
4. *les travaux*

❷ Escribe

Formas parte de la manifestación contra la construcción de un nuevo puerto. Con un(a) amigo(a) decides escribir una petición al alcalde. Redactad tres frases utilizando *pedir que*.

Nosostros pedimos que...

PALABRAS

- construir
- destruir
- respet**a**r: *respecter*

En contra del nuevo puerto.

Lengua > p. 107 📖 p. 46

L'expression de la demande
Les pedimos que cesen las obras.

Te pido que respetes mi opinión.

- **Demander de + infinitif = *pedir que* + subjonctif.**

1. Lee de nuevo el texto.
a. Apunta los verbos en subjuntivo.
b. Indica el infinitivo de estos verbos.

2. Conjuga los verbos entre paréntesis.
a. Los niños le piden que no (talar) árboles.
b. Te piden que (escribir) una petición.
c. Os pedimos que (proteger) la naturaleza.
d. Le pido que (hacer) todo lo posible para solucionar el problema.

Turistas responsables

❶ Prepárate para escribir

1. Haz dos columnas: una con las órdenes y otra con las prohibiciones *(interdictions)*.

2. Elige en el documento las tres prohibiciones que te parecen más interesantes. Dáselas a tus padres que se van de vacaciones.

3. Escribe otra orden o prohibición para ser un(a) turista responsable.

❷ Escribe

En grupos de dos o tres, a partir del folleto, redactad órdenes o prohibiciones a los compañeros de la clase para que sean alumnos responsables.

1. *éteindre la lumière*
2. *le chauffage*
3. *les serviettes de toilette*
4. *Ne laisse pas couler l'eau du robinet*

PALABRAS

- la bas**u**ra: *les ordures*
- baj**a**r la calefacc**ió**n: *baisser le chauffage*
- separ**a**r la bas**u**ra: *faire le tri sélectif*
- tir**a**r al su**e**lo: *jeter par terre*

¿Qué puedo hacer yo cuando visito una ciudad?

En el hotel

• Energía

- No olvides apagar la luz¹ antes de salir.
- Ahorra la energía: no dejes las ventanas abiertas si utilizas la calefacción² o el aire acondicionado.

• Agua

- No eches a lavar las toallas³ limpias.
- Dúchate en vez de bañarte, ahorrarás agua.
- No dejes correr el agua del grifo⁴ cuando te lavas las manos.

En la calle

• Residuos

- Sigue la política de reciclaje de la ciudad que visitas utilizando los contenedores específicos (papel, plásticos, envases de cartón, vidrio, pilas...).
- No consumas productos con embalajes innecesarios (regalos, compras, ...).

¡No olvides la regla 3R: Reducir, Reciclar, Reutilizar!

Según el Ayuntamiento de Salamanca,
Manual de buenas prácticas, turistas y viajeros responsables, 2010.

Lengua ▷ p. 107 ▢ p. 47

L'expression de l'interdiction

***No tires** papeles al suelo.*

- **Interdiction = no + verbe au subjonctif à la personne voulue.**

1. Escribe prohibiciones.

a. No tirar residuos. (nosotros)
b. No consumir demasiada carne. (tú)
c. No comer fresas en Navidad. (vosotros)
d. No olvidar la estrategia 3R. (tú)

2. Imita el modelo:
Prohibido correr. (tú)
→ *No corras.*

a. Prohibido tirar papeles al suelo. (vosotros)
b. Prohibido dejar correr el agua. (tú)
c. Prohibido fumar. (vosotros)

C2 Écrire un message simple

MINI PROYECTO

Participas en el concurso de carteles "Los ecohéroes en el colegio". Dibuja a tu eco-héroe y escribe dos órdenes en un globo y dos prohibiciones en otro.

Abandono de animales

❶ Escucha

CD CLASSE 2 / Piste 22 · p.48

Di si estas afirmaciones son correctas o no y justifica tu elección.

a. Este documento es un programa de radio.
b. Matilde tiene animales.
c. Según el locutor y Matilde, hay gente que abandona animales.
d. Matilde puede entenderlo.
e. El locutor apoya a Matilde.

MI FAMILIA... PUEDE DEJARME CON UN AMIGO... LLEVARME DE VIAJE... DEJARME EN UN HOTEL PARA MASCOTAS... ¡¡¡ESTE VERANO YO TAMBIÉN ME APUNTO¹!!!

1. me apunto: (ici) je participe

Concejalía de Medio Ambiente, Ayuntamiento de Salamanca, 2010.

PALABRAS

- la auto**pi**sta: *l'autoroute*
- el cariño: *l'affection*
- **u**n(a) du**e**ño(a): *un(e) maître(esse)*
- el p**e**rro
- dese**a**r: *souhaiter*
- llev**a**r: *amener*
- ojal**á**: *pourvu que*

❷ Escribe

1. ¿Cuál es el objetivo de este anuncio?
2. Escribe los tres deseos que formula el perro para las vacaciones.

❸ Comunica

Tus padres están preparando las vacaciones y van a llevar a vuestra mascota a una perrera *(chenil)*. Tú no estás de acuerdo y propones otra solución. Imagina el diálogo con dos compañeros que serán tus padres.

Lengua
> p. 106-107 · p. 48

1. L'expression du souhait
Deseo que mi gato *sea* muy feliz.
Ojalá todas las personas *traten* a sus mascotas con cariño.

- **Souhait** = ***desear que*** + **subjonctif**
  ou ***ojalá*** + **subjonctif**.

2. Les diminutifs
Tengo una perrita y un perrito.

- **Le suffixe *-ito(a)* est la marque du diminutif.**

1. Tu mejor amigo(a) va a tener una mascota. Escribe frases para desearle...
   a. vivir muchas aventuras.
   b. jugar y pasear juntos.
   c. ser muy felices.
   d. compartir momentos inolvidables.

2. Da el diminutivo de estas palabras.
   a. gato
   b. silla
   c. abuelos
   d. hermanas
   e. ojo
   f. libro

Mascota mimada

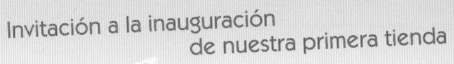

Invitación a la inauguración
de nuestra primera tienda

boutique
peluquería[1]
consulta veterinaria
servicio a domicilio
recogida a domicilio[2]
guardería
agencia matrimonial
servicio de paseo

1 diciembre
a las 18:00

Pet à porter
Juan Bravo 21
28006 madrid
www.petaporter.es
915775881

¡mima[3] a quien te quiere!

PALABRAS

- **ri**co(a): *mignon(ne)*
- cuid**a**r: *s'occuper de, soigner*
- est**a**r a fav**o**r / en c**o**ntra de: *être pour / contre*
- exager**a**r
- necesit**a**r: *avoir besoin de*
- (no) est**a**r de acu**e**rdo
- ser rid**í**culo(a), norm**a**l, **ú**til

1. la peluquería: *le salon de toilettage*
2. la recogida a domicilio: *la prise en charge à domicile*
3. mimar: *gâter*

❶ Prepárate para escribir

1. Este documento es...
2. ¿Qué es *Pet à porter*?
3. Cita tres actividades que propone *Pet à porter*.
4. ¿A quién se dirige el eslogan "¡Mima a quien te quiere!"?
5. ¿Cuál es el objetivo de este documento?

❷ Escribe

Tienes que dar tu opinión en el periódico del colegio a propósito de la nueva tienda *Pet à porter*. Escribe unas líneas.

Lengua > p. 107   📖 p. 49

L'expression de la volonté
Quiero que mi regalo sea original.

- **Volonté = querer que + subjonctif.**

Conjuga los verbos.
a. El chico quiere que su amiga (recibir) un regalo original.
b. Los vendedores quieren que los clientes (comprar) regalos.
c. Pablo no quiere que los dueños (maltratar) a sus mascotas.

C2 Écrire un message simple

MINI PROYECTO

Eres diseñador(a) para una tienda de mascotas. Inventa un nuevo producto y escribe el texto correspondiente para promocionarlo. **Empieza por:** *Si quieres que tu mascota...*

¿Perro o gato?

Avec **DVD** ou **CD** classe

 DVD
Séq. 6

 CD CLASSE
2 / Piste 23

 p.50

 Mira el vídeo o escucha la grabación y responde.

a. Natalia va a pedir a sus padres que le compren: *una mascota / un móvil.*

b. La mascota vivirá: *en el campo / en la ciudad.*

c. Al final Natalia dice que volverá con: *sus padres / sus abuelos / sus amigos.*

 Mira las fotos y responde.

a. ¿Con quién están hablando los chicos en la foto 1?

b. ¿Qué le dice el vendedor a Miguel en la foto 2?

c. ¿Qué dice Natalia en la foto 5?

PALABRAS

• un l**o**ro
• fiel: *fidèle*
• dar de com**e**r: *donner à manger*
• grit**a**r: *crier*
• tap**a**rse los oídos: *se boucher les oreilles*

PALABRAS

El reciclaje

1 Di a qué contenedor debe ir cada uno de estos objetos para su reciclaje.

a   b   c   d   e

Los animales

2 Aquí tienes diez nombres de animales, pero se han mezclado *(melangés)* entre sí. Escríbelos correctamente.

a. ele-*ter*   **c.** lo-*fante*   **e.** del-*to*   **g.** ba-*rro*
b. ga-*ón*   **d.** háms-*fín*   **f.** pe-*llena* **h.** le-*ro*

La protección de la naturaleza

3 Busca el intruso.

a. naturaleza – planeta – ballena – medio ambiente
b. reciclar – reconocer – ahorrar – reutilizar
c. ducha – baño – mascota – grifo
d. chocolate – plástico – papel – vidrio

4 Di cuál es el sustantivo que corresponde a cada **verbo.** responsabilizar → *la responsabilidad*

a. contaminar   **b.** destruir   **c.** desaparecer   **d.** manifestarse

El agua y la energía

5 Aquí tienes consejos para ahorrar agua y energía. Completa con las palabras adecuadas.

a. Cuando te lavas los dientes, no olvides cerrar…

b. Si sales de casa, no olvides apagar…

c. Cierra la ventana si… funciona.

Trabalenguas

CD CLASSE 2 / Piste 24   CD ÉLÈVE Piste 28   C2 Reproduire un modèle oral

En espagnol, la lettre *u* se prononce comme le « ou » français.

1 En **Ú**beda **Ú**rsula apaga la l**u**z in**ú**til y s**u**perfl**u**a.

2 El **ú**nico rec**u**rso para el fut**u**ro es el cons**u**mo **ú**til.

Plus d'activités
sur ton CD-Rom
ROM

1 Le futur des verbes réguliers

> Précis n° 31I • Conjugaisons p. 165 et 167

Fabricar (fabriquer)	Escribir (écrire)	Vivir (vivre)
fabricaré	escribiré	viviré
fabricarás	escribirás	vivirás
fabricará	escribirá	vivirá
fabricaremos	escribiremos	viviremos
fabricaréis	escribiréis	viviréis
fabricarán	escribirán	vivirán

● Le **futur** se forme à partir de l'**infinitif** auquel on ajoute les **terminaisons** -*é*, -*ás*, -*á*, -*emos*, -*éis*, -*án*.

Les terminaisons sont les mêmes pour les trois groupes.

¡Pronto seré un campeón!

1 **Apunta los verbos que están en futuro.**

–María, ¿sabes?, mañana iré al parque. ¿Quieres venir conmigo? Pasearé con mi perro y después iré a ver a mi abuela.

–Pienso que yo no iré con mi perro porque le duele una pata y me quedaré en casa para hacerle compañía.

2 **Conjuga los verbos en futuro.**

a. Los peces ... (morir) si la contaminación aumenta.

b. Nosotros no ... (respirar) bien si los coches contaminan.

c. Las nuevas generaciones ... (ver) grandes bosques si los protegemos.

d. ¿Qué ... (beber) los hombres si el agua desaparece?

2 Le futur des verbes irréguliers

> Conjugaisons p. 167

● Seul le **radical** change, les terminaisons sont les mêmes.

– **decir:** *diré, dirás...*
– **haber:** *habré, habrás...*
– **hacer:** *haré, harás...*
– **poder:** *podré, podrás...*
– **poner:** *pondré, pondrás...*
– **querer:** *querré, querrás...*
– **saber:** *sabré, sabrás...*
– **salir:** *saldré, saldrás...*
– **tener:** *tendré, tendrás...*
– **venir:** *vendré, vendrás...*

3 **Escribe en futuro.**

a. Los animales ... (poder) vivir en este parque.

b. Tú ... (hacer) lo posible para salvarlo.

c. En la playa, yo ... (bañarme) y ... (nadar).

4 **Transforma como en el modelo.**

Llama al veterinario. → *Llamarás al veterinario.*

a. Sal con tu mascota.

b. Pon el perro en la cocina.

c. Haced vuestro deber: ¡dad de comer al gato!

3 Les diminutifs

> Précis n° 10

● Les **diminutifs** servent à **désigner** quelque chose de **petit** ou qui a une **valeur affective** : **un perrito** est un petit chien, **mi hermanita** est ma sœur cadette, **Juanito** est une façon amicale de dire *Juan*.

● Si le mot au singulier se **termine par** -*a* ou -*o*, ou par une **consonne autre que** -*n* ou -*r*, le diminutif est -*ito*, -*ita* : libr**o** → libr**ito**, gafa**s** → gaf**itas**.

5 **Escribe el diminutivo de las palabras siguientes.**

a. animal

b. casa

c. pequeño

d. juntos

e. solas

f. beso

- Si le **mot au singulier se termine par** *-e, -n, -r*, le diminutif
est *-cito, -cita*.

caf**é** → cafe**cito**
amor → amor**cito**
jamó**n** → jamon**cito**

6 **Escribe la palabra que corresponde con estos diminutivos.**
a. cochecito   **d.** madrecita
b. cabecita   **e.** poquitas
c. amiguita   **f.** callecita

---

4 Les emplois du subjonctif (2)   > Précis n° 31E

**Pour exprimer la demande, la volonté et le souhait,
l'espagnol emploie le subjonctif.**

- **Demander de + infinitif =** *pedir que*
+ subjonctif :
Te piden que respetes la naturaleza.

C'est le COI ou le pronom placé devant
le verbe *pedir* qui indique la personne
conjuguée dans la subordonnée :
*El profesor le pide al __alumno__ que cierre
el grifo.*

Attention : le verbe *pedir [i]* s'affaiblit.

- **Vouloir que + subjonctif =** *querer [ie] que*
+ subjonctif : *Queremos que cuides* a tu mascota.

- **Désirer que + subjonctif =** *desear que* **+ subjonctif :**
Desea que compres un regalo para su gata.

- **Pourvu que + subjonctif =** *ojalá* **+ subjonctif :**
Ojalá no talen este árbol.

¡Ojalá mi
dueño no
me olvide!

7 **Conjuga los verbos entre
paréntesis.**
a. Nosotros queremos que los
ecologistas (salvar) ... a las ballenas.
b. Nos pide que (ser) ... turistas
responsables cuando viajamos.
c. La SPA desea que las familias
no (abandonar) ... a las mascotas
en verano.
d. El cocinero quiere que (separar,
nosotros) los envases.

8 **Transforma las frases
siguientes con *ojalá*.**
a. Cambian el proyecto.
b. Esta petición tiene impacto.
c. Protegemos la naturaleza.
d. No matamos a las ballenas.

---

5 L'interdiction (*no* + subjonctif)   > Précis n° 31E

- **Pour exprimer un ordre négatif ou une défense,**
on utilise *no* + **subjonctif** à la personne voulue.
No abandones a tu mascota.
No dejéis el grifo abierto
cuando os laváis los dientes.
No abras la ventana cuando
la calefacción funciona.

¡No
conta-
mines el
planeta!

9 **Expresa una prohibición.**
a. No (dejar, tú) ... a tu mascota
sin vigilancia.
b. Pablo y Paloma, no (salir) ...
a la calle.
c. No (escribir, tú) ... en la mesa.
d. Chicos, no (firmar) ... la petición.
e. No (tocar, tú) ... a un perro
desconocido.

---

6 Modifications orthographiques au subjonctif présent   > Précis n° 31E

- **L'orthographe de certains verbes se modifie au subjonctif présent**
pour conserver le son de l'infinitif.

– **g + e = gu**   *llegar → lle**gu**e*
– **c + e = qu**   *explicar → expli**qu**e*
– **g + a = j**   *coger → co**j**a*

10 **Escribe el infinitivo de estos
verbos conjugados en subjuntivo.**
a. coja   **e.** toque
b. pague   **f.** apague
c. explique   **g.** busque
d. recoja   **e.** llegue

1 Avant l'interview

• **J'introduis** le thème.

Hoy vamos a hablar de...

• **Je présente la personne interrogée** : nom, prénom, âge, métier, raison pour laquelle on l'interviewe.

Nuestro(a) invitado(a) se llama...

2 Pendant l'interview

• **Je lance l'interview** avec une première question.

¿Puedes contarnos por qué...?
¿Qué piensas de...?

• **J'écoute les réponses** pour bien rebondir.

Por eso...
Es decir...

À la fin de l'interview

• **Je remercie** mon interlocuteur.

3 *Muchas gracias por tu tiempo / amabilidad / colaboración...*

Attention : dans certaines occasions il faudra **vouvoyer la personne** !

Je me lance ! > p. 109

| C2 | Reproduire un modèle oral | C5 | Connaître et pratiquer diverses formes d'expression à visée littéraire |

Aprende y representa

CLASSE 2 / Piste 25   CD ÉLÈVE Piste 29

Artes

Lee este texto y apréndelo para representarlo delante de la clase.

El planeta donde vivimos

1. Planeta
   de animales
   colosales
   naturales
5. nunca iguales
   con orejas
   y orejudos
   muy pelados[1]
   o peludos[2]
10. sin barriga[3]

   o barrigudos
   sin patitas
   o patudos
   con mil ojos
15. con ninguno
   cola grande
   cola corta
   si son feos
   nunca importa.
   [...]

Ana María Fernández Martínez (escritora española), *Tres vueltas al planeta*, 2002.

1. *pelés, rasés* - 2. *poilus* - 3. la barriga: *le ventre*

Patricia Cruzat Rojas (pintora chilena), *El arca de Noé*, 2009.

PROYECTO

Presento una noticia en el telediario

Juego de rol:

– <u>**Alumno A**</u>: **Eres el (la) presentador(a) del telediario** *(journal télévisé)* **y presentas una noticia** *(information)* **relacionada con una manifestación.**

– <u>**Alumno B**</u>: **Eres periodista y entrevistas al (a la) portavoz** *(porte-parole)* **de una manifestación ecologista.**

– <u>**Alumno C**</u>: **Eres el (la) portavoz de la manifestación y contestas las preguntas del (de la) periodista.**

Je vais réemployer :

• **Objectifs de communication** : Je parle de l'avenir de la planète – J'exprime des revendications écologiques – Je formule des souhaits et des interdictions – Je donne mon avis sur un thème d'actualité.

• **Grammaire** : le futur – *pedir que* + subjonctif – l'expression de l'interdiction, du souhait et de la volonté.

• **Lexique** : le recyclage, les animaux et leurs soins, la nature, l'énergie.

Etapa 1

a. Los tres elegís un tema relacionado con la defensa de los animales o del planeta. Imaginad la razón o las razones de la manifestación y haced una lista de reivindicaciones y de acciones futuras.

– Motivo de la manifestación:
– Eslóganes de las pancartas:
– Reivindicaciones:
– Acciones futuras:

Después del telediario.

Etapa 2

b. El alumno A prepara el texto que introduce la noticia. Indica el lugar, la hora y el motivo de la manifestación, y presenta al (a la) periodista.

El alumno B prepara las preguntas al (a la) portavoz ecologista: quiénes son, qué piden, qué desean, qué esperan conseguir, qué otras acciones realizarán para lograr su objetivo.

El alumno C prepara las respuestas al (a la) periodista.

Etapa 3

c. Delante de la clase, representáis la escena.

¡Podéis grabarla o filmarla!

PALABRAS

• Muy bu**e**nas n**o**ches. / Muy bu**e**nos d**í**as.
• En dir**e**cto d**e**sde... se encu**e**ntra nu**e**stro(a) envi**a**do(a) especi**al**...

Naturaleza

La naturaleza, tanto la fauna como la flora, nos sorprende. Lee y verás...

C2 | Savoir repérer des informations dans un texte

Delfines: ¿los médicos del mar?

El delfinario *Aqualand* de Tenerife es pionero en "delfinoterapia" gracias a Cande y Yaiza, dos delfines de treinta y dos y veintiocho años.

Paula, una chica que sufre parálisis, entra en el agua rígida y al cabo de unos minutos parece otra. El terapeuta, José Luis Barbero, le pide que toque a los delfines y que los alimente. La anima[1] también para que se agarre[2] a sus aletas[3]... Todo eso tiene un objetivo: hacer trabajar grupos musculares específicos.

Según la revista *Pelo Pico Pata*, n°53.

1. animar: *encourager* – **2.** agarrar: *saisir* – **3.** la aleta: *l'aileron*

Delfines en acción.

Un perro guía.

Perros: los ojos de sus dueños

Seguro que ya has visto a un perro que guía a un ciego[1]. Quizás no sepas que estos perros reciben una educación muy estricta, como lo confirma el director de la escuela para perros de México: "La labor[2] de estos perros es importante ya que estarán sirviendo todos los días durante doce años a su dueño." El perro ayuda a su dueño a vestirse, a salir, a cruzar calles, a hacer la compra... El director aconseja: "Si ves un perro guía trabajando, por favor no lo llames, ni lo distraigas, ni le des de comer."

Según *mascotaazul.com*, 2010.

1. *un aveugle* – **2.** *le travail*

1. Escoge la solución correcta.
a. El delfinario está en: *Yaiza / Cande / Tenerife*.
b. El terapeuta pide a Paula: *que toque a los delfines / que los llame*.

2. Corrige estas afirmaciones.
a. La educación de los perros guía no es exigente.
b. El perro vive ocho años con su dueño.

superdotada

¡Pon una hoja de stevia en tu yogur!

La stevia es una planta de origen paraguayo. Es un edulcorante natural. Tiene un sabor muy dulce. Poco a poco, se introduce en España. Los médicos empiezan a utilizarla en complementos de medicinas. Algunos afirman que será la solución para mejorar la salud de muchos diabéticos. ¡Ojalá sea posible!

Stevia, ¿el azúcar del futuro?

Fábrica de biodiésel.

BIODIESEL

Algas que tienen energía...

El 10 de junio de 2010, el biodiésel fue utilizado[1] en un vuelo de prueba: por primera vez, un avión voló[2] con combustible vegetal. En la región de Chubut, en Argentina, la empresa *Biocombustibles* ha creado una materia prima única a partir de aceite de microalgas que puede transformarse en biodiésel. ¿Una nueva energía para el futuro?

1. *a été utilisé* – **2.** *a volé*

3. Corrige estas afirmaciones.
a. Chile trata de sustituir el petróleo por aceite de microalgas.
b. El biodiésel de la empresa *Biocombustibles* viene del maíz.

Busca el (los) intruso(s)

1. La stevia es una planta de origen: *uruguayo / paraguayo / mexicano / chileno.*
2. En el delfinario de Tenerife, los delfines se llaman: *Cande / Yaiza / Teide.*
3. Un avión voló con biodiésel en: *Argentina / Guatemala / Chubut.*
4. Un perro guía ayuda a su amo a: *vestirse / cruzar calles / dormir / hacer la compra.*

@ Ciberencuesta B2i

Tienes que escribir un artículo para participar en el concurso "Mi animal preferido". Consulta el sitio **www.animate-hatier.com** para prepararlo.

1. En la parte de la izquierda, elige un animal. Luego lee el artículo y completa la ficha siguiente.
2. A partir de estas informaciones, redacta un breve artículo para presentar tu animal.
3. Cada uno(a) lee su artículo y la clase vota por el (la) ganador(a) del concurso.

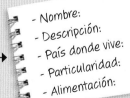

- Nombre:
- Descripción:
- País donde vive:
- Particularidad:
- Alimentación:

Evaluación

① Je peux comprendre des interdictions.

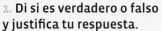

1. Di si es verdadero o falso y justifica tu respuesta.

CD CLASSE 2 / Piste 26

a. La chica compra el perrito negro.
b. Si quiere que el perro le obedezca, tiene que gritar.
c. Cree que a su perro le gusta el nombre elegido.

2. Cita dos consejos que da el vendedor sobre la comida.

② Je peux parler des conséquences de la pollution.

El (la) profesor(a) de ciencias te pide que prepares una presentación oral para "el Día de la Tierra". Primero, constatas los efectos de la contaminación y luego hablas del futuro del planeta si nada cambia.

③ Je peux donner mon avis sur un thème d'actualité.

Un(a) amigo(a) te llama para invitarte a la fiesta de cumpleaños de su mascota. Tú aceptas o no. Con un(a) compañero(a), imaginad el diálogo.

④ Je peux comprendre des revendications écologiques.

Una chica "responsable"

Bea está hablando con el padre de Laura y de Jacobo sobre el ahorro de agua.

1 —En Europa y en Estados Unidos se gasta una barbaridad de agua al día por persona, entre trescientos y seiscientos[1] litros diarios. [...]

—¿Y cómo sabes tú todo eso? –le pregunta el padre muy impresio-
5 nado.

—Porque en mi casa somos ecologistas y tenemos sistemas para el control de grifos y cisternas[2].

—Pues yo tengo un método mejor para no gastar agua: no duchar-se ni lavarse los dientes –interviene Jacobo. Total, en verano es
10 una tontería, ya nos bañamos en el mar.

—¡Serás cerdo[3]! –le regaña[4] su hermana.

      María Menéndez-Ponte (escritora española), *Laura en apuros*, 2004.

1. *trois cents et six cents* - **2.** *chasses d'eau* - **3.** *cochon* - **4.** regañar: *gronder*

Elige la propuesta adecuada. Justifica tu respuesta.
a. Bea está hablando de ahorrar: *agua / energía*.
b. En casa de Bea tienen sistemas para controlar: *el agua / la luz*.
c. Jacobo propone: *bañarse en el mar / ducharse*.
d. La hermana de Jacobo: *está de acuerdo / no está de acuerdo*.

⑤ Je peux exprimer des souhaits.

Para contestar a una encuesta del Ministerio de Medio Ambiente, tienes la posibilidad de formular tres deseos relativos a la naturaleza en el año 2050.

Deseo que...

> **Fais le point sur tout ce que tu as appris en remplissant la grille d'autoévaluation de ton Cahier d'activités p. 50.**

C7 Savoir s'autoévaluer

Historias y leyendas

Fantasía y realidad.

DVD *Lotería de Navidad*

Balado diffusion

PROJET de l'unité

J'invente un personnage fantastique pour la chaîne de télévision *Calle 13*.

A1/A2 Je vais...

- **Comprendre la description d'un personnage fantastique**
- **Parler d'un personnage de fiction**
- **Comprendre le récit d'un fait historique**
- **Écrire une légende**
- **Comprendre un récit fantastique**
- **Raconter l'enfance d'un héros**

Je vais utiliser...

- *Hace* + notion de temps
- La phrase exclamative
- Les nombres de 100 à 1 000
- L'imparfait
- Le passé simple

Je vais réemployer...

- Le passé composé
- Le lexique des vêtements et des couleurs

Je vais découvrir...

- Deux écrivains de romans fantastiques
- Le lexique des légendes, du fantastique et des faits historiques

Fiesta de disfraces

① Escucha

CD CLASSE 2 / Piste 27 CD ÉLÈVE Piste 30 p.51

1. ¿Quiénes hablan y dónde están?
2. Di si son verdaderas o falsas estas frases. Justifica tu respuesta.
   a. Los griegos tienen mitos desde hace miles de años.
   b. Julia quiere disfrazarse de hada.
   c. Hace una hora que los chicos están en la tienda de disfraces.
   d. Nicolás quiere chupar la sangre a sus amigos.

PALABRAS

- el disfraz: *le déguisement*
- los poderes: *les pouvoirs*
- poderoso(a): *puissant(e)*
- valiente ≠ cobarde: *courageux(euse)* ≠ *lâche*
- asustar / dar miedo: *faire peur*
- chupar sangre: *sucer le sang*
- disfrazarse de: *se déguiser en*

la armadura
la espada
1 EL HÉROE MITOLÓGICO

la copa
el antifaz
2 EL SUPERHÉROE

la escoba
la verruga
el gorro de pico
3 La bruja

la varita mágica
4 El hada

los colmillos
5 EL VAMPIRO

el cuerpo cubierto de pelos
6 EL HOMBRE LOBO

② Comunica

En parejas, elegid dos personajes de los dibujos. Por turnos, cada uno(a) hace preguntas a su compañero(a) para adivinar quién es.

Lengua > p. 122 p. 51

Hace + notion de temps

Hace media hora que estamos en la tienda.

- Pour traduire l'expression « il y a » + **notion de temps**, on utilise le verbe **hacer**.

Contesta las preguntas.
¿Cuánto tiempo hace que...

CD CLASSE 2 / Piste 28

a. ...has visto una película de terror?
b. ...has ido a una fiesta de disfraces?
c. ...conoces a tu mejor amigo(a)?
d. ...has leído un libro de género fantástico?

Tarde de brujas en el cine.

¡Qué miedo!

¡Silencio!

¡Qué mala es la bruja!

¡Qué poción tan asquerosa!

PALABRAS

- asqueroso(a): *dégoûtant(e)*
- astuto(a): *rusé(e)*
- bueno(a): *gentil(le)*
- malvado(a) = malo(a): *méchant(e)*
- peligroso(a): *dangereux(euse)*

1 Prepárate para hablar

1. **Di o busca en el léxico el nombre de los elementos señalados: A, B, …** p.52

2. **Elige cuatro animales del dibujo y califícalos con frases exclamativas.**

2 Exprésate

Imagina que la bruja explica para qué es la poción y los ingredientes de su receta con la cantidad. Utiliza las centenas. Imagina también algunas exclamaciones del cuervo.

Doscientas arañas negras y rojas…

Lengua > p. 122 et 124 p. 52

1. La phrase exclamative

¡Qué poción tan asquerosa!

- **Sans verbe :** *¡Qué* + **nom** + *más / tan* + **adjectif!**

¡Qué mala es (la bruja)!

- **Avec un verbe :** *¡Qué* + **nom / adjectif** + **verbe!**

2. Les nombres de 100 à 1000

100 *cien / ciento*	600 *seiscientos(as)*
200 *doscientos(as)*	700 *setecientos(as)*
300 *trescientos(as)*	800 *ochocientos(as)*
400 *cuatrocientos(as)*	900 *novecientos(as)*
500 *quinientos(as)*	1 000 *mil*

1. Haz frases exclamativas con y sin verbo.

a. superhéroe / valiente
b. hombre lobo / fuerte
c. hada / poderosa

2. Escribe en letras: el año de tu nacimiento, el de un miembro de tu familia, el de tu entrada en el colegio.

C2 Dialoguer sur des sujets familiers

Mini PROYECTO

Participáis en una fiesta disfrazados(as) de personajes fantásticos. Describid los disfraces y explicad con exclamaciones cómo es la fiesta.

¡Qué fiesta tan original…!

¡Tierra a la vista!

EL 3 DE AGOSTO DE 1492, CRISTÓBAL COLÓN PARTE CON TRES NAVES[1]: LA "PINTA", LA "NIÑA" Y LA "SANTA MARÍA".

Revista *Muy interesante Junior* n°12, octubre de 2005.

❶ Lee   p.53

1. Elige la opción verdadera.

a. Colón viajaba con: *tres barcos / un barco / dos barcos.*

b. El mar estaba: *tranquilo / con olas / lleno de barcos.*

c. La tripulación pensaba que: *el viaje era divertido / tenían mucha comida / tenían que levantarse contra Colón.*

d. Comprenden que la tierra está cerca porque ven: *pájaros / delfines / luces.*

2. ¿Qué indica el cambio de forma y color del último bocadillo?

1. una nave = un barco
2. aburrido(a): *ennuyeux(euse)*
3. largo(a): *long(ue)*
4. faltar: *(ici) rester*
5. *l'équipage*
6. *(ici) se soulever*
7. un alcatraz: *un fou de bassan*

❷ Escribe

Al llegar a tierra, Colón describe en su diario las condiciones y el ánimo de los marineros durante el viaje. Imagina lo que cuenta.

PALABRAS

- el descubrimiento: *la découverte*
- el viaje: *le voyage*
- duro(a) = difícil
- estar desanimado(a): *être découragé(e)*
- necesitar comida: *avoir besoin de nourriture*

Lengua > p. 122 📖 p. 53

L'imparfait des verbes réguliers

Llegar	Descubrir
llegaba	descubría
llegabas	descubrías
llegaba	descubría
llegábamos	descubríamos
llegabais	descubríais
llegaban	descubrían

Formation :
- Verbes en -**ar** : **radical du verbe + -aba...**
- Verbes en -**er** et -**ir** : **radical du verbe + -ía...**

Conjuga los verbos en imperfecto de indicativo.

a. Colón ... (viajar) con tres naves hacia tierras desconocidas.

b. Colón no ... (querer) perder la esperanza.

c. Los marineros ... (estar) desanimados.

d. Ellos ... (pensar) que Colón ... (mentir).

La leyenda de El Dorado

Ciudades y reyes de oro

CD CLASSE
2 / Piste 29

En América había leyendas sobre la abundancia del oro. La que vas a leer iba a motivar la búsqueda de pueblos ricos en este metal, como la mítica ciudad de El Dorado.

1 Los indios muiscas formaban parte de la tribu chibcha, que vivía en las montañas de Colombia, cerca de un lago[1] [...]. Todos los años celebraban una ceremonia para dar gracias al
5 dios dorado que ellos creían que vivía en el fondo del lago. Durante la ceremonia, su jefe era ungido[2] con un aceite pegajoso[3] y luego rociado[4] con polvo de oro hasta parecer una brillante estatua viviente. Entonces se dirigía hacia el agua, [...] se metía en una balsa[5] y remaba hasta el centro del lago. Una vez allí, se sumergía en el
10 agua, desprendiéndose[6] el oro de su cuerpo. En la orilla[7], su pueblo arrojaba al lago esmeraldas y objetos de oro, a modo de ofrenda para su dios.

Exploradores y aventureros en América Latina, 1995.

1. *un lac -* 2. *oint -* 3. *collant -* 4. *(ici)aspergé -* 5. *un radeau -*
6. *desprenderse: se décoller -* 7. *le bord*

La mítica ciudad de El Dorado.

El rey "dorado" rociado de oro.

① **Prepárate para escribir** p.54

Completa este cuadro con la información del texto y de las imágenes por orden cronológico.

Cosas que ponen al jefe en su cuerpo	Etapas de la ceremonia	Elementos de la ciudad

PALABRAS

- el edificio: *le bâtiment*
- el palacio: *le palais*
- la selva: *la forêt*
- el templo: *le temple*
- el tesoro: *le trésor*
- mágico(a): *magique*

② **Escribe**

Eres un(a) joven explorador(a), has estado en la ciudad de El Dorado y has ido a la ceremonia. Escribe un pequeño párrafo contando cómo era.

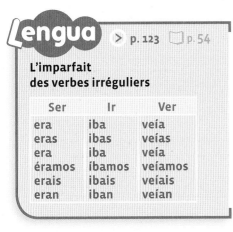

Lengua
> p. 123 □ p. 54

L'imparfait des verbes irréguliers

Ser	Ir	Ver
era	iba	veía
eras	ibas	veías
era	iba	veía
éramos	íbamos	veíamos
erais	ibais	veíais
eran	iban	veían

Transforma estas frases en imperfecto de indicativo.

a. La historia de El Dorado es una leyenda.
b. Los indios muiscas van al lago para adorar a su dios.
c. Nosotros vemos la película de *El Dorado* en clase.
d. Vosotros vais a contar leyendas de vuestro país.

C2 Écrire un court récit, une description

Mini PROYECTO

En grupos de dos, escribid algunas frases para presentar una leyenda sobre un rey que para ser más rico convertía en oro todo lo que tocaba: dónde vivía, cómo era, qué hacía...
Érase una vez (Il était une fois)...

Superhéroes en acción

El dragón, Victoria y la serpiente.

Revelación Primera Parte

1. *ailé* - 2. *lutter* - 3. tenía
4. *lui tournait le dos*
5. *prenait son envol*
6. *dos* - 7. *luchar* - 8. *bâton*

¡Hay que salvar la magia!

CD CLASSE 2 / Piste 30   CD ÉLÈVE Piste 31

Jack, Christian y Victoria luchan contra unos monstruos que quieren destruir la magia del mundo. Pueden transformarse en dragón, serpiente alada[1] y unicornio respectivamente.

1 –¡Transfórmate, Jack! –le gritó Christian–. ¡Así no puedes luchar[2] contra ellos!

Jack comprendió. En su interior albergaba[3] el espíritu de Yandrak, el último dragón, y en teoría podía transformarse en él, si así lo deseaba.

5 [...] Vio cómo Christian le daba la espalda[4] e iniciaba su propia transformación. Apenas unos instantes después ya no había allí un chico de diecisiete años, sino una enorme serpiente alada. [...]

Jack vio, impotente, cómo Christian alzaba [...] el vuelo[5] llevando a Victoria sobre su lomo[6]. La vio pelear[7] desde el aire, con el extremo de

10 su báculo[8] iluminado como una estrella. Era una imagen hermosa, pero aterradora, la joven del báculo resplandeciente, como una heroína de leyenda a lomos de la serpiente alada. Christian y Victoria. Luchando juntos, volando juntos.

Laura Gallego García (escritora española), *Memorias de Idhún II, Tríada*, 2005.

❶ Lee 📖 p.55

1. Elige la respuesta correcta.
a. Jack tenía el poder de transformarse en un: *dragón / mago* (magicien) */ cocodrilo.*
b. Christian se transformó en: *un vampiro / un sapo / una serpiente alada.*
c. El arma que usó Victoria era: *una escoba / un báculo / una espada.*

2. Enumera las acciones de Christian. Utiliza el pretérito indefinido *(passé simple).*

❷ Exprésate 🧙

Imagina lo que hizo Jack mientras Christian y Victoria luchaban juntos. Y cómo terminó la historia.

PALABRAS

- abandon**a**r
- ata**ca**r: *attaquer*
- caus**a**r una herida: *causer une blessure*
- cu**ra**rse: *guérir*
- ma**ta**r: *tuer*
- m**o**r**i**r [ue]: *mourir*
- ven**ce**r: *vaincre*

Lengua > p. 123 📖 p. 55

Le passé simple des verbes réguliers

Salvar	Perder	Vivir
salvé	perdí	viví
salvaste	perdiste	viviste
salvó	perdió	vivió
salvamos	perdimos	vivimos
salvasteis	perdisteis	vivisteis
salvaron	perdieron	vivieron

• **Le verbe *morir* est irrégulier** : *morí, moriste, murió, morimos, moristeis, murieron.*

Escribe estas frases en pretérito indefinido.
a. Christian se transforma en serpiente alada y Victoria lucha junto a él.
b. El héroe y la heroína salvan el mundo.
c. Todo el mundo vive feliz.
d. Pedro y tú aprendéis esta leyenda en clase de literatura.

La historia de Superlópez

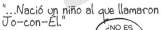

"...Nació un niño al que llamaron Jo-con-Él."

¿NO ES PRECIOSO?

¡MIRA CÓMO JUEGA CON MI MANITA!

1. Nacer en el planeta Chitón.

¡GU, GU... TÁAAA!

2. Meterse en una nave espacial¹.

3. Estar en el espacio y llegar a la Tierra.

Volar

¿TE HAS OLVIDADO QUE SOY EL HOMBRE DE ACERO..?

Superfuerza

NO ME HACE FALTA.

GRACIAS A MI SUPER-VELOCIDAD PODRÉ ACCIO-NAR LA SIRENA DE ALARMA.

Supervista   Supervelocidad

6. Aumentar² sus superpoderes.

¿NO ES PRECIOSO.?   ¡MIRA CÓMO JUEGA CON MI MANITA!

4. Ser adoptado por sus padres terrestres, los López.

5. Ir al cole y jugar al fútbol con sus amigos.

PTAF

7. Ser un superhéroe y ganar a los villanos³.

1. *un vaisseau spatial* - **2.** *augmenter* - **3.** villano(a) = malo(a)

Juan López (dibujante español), *Superlópez*, álbum n°1, 2009.

① Prepárate para escribir

Copia este cuadro y rellénalo.

Lugar de nacimiento
Nombre original y apellido de adopción
Lugar donde vivió / vive
Padres adoptivos
Aficiones
Superpoderes
Vocación

② Escribe

Eres Superlópez. Una revista dedicada a los superhéroes te pide que escribas algunas frases sobre tu historia.

③ Comunica

Eres periodista y entrevistas a tu compañero(a) que es Superlópez, para saber qué hizo de pequeño gracias a sus superpoderes. Imagina el diálogo.

PALABRAS

- hacer carreras con aviones: *faire des courses avec des avions*
- leer libros en miniatura: *lire des livres miniatures*
- levantar pesas: *soulever des haltères*

Lengua   > p. 123   📖 p. 56

Quelques verbes irréguliers au passé simple

Estar	Hacer	Ir / Ser
estuve	hice	fui
estuviste	hiciste	fuiste
estuvo	hizo	fue
estuvimos	hicimos	fuimos
estuvisteis	hicisteis	fuisteis
estuvieron	hicieron	fueron

Relaciona los elementos de las dos listas y forma frases utilizando los verbos irregulares del cuadro.

a. Superlópez...
b. Los López...
c. Nosotros...

1. muy cariñosos con el bebé.
2. jugando al fútbol con él.
3. amigos en el colegio.

C2 Écrire un court récit, une description

Mini PROYECTO

Escribe cinco frases para contar la infancia del personaje fantástico que has elegido ser en el *Mini-proyecto* de la p. 115 o de uno inventado.

Avec **DVD** ou CD classe

Un día en Segovia

DVD Séq. 7 — CD CLASSE 2 / Piste 31 — p.57

1 Mira el vídeo o escucha la grabación y responde.

a. ¿Por qué Javi no va a Segovia con sus amigos?

b. ¿Cuánto hace que se construyó el acueducto?

c. ¿De qué estilo es la iglesia donde se hacen una foto?

2 Mira las fotos y recuerda. ¿Qué dice?

a. La madre de Miguel sobre la leyenda del acueducto en la foto 3.

b. Miguel sobre mandar postales (*cartes postales*) en la foto 4.

c. La madre a los chicos y qué responden ellos en la foto 5.

PALABRAS

- el **a**lma: *l'âme*
- el di**a**blo: *le diable*
- la fu**e**nte: *la fontaine*
- la igl**e**sia: *l'église*
- el s**e**llo: *le timbre*

PALABRAS

Las leyendas

1 Relaciona cada palabra con su definición.

a. unicornio
b. tesoro
c. dragón
d. leyenda
e. palacio

1. Animal fantástico que echa fuego por la boca.
2. Relato breve sobre hechos imaginarios.
3. Casa suntuosa de los reyes.
4. Animal fantástico con un cuerno en la cabeza.
5. Cantidad de objetos preciosos.

2 Relaciona cada personaje con el objeto que le corresponde.

a. hada   c. bruja
b. vampiro   d. héroe

Lo fantástico

3 Busca el intruso.
a. cine fantástico - cine histórico - cine de ciencia-ficción
b. real - mágico - imaginario - fantástico
c. leer la mente - volar - estudiar - desaparecer
d. antifaz - corbata - capa - traje con una "S"

4 Escribe las palabras contrarias.

a. valiente   c. ganar
b. vivir   d. débil

La Historia

5 Tu hermano pequeño ha pintado tu libro de historia. Completa el texto con estas palabras: *descubrimiento, marineros, reyes, mil cuatrocientos noventa y dos, descubrir, aventura, viaje, naves, tripulación.*

6 Relaciona cada palabra con su definición.

a. reinar
b. capitán
c. navegar
d. conquistar

1. Viajar por el agua en una nave.
2. Ganar un territorio mediante una guerra.
3. Persona que dirige un barco.
4. Gobernar un rey o una reina.

1 **C**ristóbal Colón llevaba años planificando un gran ⬛: llegar a las Indias. Quería la ayuda de los ⬛ castellanos, doña Isabel y don Fernando. Pasado un tiempo los monarcas españoles le dieron tres ⬛. Colón necesitaba una ⬛ y
5 prometió a los ⬛ que ese viaje era una gran ⬛ y que al otro lado del mar iban a ⬛ ricas tierras. El ⬛ de América fue una realidad el 12 de octubre de ⬛.

Trabalenguas

CD CLASSE 2 / Piste 32   CD ÉLÈVE Piste 32   C2 Reproduire un modèle oral

En espagnol, la lettre ñ correspond au son « gn » français.

1
Los niños de España
sueñan con una bruja
en su cabaña,
que en su bañera se baña
aunque esté llena de arañas.

2
Un año en la "Niña",
en compañía del capitán Viña,
celebré mi cumpleaños
con un compañero
de ojos castaños.

Lengua

Plus d'activités sur ton CD-Rom

1 · *Hace* + notion de temps > Précis n° 25D

● Pour traduire l'expression « **il y a +** **notion de temps** », on utilise le verbe *hacer*. *Hace tres años* que vivo aquí.

¡Hacía dos años que no nevaba!

1 Haz frases como en el ejemplo.

Marta / pelo corto / cuatro años
→ Hace cuatro años que Marta tiene el pelo corto.
a. yo / español / unos meses
b. mis amigos / en este colegio / dos años
c. tú / tus e-mails / tres días

2 · La phrase exclamative > Précis n° 20

● La phrase exclamative peut se construire de **deux façons** :

– **Sans verbe** :
¡Qué + nom + más / tan + adjectif!
¡Qué héroe tan valiente!

– **Avec un verbe** :
¡Qué + nom / adjectif + verbe!
¡Qué miedo tengo!

● **Attention :**
– Il faut un **point d'exclamation à l'envers au début** de l'exclamation.
– Le mot exclamatif porte un **accent**.

¡Qué monstruo tan feo!

2 Expresa sorpresa con la frase exclamativa.
a. La poción es asquerosa.
b. La bruja es astuta.
c. El monstruo es malo.
d. El superhéroe es fuerte.
e. El disfraz es horrible.

3 · L'imparfait de l'indicatif des verbes réguliers > Précis n° 31G • Conjugaisons p. 164 et 166

Viajar *(voyager)*	Tener *(avoir)*	Descubrir *(découvrir)*
viajaba	tenía	descubría
viajabas	tenías	descubrías
viajaba	tenía	descubría
viajábamos	teníamos	descubríamos
viajabais	teníais	descubríais
viajaban	tenían	descubrían

● **Formation**

– Verbes en -**ar** :
radical du verbe + -*aba*...
– Verbes en -**er** et -**ir** :
radical du verbe + -*ía*...
Tenía muchos libros con los que **viajaba** y **descubría** mundos fantásticos.

Attention : il n'y a **pas de diphtongue à l'imparfait.**
*Superlópez v**ue**lve de una misión.* → *Superlópez v**o**lvía de una misión.*

● **Emplois**

On utilise l'**imparfait de l'indicatif** pour **décrire** ou pour **exprimer une habitude ou une action qui dure ou qui se répète au passé.**
*De pequeño, todas las noches, mi abuelo me l**eía** leyendas que **daban** miedo.*

3 Transforma las frases en imperfecto de indicativo.
a. El profesor empieza a leer la leyenda.
b. Cuando los conquistadores vuelven de América cuentan sus aventuras.
c. El hada vive en un palacio de oro.
d. El niño tiene un tesoro debajo de la cama.
e. Vosotras os disfrazáis todos los años para el carnaval.
f. Mi hermano y yo descubrimos las aventuras de Superlópez.

4 L'imparfait de l'indicatif des verbes irréguliers
> Conjugaisons p. 166

● Il n'y a que **trois verbes irréguliers** à l'imparfait : *ser*, *ir* et *ver*.

Ser *(être)*	Ir *(aller)*	Ver *(voir)*
era	iba	veía
eras	ibas	veías
era	iba	veía
éramos	íbamos	veíamos
erais	ibais	veíais
eran	iban	veían

4 Conjuga los verbos en imperfecto de indicativo.

Cuando (ser) ... pequeña mis padres me (leer) ... historias fantásticas antes de dormir. A los cinco años (ir) ... al colegio y la profesora nos (contar) ... cuentos y leyendas. Cuando era carnaval, todos los niños (disfrazarse) ... Y (comer) ... en el comedor escolar con los disfraces. Al volver a casa (ver) ... los dibujos animados en la tele o (jugar) ... en el parque a héroes y heroínas. Más tarde, a los diez años, (ir) ... al cine con mis padres todos los domingos. Me acuerdo de una película en la que (haber) ... una reina que (vivir) ... en un castillo encantado. (Ser) ... una niña feliz.

5 Le passé simple des verbes réguliers
> Précis n° 31H • Conjugaisons p. 165 et 167

● **Formation**

– Les **terminaisons** sont **les mêmes pour les verbes en** *-er* **et les verbes en** *-ir*.
– La 1re et la 3e personne du singulier portent un **accent**.

● **Emplois**

– Le **passé simple** évoque un **passé qui n'a plus de lien direct avec le présent**. Il est très utilisé en espagnol et **se traduit la plupart du temps par un passé composé**.
*El año pasado **salvaron** al unicornio.*

– Il s'utilise avec certaines **expressions de temps** (*ayer, la semana pasada, el mes pasado, el año pasado...*) et avec des **dates** (*en 2009...*).
*En 2010, la selección española de fútbol **ganó** el Mundial.*

Ganar *(gagner)*	Desaparecer *(disparaître)*	Descubrir *(découvrir)*
gané	desaparecí	descubrí
ganaste	desapareciste	descubriste
ganó	desapareció	descubrió
ganamos	desaparecimos	descubrimos
ganasteis	desaparecisteis	descubristeis
ganaron	desaparecieron	descubrieron

5 Escribe el verbo en pretérito indefinido *(passé simple)*.

a. Ayer vosotros (ganar) ... el concurso de disfraces.
b. Hace años la magia (desaparecer) ... del mundo.
c. El año pasado yo (escribir) ... una historia fantástica muy original.

6 Le passé simple de quelques verbes irréguliers
> Conjugaisons p. 165 et 167

● Les **verbes irréguliers** suivants ne portent **pas d'accent** écrit au passé simple.

Estar *(être)*	Ir/Ser *(aller/être)*	Hacer *(faire)*	Tener *(avoir)*	Venir *(venir)*
estuve	fui	hice	tuve	vine
estuviste	fuiste	hiciste	tuviste	viniste
estuvo	fue	hizo	tuvo	vino
estuvimos	fuimos	hicimos	tuvimos	vinimos
estuvisteis	fuisteis	hicisteis	tuvisteis	vinisteis
estuvieron	fueron	hicieron	tuvieron	vinieron

6 Conjuga los verbos entre paréntesis en pretérito indefinido *(passé simple)*.

*E*n aquella época había una guerra entre hadas y magos malos. Un día las hadas (venir) ... con un unicornio herido a su campamento. (Tener) ... que cuidarlo porque era el representante de la magia buena en el mundo. La reina de las hadas (hacer) ... una poción mágica y (ir) ... a ver al animal. La reina (estar) ... día y noche con el unicornio hasta que (curarse) ... Entonces el unicornio (ayudar) ... a las hadas y la magia buena (reinar) ... en el mundo.

7 Les nombres de 100 à 1 000 > Précis n° 7

100 *cien / ciento*	400 *cuatrocientos(as)*	800 *ochocientos(as)*
101 *ciento uno*	500 *quinientos(as)*	900 *novecientos(as)*
200 *doscientos(as)*	600 *seiscientos(as)*	1 000 *mil*
300 *trescientos(as)*	700 *setecientos(as)*	

● **Les centaines s'accordent en genre et en nombre avec le nom qui suit.**
Este personaje histórico murió hace más de quinientos años.
Hay doscientas personas que conocen esta leyenda.

● **Ciento devient cien devant un nom et devant mil.**
En esta poción hay cien ranas y cien mil murciélagos.

● **Le « y » ne s'utilise qu'entre les dizaines et les unités.**
Hace ciento cincuenta años que cuentan esa historia.
Este libro tiene trescientas cuatro páginas.

7 Escribe las fechas en letras y conjuga los verbos en pretérito indefinido *(passé simple).*
a. Cristóbal Colón (llegar) … a América en 1492.
b. En 1986, España (entrar) … en la Comunidad Económica Europea.
c. En 1973, (crearse) … Superlópez.
d. Isabel Allende (nacer) … en Perú en 1942.
e. En 1992, España (organiza) … los Juegos Olímpicos.

C2 Reproduire un modèle oral   C5 Connaître et pratiquer diverses formes d'expression à visée littéraire

Aprende y representa

CLASSE 2 / Piste 33   CD ÉLÈVE Piste 33

Artes

Lee este fragmento de teatro con dos compañeros(as).
Aprendedlo de memoria para representarlo delante de la clase.

Estos monstruos no dan miedo

1 HOMBRE LOBO: Soy el hombre lobo.

FRANKENSTEIN: Y yo, Frankenstein. [...]

DRÁCULA: Yo soy el excelentísimo señor Drácula, conde Drácula, pero podéis llamarme Drácula.

5 HOMBRE LOBO: Encantado *(Los tres personajes se estrechan las manos.)* [...] Yo trabajo de pastor[1] [...]

DRÁCULA: [Yo] de encargado del banco de sangre de la Seguridad Social.

FRANKENSTEIN: Yo [en una] guardería[2]. [...]

10 HOMBRE LOBO: Antes me dedicaba a asustar a la gente, pero tuve que dejarlo cuando se pusieron de moda el pelo largo y las barbas. Se habituó la gente a los pelos y ya no inspiraba el menor miedo. Me preguntaban que si anunciaba algún champú.

15 DRÁCULA: Pues yo me dedicaba a chupar la sangre a los demás, era el terror, pero algunos empresarios[3] me hacían tal competencia[4], que tuve que dejarlo.

FRANKENSTEIN: También yo aterrorizaba a la gente, hasta que apareció eso que llaman Hacienda[5] y se quedó con

20 la exclusiva de meter miedo. A mí, desde entonces, cuando intento asustar a alguien, por respuesta recibo una pedorreta[6].

Fernando Almena (novelista y dramaturgo español),
Mis queridos monstruos, 1998.

Ríete del miedo.

Tarambana Espectáculos, 2010.

1. *berger*
2. *crèche*
3. *un empresario: un entrepreneur*
4. *concurrence*
5. *ministère des Finances*
6. *on me tire la langue bruyamment*

PROYECTO

C2 Écrire un court récit, une description

C7 S'intégrer et coopérer dans un projet collectif

Invento un personaje fantástico para *Calle 13*

Juego de rol:

Tu compañero(a) y tú participáis en el concurso que la cadena de televisión *Calle 13* organiza para encontrar los protagonistas de su nueva serie fantástica. Inventad un personaje cada uno (identidad, descripción, infancia, anécdotas y poderes).

Je vais réemployer :

• **Objectifs de communication** : Je parle d'un personnage de fiction – J'écris une légende – Je raconte l'enfance d'un héros.

• **Grammaire** : *hace* + notion de temps – la phrase exclamative – les nombres de 100 à 1000 – l'imparfait de l'indicatif – le passé simple.

• **Lexique** : les légendes, le fantastique, les faits historiques.

El robot volador.

Cartel de la exposición Salvador Larroca: *Superhéroes de película*, organizada por la Semana de Cine Fantástico y de Terror de San Sebastián. Diseño: Ytantos. Ilustración: Salvador Larroca.

Etapa 1

a. El alumno(a) A inventa el personaje de un héroe (una heroína): su nombre, edad, especie (humano(a), extraterrestre...), descripción física y poderes.

El alumno(a) B hace lo mismo con el enemigo (la enemiga) del héroe o la heroína.

Podéis dibujar vuestros personajes.

Etapa 2

b. El alumno(a) A inventa la historia de su personaje: cuándo y dónde nació, su infancia, cuándo descubrió sus poderes...

El alumno(a) B hace lo mismo con el enemigo (la enemiga) del héroe o la heroína.

Etapa 3

c. Contad una pequeña anécdota de los personajes.
Un día...
Érase una vez...

Etapa 4

d. Presentad a los personajes y la clase hace de jurado de la cadena de televisión *Calle 13* para escoger a los dos mejores.

PALABRAS

• la haza**ñ**a: *l'exploit, la prouesse*
• atrave**s**ar [ie] los m**u**ros: *traverser les murs*
• via**j**ar en el ti**e**mpo: *voyager dans le temps*
• v**o**lv**e**rse [ue] invi**s**ible: *devenir invisible*

Planeta hispánico

C2 — Savoir repérer des informations dans un texte

C5 — Connaître et pratiquer diverses formes d'expression à visée littéraire

CREADORAS DE NUEVOS

¿Hay algo más interesante que leer un libro de género fantástico? Si quieres conocer nuevos mundos, no puedes olvidarte de estos nombres.

Laura Gallego García: "A escribir se aprende escribiendo…"

Una escritora precoz

Esta escritora valenciana nació en 1977, pero hace ya más de veinte años que empezó a escribir, con su amiga Miriam, su primera novela: *Zodiaccía, un mundo diferente*. Tenía once años. Y desde entonces, no ha parado[1]: *La leyenda del rey errante*, su trilogía *Crónicas de la Torre*, *Memorias de Idhún*… ¡y así más de quince novelas y cuentos!

1. parar: *arrêter*

La autora presentando uno de sus libros.

El mundo mágico de Idhún

Memorias de Idhún es una trilogía de narrativa fantástica formada por: *La Resistencia*, *Tríada* y *Panteón*. Jack, un adolescente de trece años, Christian, un misterioso joven, y Victoria, una joven muy peculiar, guardan una identidad secreta y forman un curioso triángulo amoroso. Idhún es un mundo fantástico, sometido por las fuerzas del mal. Magos, brujos, príncipes, dragones, unicornios, serpientes voladoras… todo es posible. Si sueñas con[1] ser alguien diferente, tener poderes, vivir aventuras… ¿a qué esperas para leerlo? Está traducido a muchas lenguas. En francés se titula *Idhún : La Résistance*. En 2009, empezó a publicarse en cómic.

1. soñar con: *rêver de*

Mapa de Idhún.

1. ¿Cuándo nació Laura Gallego y cuándo empezó a escribir?
2. ¿Qué género de narrativa escribe?
3. ¿Cómo se titulan los libros de la trilogía *Memorias de Idhún*?
4. ¿Quiénes son los humanos y los seres mágicos de esta trilogía?

HISPANAS
MUNDOS

La escritora
Isabel Allende.

Isabel Allende: "Dejen volar su imaginación y escriban..."

Una escritora muy leída

Isabel nació en Perú, en 1942, aunque tiene nacionalidad chilena. Es la escritora en lengua española más leída del mundo. Su obra más conocida es *La casa de los espíritus*. Empezó a escribirla como una carta a su abuelo cuando se enteró de[1] que estaba muy enfermo: era un 8 de enero. Desde entonces, empieza a escribir sus libros ese día del año. La fantasía siempre ha sido importante en su obra.

1. enterarse de: *apprendre*

Portada de la trilogía.

Las *Memorias del Águila*[1] *y del Jaguar*

Es la primera novela de Isabel Allende para adolescentes. Es una trilogía formada por los libros *La ciudad de las bestias*, *El reino del dragón de oro* y *El bosque de los pigmeos*. Aventuras en la selva amazónica[2], en el Himalaya o en un safari por África se unen a elementos fantásticos: personajes con poderes, chamanes (brujos curanderos[3] indios), espíritus que viven junto a los vivos. A esta mezcla de lo real y lo fantástico se llama "realismo mágico".

1. l'Aigle - **2.** la forêt amazonienne - **3.** guérisseurs

5. ¿Dónde nació Isabel Allende?

6. ¿Cómo se llama esta mezcla de realidad y fantasía?

7. ¿Cómo se titulan los libros de la trilogía *Memorias del Águila y del Jaguar*?

8. ¿Cuáles son los lugares reales y los elementos fantásticos de esta trilogía?

Busca el intruso

1. Algunas escritoras hispanas de género fantástico son: *Isabel Allende / Rosa Montero / Laura Gallego*.

2. Laura Gallego escribe: *poesía / novelas / cuentos*.

3. La trilogía *Memorias de Idhún* se compone de: *La Revelación / La Resistencia / Panteón / Tríada*.

4. *Memorias del Águila y del Jaguar* se desarrolla en: *el Himalaya / el desierto amazónico / África*.

@ Ciberencuesto B2i

En clase de español, os proponen tratar el tema de los personajes fantásticos. Tienes que preparar una ficha sobre el personaje de *Memorias de Idhún* o de *Memorias del Águila y del Jaguar* que te guste más. Consulta el sitio Internet www.animate-hatier.com.

1. Elige a un personaje y completa la ficha. Puedes usar un procesador de texto.

- Nombre del personaje:............
- Trilogía en la que aparece: ......
- Lugar de nacimiento:............
- Raza: ......
- Edad: ....
- Ocupación: ......
- Poderes: ....
- Arma legendaria: ......

2. Explica las razones por las que has elegido a este personaje.

Evaluación

❶ Je peux comprendre un récit fantastique.

Escucha este relato y elige la opción correcta.

CD CLASSE 2 / Piste 34

a. La historia sucedió hace: *pocos años / muchos años / quince años.*

b. Los chicos se conocían hacía: *unos meses / quince años / unas semanas.*

c. No estaban de acuerdo con su amor: *los ángeles / los hombres / los dioses.*

d. La joven murió por: *un frío viento de los dioses / amor / beber una poción.*

e. Después de morir la chica, el joven: *murió de dolor / pasaba las noches llorando / dormía sobre la tumba de su amada.*

❷ Je peux parler d'un personnage de fiction.

Mira estos dibujos del Supergrupo. Preséntalos, descríbelos e invéntate qué poderes tienen.

1. La Chica Increíble · **2. Latas** *(boîtes de conserve)* · **3. El Mago**

❹ Je peux comprendre un récit au passé.

Lee el texto y di si las frases son verdaderas o falsas. Justifica tus repuestas.

Mi maestro favorito

Un niño habla del maestro que tenía de pequeño.

1 Todo lo que tocaba[1] era un cuento fascinante. [...] Cuando el maestro se dirigía hacia el mapamundi, nos quedábamos atentos como si se iluminase la pantalla del cine Rex. Sentíamos el miedo de los indios cuando
5 escucharon por primera vez el relinchar[2] de los caballos. [...] Luchábamos con palos y piedras[3] contra las tropas de Napoleón. [...] Plantábamos las patatas que habían venido de América.

Manuel Rivas (escritor español), *La lengua de las mariposas*, 1995.

1. tocar: *(ici) expliquer* - **2.** *hennissement* - **3.** *des bâtons et des pierres*

a. El maestro no explicaba la lección como un cuento.
b. Apasionaba a los alumnos.
c. Los alumnos no se sentían protagonistas de la Historia.
d. En clase estaban estudiando el descubrimiento de América y las guerras de Napoleón.

❸ Je peux faire un récit fantastique.

Un grupo de cuatro amigos estuvo en una casa encantada. Cada uno pasó la noche en una habitación diferente. Al día siguiente, se preguntan lo que les ocurrió. En grupos de cuatro, elegís un personaje e imagináis el diálogo.

– **Inma**: picarle una araña y encontrar un libro de magia.
– **Nacho**: encontrar una espada mágica y luchar con un esqueleto.
– **Edu**: ver un fantasma y esconderse en un armario.
– **Olga**: beber una poción y volar en una escoba.

❺ Je peux raconter mon enfance.

Escribe un párrafo sobre tu infancia: dónde y cuándo naciste, cuándo empezaste el colegio y algún recuerdo *(souvenir)* especial.

> **Fais le point sur tout ce que tu as appris en remplissant la grille d'autoévaluation de ton Cahier d'activités p. 57.**

C5 Savoir s'autoévaluer

Me gustaría...

Vacaciones entre amigos.

PROJET de l'unité

Je rédige la rubrique « Courrier des lecteurs » d'une revue pour adolescents.

A1/A2 Je vais...
- **Comprendre l'expression de souhaits**
- **Imaginer des vacances idéales**
- **Comprendre des conseils**
- **Imaginer le futur**
- **Donner des conseils**

Je vais utiliser...
- *Me gustaría*
- Les prépositions *para* (1 et 2), *por* (2 et 3), *sin* et *con* (1 et 2)
- Le conditionnel
- *Cuando* + subjonctif
- Le gérondif
- La condition

Je vais réemployer...
- *Gustar*
- Le futur de l'indicatif
- Le présent du subjonctif
- Le lexique des vêtements

Je vais découvrir...
- Des lieux touristiques en Espagne et en Amérique hispanique
- Le lexique des vacances, des loisirs, des sentiments, des conseils

COMPRENSIÓN ORAL

Je comprends l'expression de souhaits.

Me gustaría descansar

① Escucha   CD CLASSE 2 / Piste 35 p.58

1. Hablan: *dos amigas / una madre y su hija / dos turistas*. ¿Cómo se llaman?
2. ¿Dónde están? Da las palabras que lo indican.
3. Sonia se siente feliz. ¿Verdadero o falso? Justifica tu respuesta.
4. Se siente así por: *estudiar demasiado / estar de vacaciones / salir demasiado*.
5. Le gustaría estar de vacaciones para...
6. ¿A qué ciudad le gustaría irse de vacaciones? ¿Por qué?
7. Manuela no conoce esta ciudad. ¿Verdadero o falso? Justifica tu respuesta.

PALABRAS

- un plac**e**r: *un plaisir*
- agobi**a**do(a): *submergé(e)*
- descans**a**r: *se reposer*
- disfrut**a**r de: *profiter de*
- ech**a**rse **u**na si**e**sta
- ¡**Á**nimo!: *Courage !*
- con retr**a**so: *en retard*

② Exprésate

Natsko Seki (ilustradora japonesa), agencyrush.com, 2007.

1. Describe el documento y di lo que están haciendo los personajes.
2. En tu opinión, ¿cuál es el objetivo de este documento?
3. Entre las actividades propuestas, ¿cuáles te gustaría hacer? ¿Por qué?

Lengua > p. 138 p. 58

1. Le verbe *gustar* et le souhait
*Me **gustaría** ir a Barcelona.*
• Pour exprimer un **souhait** (« J'aimerais... »), on emploie ***gustar*** au conditionnel.

2. Les prépositions *para* (1) et *por* (2)
*Tengo que estudiar **para** los exámenes.*
• ***Para*** exprime l'idée de **but**.
*Estoy un poco agobiada **por** los exámenes.*
• ***Por*** exprime l'idée de **cause**.

1. Contesta las preguntas. CD CLASSE 2 / Piste 36
a. ¿Adónde te gustaría ir este verano?
b. ¿Qué libro te gustaría leer?
c. ¿Qué monumento te gustaría visitar en España?

2. Completa con *por* o *para*.
a. Vamos al estadio ... ver un partido del Real Madrid.
b. Estoy cansado ... hacer tantas cosas.
c. Me gustaría ir a Barcelona ... visitar la Sagrada Familia.

Las vacaciones ideales

① Exprésate

1. Describe el documento e indica a quién se dirige.
2. ¿En qué consistirían las vacaciones ideales para ti?
3. Contesta la pregunta del documento: ¿A quién te llevarías estas vacaciones? ¿Por qué?
4. ¿Cuál sería el destino de tus sueños?
5. ¿Qué llevarías en tu maleta (valise)? ¿Por qué?

PALABRAS

- **u**na **cá**mara digi**ta**l: *un appareil photo numérique*
- **u**na **i**sla
- **u**na videocámara
- vacac**io**nes cultur**a**les / depor**t**ivas / fes**t**ivas
- dar la vu**e**lta al m**u**ndo: *faire le tour du monde*
- evad**i**rse: *s'évader*
- tom**a**r el sol: *bronzer*

inicio nosotros contacto

Buscar

Me gusta 1000

blog

subscripción
archivo
álbum de fotos
links

//estás leyendo

¿A quién te llevarías estas vacaciones?

Por Victor Palau · julio 31, 2008 · Deja un comentario

Nos vamos de vacaciones, pero como cada año nos gustaría saber un poco de ti.

Este verano queremos que imagines con quién te largarías[1] de vacaciones [...] o con qué tipo de gente te irías. Incluso, si te apetece, cuéntanos dónde.

Después del verano prometemos cambios en este blog.

CUÉNTANOSLO **CLIC AQUÍ**

¡Felices vacaciones y hasta septiembre!

Tags: vacaciones

audio&video
radio

Go! ▶

Según el blog http://graffica.info, 31/07/2008.

② Comunica

Haz dos preguntas a tu compañero(a) sobre sus vacaciones ideales.
Él / ella tiene que elegir y explicar con quién iría y lo que llevaría en su maleta.
¿Te irías de vacaciones a una isla desierta o al Polo Norte?

1. largarse (*fam.*) = irse

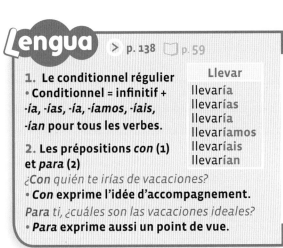

Lengua > p. 138 📖 p. 59

1. Le conditionnel régulier
- **Conditionnel = infinitif +**
-ía, -ías, -ía, -íamos, -íais, -ían **pour tous les verbes.**

2. Les prépositions *con* (1) et *para* (2)
¿Con quién te irías de vacaciones?
- ***Con* exprime l'idée d'accompagnement.**
Para ti, ¿cuáles son las vacaciones ideales?
- ***Para* exprime aussi un point de vue.**

Llevar
llevaría
llevarías
llevaría
llevaríamos
llevaríais
llevarían

1. Pon los verbos en condicional.
a. ¿Sabes? ... (aprender, tú) mucho viajando.
b. Dime, ¿qué sitios ... (visitar) allí?

2. Ordena las palabras.
a. mis / de viaje / a / me / Jaén / con / voy / amigas
b. ellos / destino / Cuba / para / ideal / sería / el

- Dialoguer sur des sujets familiers
- Réagir à des propositions

C2

Mini PROYECTO

Hablas de los proyectos para las vacaciones con tu hermano(a) pero no estáis de acuerdo. Con un(a) compañero(a), imagina el diálogo.

¿Qué podría decirle?

¡Ah, el amor!

 CD CLASSE 2 / Piste 37   CD ÉLÈVE Piste 34

Cándida está enamorada[1] de Viqui y no sabe cómo decírselo. Habla con una amiga.

1 —¡Hum! Puedes hacer dos cosas: o decirle que estás enamorada de él o darle una excusa para que él te lo diga.

—Pero ¿decirlo, cómo? ¿Por teléfono? ¿Quieres que le llame y le diga: "Hola, Viqui, tío[2], me molas cantidad[3]; tienes dos ojos como

5 dos semáforos[4] y me gustaría ser una peca para pegarme a ti".

Natalia se quedó con la boca abierta. Nunca había visto a Cándida tan lanzada.

—Eso es una burrada[5]. Tienes que ser más fina.

—¿Sí? Entonces podría decirle: "Viqui, me muero por ti. No como,

10 no duermo, no encesto la pelota[6] y me equivoco[7] de autobús".

—Eso es una cursilería[8].

—Pues dame una idea mejor. Sólo sirves para criticar.

—Yo no le diría nada por teléfono: si lo dices por teléfono, no ves la cara que pone, y si se corta la comunicación no sabes

15 si es que se le ha caído el teléfono de la impresión o si te ha colgado sin más.

Maite Carranza (escritora española), *Frena, Cándida, frena*, 1996.

1. *est amoureuse* - 2. *(ici, fam.) mec* - 3. *(ici, fam.) vachement* - 4. *feux (de circulation)*
5. *(ici, fam.) C'est trop énorme* - 6. *encestar la pelota: mettre un panier* - 7. *equivocarse: se tromper* - 8. *une niaiserie*

❶ Lee p.60

1. **¿Cómo se llaman las dos chicas? ¿Qué están haciendo?**

2. **Según Natalia, ¿qué podría hacer Cándida primero?**

3. **A Cándida le gustaría decirle por teléfono al chico que:**
   es tímida / está loca por él / lo quiere ver. **¿Qué registro de lengua usa?**

4. **A Natalia le parece** *buena / mala* **idea. Justifica tu respuesta.**

5. **¿En qué consiste el cambio en la segunda propuesta de Cándida?**

6. **Al final, ¿qué le aconseja Natalia a su amiga?**

❷ Escribe ✏️

¿Qué harías para ayudar a Cándida? Dale tres consejos usando el condicional.

PALABRAS

- familia**r**, arg**ó**tico
- demostra**r** [ue]: *démontrer*
- envia**r** un sms
- regala**r a**lgo: *offrir quelque chose*
- Yo en tu lug**a**r...: *Moi, à ta place...*

Lengua > p. 139 📖 p. 60

1. Le conditionnel irrégulier

Poder	Decir	Hacer
podría	diría	haría
podrías	dirías	harías
podría	diría	haría
podríamos	diríamos	haríamos
podríais	diríais	haríais
podrían	dirían	harían

- **Les verbes irréguliers au futur le sont aussi au conditionnel.**

2. Les prépositions *sin, por* (3) et *con* (2)

Sin ti.
- *Sin → absence.*

Se lo dices por teléfono.
- *Por → moyen.*

Con la boca abierta.
- *Con → manière.*

1. Completa con *poder, decir* **o** *hacer* **en condicional.**

a. No puedo hacerlo, ¿lo ... por mí?

b. Pablo ... regalarle flores.

c. Julia, María, ¿... venir conmigo al cine esta tarde?

d. Creo que le ... directamente "te quiero".

2. Completa con *sin, por* **o** *con*.

a. ¿Le dejarías un mensaje ... teléfono?

b. No te vayas, no puedo vivir ... ti.

c. Me miraba ... ojos sorprendidos.

Cuando me necesites

❶ Prepárate para escribir

CD CLASSE
2 / Piste 38

1. Este poema describe las relaciones entre...

2. Encuentra las palabras que corresponden a los dibujos que aparecen en el documento.

3. Reúne cada situación con la expresión equivalente.
   a. tener un día gris   1. estar triste
   b. sentir el corazón roto   2. un obstáculo
   c. necesitar callar   3. tener la moral baja
   d. una cuesta empinada   4. necesitar calma

4. Reúne cada remedio con una expresión equivalente.
   a. dar un pincel amarillo   1. consolar
   b. empujar hacia arriba   2. alegrar el día
   c. poner vendas   3. ayudar

PALABRAS

- **abraz**ar: *serrer dans ses bras*
- **alegr**ar el d**í**a: *illuminer la journée*
- **confi**ar en: *faire confiance à*
- **llor**ar: *pleurer*
- **Te** **e**cho de **m**enos.: *Tu me manques.*

❷ Escribe

Escribe un poema de seis versos para decirle a un(a) amigo(a) o a tu novio(a) lo que harás en cada circunstancia por él (ella).

Cuando...

Cuando...
Cuando Tengas un día gris
te daré un pincel¹ Amarillo...
Cuando sientas el ♥ roto
siempre tendré vendas²...
Cuando necesites callar
Me sentaré contigo en silencio
Cuando Tu cielo se nuble
lo rociaré³ con rayos de
Cuando La ■ Parezca Empinada⁴
Te empujaré hacia arriba...
Cuando no puedas dejar de
Te llevaré pañuelos⁵ extra...
Cuando Me Necesites...Help me!
Siempre estaré allí...

http://elalmadedulce.blogspot.com, noviembre de 2008.

1. *pinceau*   4. *escarpée*
2. una venda: *un bandage*   5. *des mouchoirs*
3. rociar: *arroser*

Lengua > p. 139 □ p. 61

Cuando + subjonctif
Cuando me necesites, siempre *estaré* allí.
- Pour exprimer un futur éventuel (« le jour où... »), on emploie **cuando + subjonctif dans la subordonnée de temps**. La proposition principale reste à l'indicatif.

Conjuga los verbos.
a. Cuando María ... (poder) verte, te ... (dar) un beso.
b. Cuando mis padres ... (volver), los ... (abrazar).
c. Yo te ... (echar de menos) cuando te ... (ir).
d. Yo ... (ser) feliz cuando ... (estar) contigo.

C2 Écrire un court récit, une description

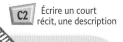

Mini PROYECTO

Crea una versión moderna de la escena en la que Romeo y Julieta se declaran su amor, escribiendo lo que podrían decir y lo que imaginan para su futuro cuando estén juntos.

Un verano aburrido

Tómalo de manera positiva

CD CLASSE 2 / Piste 39 — CD ÉLÈVE Piste 35

Pablo tiene que estudiar durante el verano.
Está en Madrid con su padre que es escritor.

1 Mi padre me dice que tengo que tomar eso de
manera positiva, me dice: "Míralo así, joven
Pablo, sólo te quedan dos semanas… ¿Qué son
dos semanas comparadas con la inmensidad de
5 las arenas[1] del desierto[2] y del cielo estrellado?".
Lo estrangularía[3].
Además, me dice: "¿Tú piensas que a mí me gusta
estar aquí en agosto escribiendo, sin salir casi
de mi estudio[4] excepto para cocinar fabulosas
10 tortillas? ¿No crees que me gustaría más estar
haciendo *rafting*, o *surf* o salto al vacío[5]?
¡Pues claro que me gustaría!".

Javier Salinas (escritor español), *La habitación de Pablo*, 2002.

1. la arena: *le sable* - **2.** *désert* - **3.** estrangular: *étrangler*
4. *(ici) bureau* - **5.** *dans le vide*

Luvio (dibujante argentino),
Vacaciones…, 1998.

❶ **Lee**   p.62

1. Es el verano y Pablo se va de vacaciones.
¿Verdadero o falso? Justifica tu respuesta.

2. Según su padre ¿que debería hacer Pablo?

3. ¿Cómo se siente Pablo? Apunta la frase que
lo justifica.

4. El padre se pasa el verano…

5. El padre preferiría pasarse las vacaciones…

❷ **Exprésate**

1. Describe el dibujo.

2. Imagina que eres el chico del dibujo. ¿Qué
podrías proponer para arreglar la situación?

PALABRAS
- la **i**ra: *la colère*
- agarr**a**rse: *s'accrocher*
- est**a**r furi**o**so(a)
- pas**a**rse el ti**e**mpo + *gérondif*
- tir**a**r de: *tirer*

Lengua > p. 139 p. 62

Le gérondif
*Me paso el tiempo **escribiendo** cartas.*
- **Le gérondif employé seul exprime l'idée de manière.**
- **Il existe des gérondifs irréguliers :**

– caer	→ cayendo	– oír	→ oyendo
– decir	→ diciendo	– pedir	→ pidiendo
– dormir	→ durmiendo	– poder	→ pudiendo
– ir	→ yendo	– sentir	→ sintiendo
– leer	→ leyendo	– traer	→ trayendo
– morir	→ muriendo	– venir	→ viniendo

Relaciona la pregunta con la respuesta adecuada
y usa el gerundio.

a. ¿Cómo vais a venir?
b. ¿Cómo has pasado la tarde?
c. ¿Cómo se divierten tus hijos?
d. ¿Cómo disfrutas de las vacaciones?
e. ¿Cómo recuperas fuerzas?

1. … (salir) con mis amigos.
2. … (leer) una novela.
3. … (dormir) como un bebé.
4. … (andar) o en bici.
5. … (jugar) juntos.

Je donne
des conseils.

¿Qué harías?

❶ Prepárate para escribir   p.63

1. **El documento es:** *un artículo / un cómic / un consultorio.*
2. **¿Cuál es el problema de Manuel y Guillermo?**
3. **¿Qué piensa Mara?**
4. **Imagina un argumento a favor y uno en contra del uniforme.**
   Si llevas uniforme, ...

PALABRAS

- el consult**o**rio:
  le courrier des lecteurs
- argument**a**r
- intent**a**r: *essayer*

1. rollo *(fam.): gonflant*
2. coger los bajos: *faire les ourlets*
3. *pareil*
4. meterse con: *s'en prendre à*
5. echar un cable: *donner un coup de main*

❷ Escribe  p.63

Escribe una carta o un e-mail para ayudar a Emilio. ¿Qué podría hacer Emilio? ¿Qué harías en su lugar?

Manda una carta o un e-mail y echa un cable[5] a Emilio.

"MIS PADRES NO ME DEJAN ABRIR UNA CUENTA EN TUENTI. ¿QUÉ HARÍAS?"
(Emilio, Toledo)

"¡QUÉ ROLLO![1] EN NUESTRO COLE NUEVO SE LLEVA UNIFORME"
(Manuel y Guillermo, por e-mail)

¿QUÉ HARÍAS?

"En mi cole se lleva uniforme y, la verdad, es un poco rollo. Pero yo llevo y no está tan mal. No es tan malo. A lo mejor cuando estéis en el instituto podéis llevar la ropa que vosotros queráis :-\ ;-) ;-) :-P."
(Elena, por e-mail)

¿Y AL MENOS NO PODÍAS HABERLO COMPRADO DE MI TALLA?

NO, CARIÑO, ASÍ LE COJO LOS BAJOS[2] Y TE DURARÁ VARIOS CURSOS

YUPIII...

"A mí me parece supercómodo, porque no tengo que pensar en qué ponerme por las mañanas."
(Salvador, Valencia)

"Si todos vais igual[3] nadie se meterá con[4] la ropa que llevéis."
(Mara, Salamanca)

Revista Muy interesante Junior n°73, noviembre de 2010.

---

engua > p. 140 p.63

La condition

Si todos vais igual, nadie se meterá con vuestra ropa.

- Pour exprimer une **condition** dans le présent : *si* + présent, + futur dans la principale.

Conjuga los verbos.

a. Si mis padres no ... (querer), no ... (poder) hacerlo.
b. Si ... (ayudar) a mi amiga, ... (estar) contenta.
c. Julia, si ... (venir) a mi colegio, ... (hacer) muchos amigos.
d. Si Pablo ... (irse) de vacaciones a Barcelona, ... (visitar) el estadio.

C2 Écrire un message simple

Mini PROYECTO
Es la primera vez que te vas de viaje solo(a) con amigos. Tus padres te dejan una nota con consejos para los problemas eventuales. Imagina lo que escriben. *Si...*

Avec **DVD** ou **CD** classe

¡Un verano guay!

 DVD Séq. 8   CD CLASSE 2 / Piste 40   p.64

1 **Mira las fotos y responde.**

a. ¿Qué está haciendo la familia en la primera foto?

b. Imagina lo que están mirando en la foto 2.

c. En la foto 6, todos parecen: *decepcionados / contentos / sorprendidos.*

2 **Mira el vídeo o escucha la grabación y responde.**

a. ¿Qué les gustaría hacer a Belén y Miguel este verano?

b. Fernando les propone ir...

c. Apunta las actividades que podrían hacer.

d. Al final, deciden...

PALABRAS

- **u**na fi**n**ca: *une propriété*
- **u**na hu**e**rta: *un verger*
- un mol**i**no: *un moulin*
- un mont**ó**n de: *un tas de*

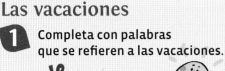
Las vacaciones

1 Completa con palabras
que se refieren a las vacaciones.

Verano...

Amigos...

A

C

A

C

I

O

E

S

Los sentimientos

3 Ordena las letras para encontrar un sentimiento
y relaciónalo con la definición correspondiente.

1. Alguien que no ha dormido mucho.
2. Alguien que siente ira.
3. Alguien que siente pasión.
4. Alguien que está triste.
5. Alguien que está muy estresado.

a. P-D-O-C-E-E-I-C-N-A-O-D
b. A-B-D-G-O-A-I-O
c. N-M-O-O-E-D-A-R-A
d. D-N-C-A-O-S-A
e. S-F-O-I-O-U-R

El ocio

2 Adivina, adivinanza.

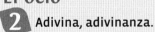

a. ¿Qué actividad podrías hacer con algo
abierto en las manos y para la que
necesitarías gafas si no ves bien?

b. ¿Qué actividad podrías hacer tumbado
y con los ojos cerrados?

c. ¿Qué actividad podrías hacer si
descubres una nueva ciudad?

d. ¿Qué actividad podrías hacer con tus
amigos para pasarlo bien, por la tarde
o por la noche?

Los consejos

4 Hay manchas de café en esta revista y
no se ven algunas palabras.
Completa el texto con: *deberías - echar un cable -
en tu lugar - podrían - gustaría.*

che en
emios
nadri-
labras
erturi-
5 en la
oro de
onces
porch,
rio de
entina
frente
s. Allí
lvarez,
é Luis
sobre
critor,
lor de
a ano-
ana.

La pregunta de Almudena

Me ▬▬▬ tener una cuenta en
Facebook pero mis padres no quieren.
¿ Me podríais ▬▬▬ ?

La respuesta de la redacción

Yo, ▬▬▬ hablaría tranquila-
mente con ellos. ▬▬▬ enseñar-
les *Facebook* para explicarles cómo
funciona. Y tus padres ▬▬▬ también crearse una cuenta para volver
a contactar con antiguos amigos.

Ritmo Juvenil- Febrero 2012 25

Trabalenguas

CD CLASSE
2 / Piste 41

CD ÉLÈVE
Piste 36

C2 Reproduire
un modèle oral

En espagnol, *r-* placé en début de mot se prononce de la même façon que *-rr-*. On le roule doublement.

1

Rubén co**rr**e
detrás de **R**osa
para **r**egalarle
su co**r**azón.

2

¡Qué **r**ollo son los libros
románticos como **R**omeo
y *Julieta*! ¡Y qué abu**rr**idos
son los libros de gue**rr**a!

Plus d'activités
sur ton CD-Rom
ROM

1 Les prépositions > Précis n° 9

● **La préposition** *por* **s'emploie pour exprimer :**

– la **cause** : *Iremos a Galicia por sus paisajes.*

– la notion d'**échange**, d'**intérêt** :
Te compro eso por 10 euros.
¿Qué sientes por mí?

– une idée de **mouvement**
et de **passage** : *Quiero pasar por allí.*

– une idée de **moyen** :
¿Te llamo por teléfono?.

Ah, mi gato pasó por aquí...

¡Se va sin mí!

● **La préposition** *sin* **s'emploie pour exprimer :**

– l'idée d'**absence** :
Me voy de viaje sin ti.

● **La préposition** *con* **s'emploie pour exprimer :**

– l'idée d'**accompagnement** :
Juan se siente bien con su novia.

– l'idée de **manière** :
La miraría con sorpresa.

Me gustaría hablar con el presidente de la República.

Para Laura

● **La préposition** *para* **s'emploie pour exprimer :**

– le **but**, la **finalité**, la **destination** :
Es un mensaje para ti.

– un **point de vue** : *Para nosotros, ¡son las mejores vacaciones!*

1 Completa con "*por*" o "*para*".
a. Quiero ir a España ... disfrutar del calor.
b. ... ir a Sevilla, podrías pasar .... Madrid.
c. Salimos de la piscina ... no tener frío.
d. Te regalaré algo ... tu ayuda.
e. ... mí, es el novio ideal.
f. Te escribiré un mensaje ... e-mail.

2 Completa con "*sin*" o "*con*".
a. ¿Te gustaría ir al cine ... Marta y mi hermano?
b. No podría irme ... darte un beso.
c. Deberías hablar ... tus padres y no quedarte solo ... hablar.
d. Tenemos que esperar ... paciencia.
e. Cuando Miguel está ... Sofía, la mira ... amor.

2 Le conditionnel des verbes réguliers > Précis n° 31J • Conjugaisons p. 165 et 167

● **Formation**
Pour former le **conditionnel**, on ajoute les terminaisons
-ía, -ías, -ía, -íamos, -íais, -ían à l'infinitif.
Ce sont toujours les **mêmes terminaisons**
pour l'ensemble des verbes.

● **Emplois**
Comme en français :
– Le conditionnel sert à **exprimer une éventualité,**
une supposition.
*En un mundo ideal, todos los niños **podrían** irse*
de vacaciones.

– Le conditionnel permet également d'**atténuer une**
demande, notamment dans l'expression du **souhait**.
*¿**Podrías** decirme qué hora es?*

Hablar (parler)	Aprender (apprendre)	Vivir (vivre)
hablaría	aprendería	viviría
hablarías	aprenderías	vivirías
hablaría	aprendería	viviría
hablaríamos	aprenderíamos	viviríamos
hablaríais	aprenderíais	viviríais
hablarían	aprenderían	vivirían

3 Completa con el condicional de los verbos
escribir, comer y gustar.
a. ¿Te ... ser piloto de avión?
b. ¡Tengo hambre! Me ... cualquier cosa.
c. ¡Mi novio ideal me ... poemas de amor!
d. A mis padres les ... irse de vacaciones solos.

4 Ordena los elementos para obtener una frase.
a. ser / ¿te gustaría / a ti, / cantante?
b. con / viajar / mis amigos / me encantaría
c. a Pedro / ¿llamarías / que lo quieres? / teléfono / y le confesarías / por

On retrouve les **mêmes verbes irréguliers au futur et au conditionnel** car l'irrégularité touche le radical.

Decir (dire)	Hacer (faire)	Poder (pouvoir)	Poner (mettre)	Querer (vouloir)	Saber (savoir)	Salir (sortir)	Tener (avoir)	Venir (venir)
diría	haría	podría	pondría	querría	sabría	saldría	tendría	vendría
dirías	harías	podrías	pondrías	querrías	sabrías	saldrías	tendrías	vendrías
diría	haría	podría	pondría	querría	sabría	saldría	tendría	vendría
...	...	...	...	...	...	...	...	...

5 Ordena los elementos para obtener un verbo en condicional y relaciónalo con su infinitivo.

a. RÍ-DI-AN

b. VEN-ÍAIS-DR

c. DR-ÍAN-PON

d. AS-NDR-Í-TE

e. LD-SA-RÍ-AS

f. MOS-BR-SA-ÍA

g. RR-ÍA-QUE-MOS

1. tener
2. decir
3. salir
4. venir
5. saber
6. poner
7. querer

6 Usa los verbos *poder, tener, hablar* o *ser* en condicional para completar el texto.

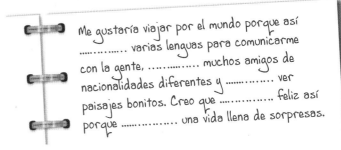

Me gustaría viajar por el mundo porque así .... varias lenguas para comunicarme con la gente, ... muchos amigos de nacionalidades diferentes y .... ver paisajes bonitos. Creo que .... feliz así porque .... una vida llena de sorpresas.

4 **Le gérondif** > Précis n° 28 • Conjugaisons p. 165 et 167

● Le **gérondif employé seul** permet d'exprimer la **manière**.
Juan va al colegio corriendo.
Me pasé la tarde leyendo un cómic.

7 Completa con el gerundio de los verbos *correr, viajar, leer* o *dormir*.

a. Cuando sea mayor, me pasaré el tiempo ... por el mundo.

b. Me imagino en la playa ... una novela policíaca.

c. Pedro va a llegar cansado porque viene ...

d. Estoy enfermo y me paso el día en la cama ...

e. Para un maratón, deberías entrenarte ...

5 ***Cuando* + subjonctif** > précis n° 31E

● En espagnol, on emploie le **subjonctif dans une subordonnée temporelle** pour traduire l'idée de **futur**.
La proposition principale reste à l'indicatif.
*Cuando **estés** de vacaciones, **podrás** disfrutar de la playa.*
*Cuando **sea** mayor, me **gustaría** ir a Australia.*

Cuando sea padre, tendré muchos hijos.

Bueno... ¡No sé!

8 Conjuga los verbos.

a. Cuando ... (terminar) los exámenes, los alumnos ... (estar) de vacaciones.

b. Yo ... (sentirse) mejor cuando tú ... (estar) conmigo.

c. Cuando Raúl ... (tener) suficiente dinero, ... (poder) comprarse billetes de avión.

d. Me ... (gustar) visitar el museo del Prado cuando ... (ir) a Madrid.

e. Cuando mi mejor amigo lo ... (necesitar), lo ... (ayudar).

f. Cuando Javier ... (ser) adulto, ... (tener) más responsabilidades.

6 La condition › Précis n° 30

● Lorsque la **condition** est envisagée comme **réalisable** dans le présent ou dans le futur, l'espagnol emploie les **mêmes temps qu'en français** : le **présent de l'indicatif dans la subordonnée de condition** et le **futur dans la proposition principale**.

*Si te **vas**, te **echaremos** de menos.*

Si vienes, te daré caramelos...

9 Ordena los elementos para formar una frase.

a. me escribes / te contestaré / si / una carta

b. hace / si / irán / a / mis padres / calor / la playa

c. si / me sentiré / muy / me dejas / triste

d. no / te / por / veo / teléfono / si / llamaré / te

e. intentaremos / si / son / las vacaciones / al máximo / cortas / disfrutarlas

---

 Reproduire un modèle oral

 Connaître et pratiquer diverses formes d'expression à visée littéraire

Aprende y representa

 CLASSE 2 / Piste 42   CD ÉLÈVE Piste 37   **Artes**

Lee este poema y apréndelo para representarlo delante de la clase.

Es tiempo de vacaciones

1 Vacaciones esperadas
para descansar y jugar
en casa, en las sierras[1],
en la plaza o en el mar.
5 Vacaciones esperadas
tiempo de celebrar,
el placer[2] de la familia
y su encanto sin igual.
Vacaciones calurosas[3]
10 para mallas[4] y piletas[5],
o con tardes muy lluviosas
para dormir largas siestas.
Vacaciones al fin
a disfrutar estos meses...
15 sin mochilas ni relojes y...
¡Al agua como peces!

Mirna Paschetta (escritora argentina), *Es tiempo de vacaciones*, 2008.

Mural anónimo situado en el barrio de *Little Havana* en Miami (Florida) y representando la playa de Varadero (Cuba).

1. las montañas – 2. *le plaisir* – 3. con calor – 4. las mallas *(amér.)* = el bañador – 5. las piletas *(amér.)* = las piscinas

PROYECTO

Redacto la página de consejos de una revista

 C2
• Rendre compte de faits
• Écrire un message simple

 C7
• S'intégrer et coopérer dans un projet collectif

Juego de rol:

Con tu compañero(a) de clase, desempeñaréis varios papeles:

Papel n°1: Escribís a la revista para explicar un problema y pedir consejos.

Papel n°2: Os ocupáis de la sección "Ayúdame" de la revista y tenéis que dar consejos.

Je vais utiliser :

• **Objectifs de communication** : Je comprends l'expression de souhaits – Je donne des conseils – J'imagine le futur.

• **Grammaire** : le conditionnel – les prépositions *para, por, sin, con* – *cuando* + subjonctif – la condition.

• **Lexique** : les vacances, les loisirs, les sentiments, les conseils.

 Etapa 1

a. Con tu compañero(a), pensad en un problema sobre las vacaciones, el verano, las relaciones con vuestros padres o vuestros sentimientos. Escribidlo en un papel explicándolo y pidiendo consejos de forma anónima.

b. Cada grupo pone su papel en una caja cerrada.

 Etapa 2

c. Coged un papel al azar y contestad escribiendo varios consejos a la persona.

Deberías...
Si...
Cuando...

 Etapa 3

d. Presentad delante de la clase el problema y los consejos dados.

e. La clase vota para decir si son buenos consejos.

 Etapa 4

f. Elegid los problemas más frecuentes en la clase y los mejores consejos. Después, a partir de eso, cread la sección "Ayúdame" de vuestra revista.

Podéis usar el ordenador e ilustrar la página con dibujos o fotos. También podéis publicarla en el périodico o la página web del colegio. **B2i**

Portada de la revista *Súper Pop* n° 26.

 ## PALABRAS

• ¡Su**e**rte!: *Bonne chance !*
• ¡No te preoc**u**pes!: *Ne t'inquiète pas !*
• ¡No te desan**i**mes!: *Ne te décourage pas !*

¿Adónde te gus

¿Todavía no sabes adónde te gustaría ir este verano? Pues podrías decidirte leyendo estas páginas. Tienes mucho donde elegir porque los países hispanohablantes presentan una gran variedad de paisajes y de posibilidades: turismo cultural, natural, senderismo, sol y playa...

Destino... ¡Hispanoamérica!

Frente a ti: Machu Picchu.

1

La magia inca de Machu Picchu

El nombre "Machu Picchu", ¿te suena?[1] Es la antigua ciudadela[2] inca que podrías descubrir en la región de Cuzco, en Perú. Una visión que te cortaría la respiración...

1. *Cela te dit quelque chose ?* - 2. *citadelle*

Cuba, la tierra más bella según Cristóbal Colón

En Cuba, podrías admirar los coches antiguos de los años 30 y 50, y disfrutar de la vista desde la principal avenida de La Habana: el Malecón.
¿Ya has visto coches así?

2

Un coche en el Malecón.

4

La pirámide del Sol.

En Bolivia: un desierto... ¡de sal!

En Bolivia, descubrirías un paisaje sorprendente: el salar[1] de Uyuni. Hace 40 000 años era un lago, ahora es el mayor desierto de sal del mundo con sus 12 000 km². Impresionante, ¿no?

1. *le désert de sel.*

3

La inmensidad del salar de Uyuni.

Cerca del sol, la pirámide de Teotihuacan

¿Te atreverías a[1] subir los 365 escalones de la pirámide del Sol de Teotihuacan en México? Deberías, porque se dice que estando arriba, si se pide un deseo, se cumple. ¿Qué pedirías?

1. *atreverse a: oser*

1. ¿Adónde preferirías ir? Da dos argumentos para explicar tu elección.

Destino... ¡España!

5

La espectacular Sagrada Familia.

La Sagrada Familia: la eterna inacabada...

En Barcelona, podrías visitar la famosa basílica de "la Sagrada Familia", diseñada por el arquitecto catalán Antoni Gaudí. Iniciada en 1882, todavía está en construcción.

La Alhambra: unión de culturas

En Granada, descubrirías uno de los monumentos más prestigiosos de la presencia musulmana en España entre los siglos VIII y XV: la Alhambra, que era un palacio y una fortaleza musulmana en aquella época.

La tranquilidad de la Alhambra.

6

7

La belleza de las islas Baleares.

Las islas Baleares: ¿el paraíso?

En las islas Baleares, podrías disfrutar de playas con aguas transparentes para nadar, hacer submarinismo o tomar el sol. Las islas Baleares están compuestas por cuatro islas: Ibiza, Formentera, Mallorca y Menorca.

2. Te gustaría ir a España este verano, pero ¿adónde? Da tres argumentos para explicar tu elección.

Busca el (los) intruso(s)

1. Podrías ir a la playa en: *las islas Baleares / Cuba / Teotihuacan.*

2. El salar de Uyuni es: *una playa / una montaña / un desierto.*

3. Machu Picchu es una ciudadela construida por: *los incas / los mayas / los españoles.*

4. La Sagrada Familia está en: *Cataluña / Barcelona / Madrid.*

5. La Alhambra está en: *Cataluña / Galicia / Andalucía.*

@ Ciberencuesta B2i

Trabajas en una agencia de publicidad y tienes que crear un cartel para promover un lugar turístico.

1. Elige uno de los lugares descritos en estas páginas.

2. Busca más informaciones en www.animate-hatier.com sobre:
- la región o el país (clima, situación geográfica, capital...)
- las actividades posibles (excursiones, deportes...).

3. Redacta un párrafo para describir el lugar y explicar lo que la gente podría hacer allí. *En..., podrías descubrir...*

4. Inventa un eslogan.

5. Crea tu propio cartel con el eslogan, el párrafo y fotos. Puedes utilizar el ordenador para hacerlo.

Evaluación

① Je peux comprendre l'expression de souhaits.

1. Completa estas frases. Justifica tus respuestas.

🔊 **CD CLASSE 2 / Piste 43**

a. Es un diálogo entre...
b. La madre quiere saber...
c. A Juan le gustaría... mientras que Marta preferiría...

2. Cita las dos actividades enunciadas por Juan.

3. Cita las dos actividades enunciadas por Marta.

4. ¿Verdadero o falso? Justifica tus respuestas.

a. Juan no está de acuerdo con su hermana.
b. La madre tomará la decisión con su marido.

② Je peux exprimer des souhaits.

Imagina que un genio te da la posibilidad de cumplir cinco deseos. ¿Qué le pedirías?

③ Je peux donner des conseils.

Con varios(as) compañeros(as) de clase, vais a animar un programa de radio que da consejos a los jóvenes que llaman para hablar de sus problemas. Dos del grupo exponen varios problemas y los otros deben darles consejos.

④ Je peux comprendre des conseils amoureux.

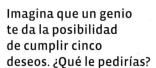

> ME GUSTA UN CHICO QUE TIENE DOS AÑOS MÁS QUE YO Y ÉL LO SABE...
> Raquel, por e-mail

¿QUÉ HARÍAS?

Intenta ser más madura[1]. No querrás que se crea que eres una pequeñaja[2]...
(Marcos, Cádiz)

Da igual, no hay ninguna ley[3] que diga que alguien no se puede enamorar de otra persona más grande o más pequeña. ¿A qué esperas?
(Carmen, por e-mail)

A mí me pasó algo parecido. Yo estaba en 4° de Primaria y él en 2° de ESO. Un día, él salía de clase, vino por mi espalda y me dio un beso en la mejilla[4]. Yo esperaría. ¡¡¡Suerte!!!
(Patricia, por e-mail)

Intentaría ser más coqueta con él sin dejar de mirarle a los ojos.
(Noelia, Madrid)

Contesta estas preguntas o elige la respuesta correcta.

a. ¿Cuál es el problema de Raquel?

b. Para Marcos, ¿qué debería hacer Raquel?

c. Para Carmen, Raquel no debería lanzarse. ¿Verdadero o falso? Justifica tu respuesta.

d. En su lugar, Patricia: *le daría un beso / esperaría / lo dejaría.*

e. Para Noelia, Raquel debería: *ignorarlo / seducirlo.*

Revista *Muy Interesante Junior* n° 10, agosto de 2005.

1. *mature*
2. *(fam.)* pequeña
3. *loi*
4. *joue*

⑤ Je peux imaginer le futur et les vacances idéales.

Crea un test con cuatro preguntas y dos respuestas para cada una. Las preguntas deben referirse al futuro, las vacaciones, los sentimientos y las relaciones amorosas. Usarás el condicional y *cuando + subjuntivo.* Ejemplo:

1 ¿Qué destino de vacaciones preferirías?
    a. ❏ una isla desierta
    b. ❏ una ciudad con un montón de gente

> **Fais le point sur tout ce que tu as appris en remplissant la grille d'autoévaluation de ton Cahier d'activités p. 64.**

C5 Savoir s'autoévaluer

¿Te vienes de **fiesta**?

1 y 2 de noviembre en México

El Día de los Muertos en México

p. 146-147

diciembre y enero en España

Navidades

p. 148-149

marzo en Valencia

Fallas de Valencia

p. 150-151

C2 Savoir repérer des informations dans un texte

C7 Identifier la diversité des civilisations, des langues, des sociétés, des religions

El Día de los Muertos

Homenaje a los muertos

El 1 de noviembre, "Todos los Santos", y el 2 de noviembre, "Día de difuntos", los mexicanos celebran el "Día de los Muertos". Es una celebración que tiene su origen en las tradiciones mayas y aztecas. La tradición dice que en estos días los muertos vuelven a visitar a sus familiares y, por esta razón, los vivos preparan una fiesta de bienvenida. El Día de los Muertos es una fiesta seria y divertida al mismo tiempo.

LOS CEMENTERIOS

La gente visita los cementerios y decora las tumbas con flores de cempasúchil[1]. Esta flor, que puedes ver en la foto, crece silvestre[2] en México. También se cultiva en gran cantidad porque se utiliza mucho en esta fiesta. Florece en los meses de octubre y noviembre. Tiene también un uso medicinal para problemas digestivos.

1. roses d'Inde
2. pousse de façon sauvage

▲ Un cementerio en México.

EL ALTAR[1] DE MUERTOS

En casa, los mexicanos preparan altares de muertos. Los elementos son: las fotos del difunto; las velas[2] para guiarle en su regreso[3] a la tierra; la comida y bebida que prefería el muerto en vida; flores y papel picado[4] para decorar, calaveras de azúcar[5] y papel... La calavera más famosa es "la Catrina", creada por el caricaturista José Guadalupe Posada (cf. Actividad 1, p.147).

1. autel - 2. bougies - 3. retour
4. papier mâché - 5. têtes de mort en sucre

Un altar de muertos con las ofrendas. ▶

en México

Elementos de fiesta

Calaveras de azúcar. ▶

LOS DISFRACES[1]

Otro elemento de la fiesta son los disfraces: esqueletos, calaveras, muertos vivientes... Por las calles, en los colegios... podemos ver gente disfrazada. ¿Puedes decir qué elementos de la foto hacen referencia a esta fiesta mexicana? ¿Te gustaría ir a México en estas fechas y disfrazarte?

1. déguisements

Disfrazada para el Día de los Muertos. ▶

ESPECIALIDADES GASTRONÓMICAS

Las especialidades de estos días son el pan de muerto y las calaveras de azúcar. Hay diferentes tipos de pan de muerto. El más sencillo es un pan dulce[1]. Otros pueden tener vainilla, naranja, chocolate... Las calaveras de azúcar se preparan con un jarabe[2] de azúcar que se pone en un molde[3] con forma de cráneo. Luego se decoran y se ponen en el altar de muertos o se regalan[4] a las personas.

1. sucré - 2. sirop - 3. moule - 4. regalar: offrir

▲ Pan de muerto.

Actividades

❶ **Esqueleto de la Catrina**

MATERIAL:
- tijeras (ciseaux)
- pegamento (colle)
- un lápiz
- pinturas o rotuladores (feutres)
- papel fuerte o cartulina (bristol)
- grapas dobles (agrafes doubles)

INSTRUCCIONES:
1. Dibujar un esqueleto.
2. Colorear.
3. Cortar las partes.
4. Unir las partes.

❷ **Actividad Web** B2i

Consulta el sitio **www.animate-hatier.com** y realiza un altar para la fiesta de los muertos.

Copia la imagen de tu altar de muertos, utiliza el tratamiento de textos e imprímela. Luego puedes decorar la clase con el tuyo y el de tus compañeros.

¿Has entendido?

¿Verdadero o falso? Justifica tus respuestas.

1. El Día de los Muertos es una fiesta española.

2. Es una fiesta muy triste y la gente no sale de casa.

3. Los altares de muertos están muy bien decorados.

4. Las especialidades de estos días son el pan de muerto y las calaveras de azúcar.

C2 Savoir repérer des informations dans un texte

C7 Identifier la diversité des civilisations, des langues, des sociétés, des religions

Navidades

Las Navidades son unas fiestas muy importantes en España. Mira todas las fechas y comprenderás por qué esta palabra está en plural.

Dulces típicos de Navidad.

NOCHEBUENA

El día **24**, llamado Nochebuena, es un día en el que la familia se reúne y cena todo tipo de platos, sobre todo dulces típicos de Navidad, como el turrón, los mazapanes² y los polvorones.

1. *des friandises*
2. *massepains (pâte d'amande)*

NAVIDAD

El día **25** se celebra el día del nacimiento de Jesús. En ciertas ciudades, en la plaza principal, se puede ver un belén¹ viviente.

1. *crèche*

Un belén viviente.

LOS SANTOS INOCENTES

El **28** de diciembre se celebra el día de los Santos Inocentes. La gente gasta bromas¹, pero sin mala intención.

1. *font des farces*

Nochevieja en la Puerta del Sol.

NOCHEVIEJA

El día **31** de diciembre, llamado Nochevieja, mucha gente va a la Puerta del Sol de Madrid para tomar todos juntos las doce uvas¹ de la suerte. Según la tradición, tienes que comerte una uva por cada campanada² hasta llegar a las doce. Si lo consigues, tendrás doce meses de buena suerte.

1. *grains de raisin* - 2. *coup de cloche*

Cabalgata

LAS CABALGATAS

El día **5** de enero, por la tarde, en muchas ciudades hay cabalgatas[1] con los tres Reyes Magos y sus pajes. Reparten caramelos a los niños buenos y carbón dulce a los que no se han portado bien.

1. *des défilés*

Carta a los Reyes Magos.

A sus Majestades
Los Reyes Magos de Oriente.

Queridos Melchor, Gaspar y Baltasar:

Este año he sido bueno y he sacado buenas notas en el cole. Todos los días hago los deberes, pongo la mesa y en verano corto el césped[1].

Algunas veces me peleo[2] con mi hermana, pero luego le pido perdón.

Este año me gustaría[3] mucho tener un MP4 y un videojuego para mi consola. También, si puede ser, un poco de dinero, y una colonia para mi madre, un pijama para mi padre y un casco de motocicleta para mi hermana Laura.

Bueno, muchas gracias por todo.

Hasta el año que viene,

David Moreno

1. *la pelouse* - 2. *je me dispute* - 3. *j'aimerais*

EL DÍA DE LOS REYES

El **6** de enero es el día de los Reyes. Muchos niños escriben cartas a sus majestades Melchor, Gaspar y Baltasar para pedir regalos[1]. Por eso, dejan[2] sus zapatos la noche anterior debajo de la cama o bajo el árbol de Navidad. En la mañana del día 6, descubren y abren sus regalos. Se suele comer el tradicional roscón de Reyes.

1. *demander des cadeaux* - 2. *dejar: laisser*

Actividades

¿Has entendido?

Rectifica estas afirmaciones.

1. El día 24 se llama la Nochevieja.
2. Los españoles suelen comer doce uvas el 28 de diciembre.
3. Los Reyes Magos se llaman Baltasar, Gaspar y Miguel.
4. Los Reyes reparten los regalos el 25 de diciembre.
5. El 6 de enero los españoles suelen gastar bromas.

❶ El calendario de adviento *(de l'Avent)*

MATERIAL:
- una hoja de cartón
- 24 cajas de cerillas *(boîtes d'allumettes)*
- tijeras *(ciseaux)*
- pegamento *(colle)*
- pinturas de colores
- 24 chocolatinas

INSTRUCCIONES:

1. Coloca las 24 cajas en la hoja de cartón y dibuja el contorno.
2. Recorta *(découpe)* en forma de ventana y pega en la parte posterior las cajas de cerillas.
3. Cuando el pegamento esté seco, coloca una chocolatina en cada caja y cierra la ventana.
4. Dibuja los números y decora con dibujos navideños.

❷ Actividad B2i Web

Vas a crear una tarjeta de Navidad con la ayuda de internet. Pincha en www.animate-hatier.com.

Copia la imagen que prefieres o haz un montaje con varias, escribe un texto en español y envía la tarjeta a una persona de tu elección *(de ton choix)*.

Fallas de Valencia

C2 Savoir repérer des informations dans un texte

C7 Identifier la diversité des civilisations, des langues, des sociétés, des religions

Las fallas son monumentos de cartón piedra[1] formados por *ninots* (figuras). Algunas son tan altas que llegan a más de veinte metros de altura. En total, hay más de setecientas, y casi la mitad son fallas infantiles. Es también el nombre de esta fiesta que empieza el 15 y termina el 19 de marzo, día de San José. Cada falla compite en su categoría por un premio.

1. *carton-pâte*

LA PLANTÀ

La *plantà*, el montaje de la falla, se realiza en la noche del 15 al 16 de marzo, pero para las más voluminosas puede empezar antes. Las figuras se instalan en estructuras de madera[1] en muchas plazas y en bastantes cruces[2] de la ciudad de Valencia.

1. *bois* - 2. *carrefours*

EL NINOT

El personaje del *ninot* es una caricatura de la vida cotidiana porque a los valencianos les gusta mucho reírse de sus defectos y de los del mundo. Los crean artistas falleros durante todo el año. Las formas son muy divertidas y los colores muy vivos para llamar la atención del público.

LA CREMÀ

El 19 de marzo por la noche, se queman[1] todas las fallas excepto un *ninot*. Es el *ninot indultat*. Éste, elegido por el público, se salva y termina su vida en un museo. Es una manera de celebrar el final del invierno y la llegada de la primavera. Los materiales utilizados por los artistas son inflamables para que ardan[2] y sólo queden cenizas[3] al final.

1. *on brûle* - 2. *pour qu'ils brûlent* - 3. *des cendres*

LA MASCLETÀ Y LOS CASTILLOS DE FUEGOS ARTIFICIALES

A partir del día 1 de marzo, a las dos de la tarde, los espectadores asisten a una *mascletà* en la plaza del Ayuntamiento. Son explosiones de petardos muy fuertes, con mucho ritmo y algunos efectos visuales. Y además, durante las Fallas, para acabar[1] el día, disparan[2] castillos de fuegos artificiales.

1. terminar - 2. *on tire*

LA OFRENDA DE FLORES

Las *falleras*, chicas y niñas vestidas de valencianas, representan su falla. Realizan la ofrenda de flores a la Virgen y también van a prender fuego[1] a las fallas en la noche del 19 de marzo.

1. *mettre le feu*

LAS CALLES ILUMINADAS

Durante la fiesta, los artistas iluminan las calles alrededor de su falla. Una calle iluminada puede tener hasta 800 000 bombillas[1] y microbombillas. Los motivos cambian cada año para obtener el primer premio del concurso. De noche el efecto es espectacular.

1. *ampoules*

Actividades

¿Has entendido?

Contesta las preguntas.

1. ¿Cuántas fallas se instalan en Valencia, más o menos?

2. ¿Por qué crean fallas los artistas valencianos?

3. ¿Por qué instalan las fallas en estructuras de madera?

4. ¿Cómo terminan los días durante las fallas?

5. ¿Quién participa en la "ofrenda de flores"?

6. ¿Qué tipo de adornos *(décorations)* también decoran las calles en Fallas?

❶ El cartel de las Fallas

En grupos de 3 o 4. Pinchad en **www. animate-hatier.com**. Fijaos en los múltiples carteles y realizad el próximo cartel de las Fallas.

❷ Actividad Web

a. Consulta el sitio **www.animate-hatier.com**. Elige al *ninot indultat* que más te gusta y pégalo en una hoja de un procesador de textos. Ponle un título.

b. Reproduce este cuadro y rellénalo. Escribe en letra cómic, verde, tamaño 10 y justifica el texto.

Mi *ninot indultat*	
Artista	
Comisión	
Año (en letras)	
Colores	
Descripción	
¿Por qué te gusta?	

c. Manda tu trabajo a tu profesor(a) sin olvidar poner tu nombre.

Index

Les renvois correspondent aux numéros des rubriques du Précis grammatical.

1 L'alphabet ❯ p. 12

● L'alphabet espagnol comprend **27 lettres**. Les lettres sont du genre **féminin**.

A *(la a)*	**F** *(la efe)*	**K** *(la ka)*	**O** *(la o)*	**T** *(la te)*	**X** *(la equis)*
B *(la be)*	**G** *(la ge)*	**L** *(la ele)*	**P** *(la pe)*	**U** *(la u)*	**Y** *(la i griega o ye)*
C *(la ce)*	**H** *(la hache)*	**M** *(la eme)*	**Q** *(la cu)*	**V** *(la uve)*	
D *(la de)*	**I** *(la i)*	**N** *(la ene)*	**R** *(la ere o erre)*	**W** *(la uve doble)*	**Z** *(la zeta)*
E *(la e)*	**J** *(la jota)*	**Ñ** *(la eñe)*	**S** *(la ese)*		

● La lettre *ñ* est **spécifique à l'espagnol**.

2 La prononciation ❯ p. 25, 41, 89, 137

● **On prononce toutes les lettres sauf *h*.**
el euro = *el e-u-r-o*   *el aire* = *el a-i-r-e*

● **Il faut bien distinguer :**
 – *r, rr,* et *j*.
la cara (comme un l roulé ; son qui se forme sur le palais) le visage
el perro (r très roulé) le chien
la jaula (raclement de gorge) la cage

 – *z, c* (devant *e* et *i*) et *s*.
el zorro (le « *th* » de l'anglais) le renard
decir (le « *th* » de l'anglais) dire
la casa (*s* dur, de « assez ») la maison

● ***V* se prononce comme *b*.**
la vaca la vache   *la boca* la bouche

● ***G* devant *i* et *e* se prononce comme *j*.**
la gitana la gitane   *el gesto* le geste

● **On ne prononce pas le *u* de *que, qui, gue, gui*** (comme en français).
¡Qué guitarra!

● ***En, on, an, in* ne doivent pas être nasalisés.**
entiendo je comprends
son ils/elles sont
van ils/elles vont
sintió il/elle sentit

3 L'accentuation

A. L'accent tonique

● Tous les mots espagnols de deux syllabes et plus ont **une syllabe que l'on prononce plus fort que les autres**. On dit que **cette syllabe est tonique** (accentuée).

● **Quelle est la syllabe tonique d'un mot ?**
 – **l'avant-dernière** si le mot se termine par une **voyelle, un *n* ou un *s*.**
pizarra tableau - *cantan* ils/elles chantent - *alumnos* des élèves
 – **la dernière** si le mot se termine **par un *y*, ou par une consonne sauf *n* ou *s*.**
español espagnol - *comer* manger - *entrenador* entraîneur

● Quand cette **règle** n'est **pas respectée**, la syllabe tonique porte un **accent écrit**.
veintitrés vingt-trois - *lámpara* lampe - *camión* camion

● **Remarque :** qu'il y ait un accent écrit ou pas, **la syllabe tonique reste toujours la même** lorsque le mot subit une transformation (passage au pluriel, conjugaison, enclise des pronoms, etc.).
Pour respecter sa position il faut, selon les cas, ajouter ou supprimer l'accent écrit.

el joven → *los jóvenes* le jeune → les jeunes
llamando → *llamándose* en appelant → en s'appelant
lección → *lecciones* leçon → des leçons

B. L'accent grammatical

● L'accent grammatical est un **accent écrit qui différencie deux homonymes** ayant des sens et des fonctions différents dans la phrase.

tú	tu	*tu*	ton, ta
él	il, lui	*el*	le
sé	je sais	*se*	se, le
éste	celui-ci	*este*	ce
por qué	pourquoi	*porque*	parce que
cómo	comment	*como*	comme
sí	oui	*si*	si (condition)
...			

● **Les mots interrogatifs ou exclamatifs** portent **toujours un accent écrit.**
¿Qué? ¿Por qué? Quoi ? Pourquoi ?
¿Cómo? Comment ?
¿Cuándo? Quand ?
¿Dónde? Où ?
¿Cuál, cuáles? Quel, quels ?
¿Cuánto, -a, -os, -as? Combien ?
¿Quién, quiénes? ¿De quién? ¿A quién? Qui ? De qui ? À qui ?
¡Qué guapo! Comme il est beau !

④ Les articles ⟩ p. 27

A. Les articles définis

	Masculin	Féminin
Singulier	el *(el pie)*	la *(la boca)*
Pluriel	los *(los labios)*	las *(las piernas)*

● **Le genre d'un mot peut être différent en français et en espagnol.**
el diente la dent - *el coche* la voiture

● **Attention : on emploie *el* au lieu de *la* devant un nom féminin commençant par *a* ou *ha* accentué.**
el agua l'eau - *el aula* la salle de classe - *el hada* la fée

● **Quelques emplois de l'article défini :**

– **pour exprimer l'heure.**
Son las cuatro. Il est quatre heures.

– **pour indiquer le jour de la semaine.**
Tenemos clase los jueves. Nous avons cours le jeudi.

– **devant *señor* ou *señora* suivi d'un nom propre.**
el señor Ingelmo Monsieur Ingelmo

– **pour exprimer un pourcentage.**
el 85 % de los padres 85% des parents

– **pour exprimer l'âge.**
a los diecisiete años à dix-sept ans

● **On n'emploie pas d'article défini :**
– **devant les mots *casa, caza, clase*... employés de la manière suivante :**
Voy a clase. Je vais en cours.
Vuelven de caza. Ils reviennent de la chasse.
No están en casa. Ils ne sont pas à la maison.

– **devant les noms de pays (sauf exceptions ou si une précision est apportée).**

España es un país acogedor. L'Espagne est un pays accueillant.
Mais : *la España rural* l'Espagne rurale
– **avec le superlatif *más*.**
Es el alumno más divertido. C'est l'élève le plus drôle.

● **Avec les prépositions *a* ou *de*, l'article masculin singulier *el* se contracte en *al* ou *del*.**
Los profesores del colegio les professeurs du collège
Los alumnos van al colegio. Les élèves vont au collège.

B. Les articles indéfinis

	Masculin	Féminin
Singulier	*un (un sofá)*	*una (una cama)*
Pluriel	Ø	Ø

● **Il n'y a pas d'article indéfini pluriel.**
Compro regalos para mi padre.
J'achète des cadeaux pour mon père.

● ***Unos / unas* traduit « quelques » ou une approximation.**
El libro cuesta unos quince euros.
Le livre coûte environ quinze euros.

● **Attention : on ne met pas d'article indéfini devant *otro* et *otra*.**
¿Quieres otro plátano? Veux-tu une autre banane ?

C. L'article partitif

● **L'article partitif (du, de, de la) n'existe pas en espagnol.**
Queremos pan y agua. Nous voulons du pain et de l'eau.

⑤ Le genre (masculin - féminin) ⟩ p. 27

A. Le genre des noms

● **Règle générale.**

– **Les noms terminés en -*o* sont généralement masculins.**
el perro le chien - *el cuaderno* le cahier
Sauf : *la foto* la photo - *la mano* la main...

– **Les noms terminés en -*a* sont féminins.**
la silla la chaise - *la mochila* le sac à dos
Sauf : *el día* le jour - *el poeta* le poète -
el poema le poème - *el problema* le problème...

– **Les noms en -*or* sont masculins.**
el sudor la sueur - *el color* la couleur
Sauf : *la flor* la fleur - *la coliflor* le chou-fleur...

– **De nombreux noms en -*o* font leur féminin en -*a*.**
el alumno / la alumna l'élève

– **De nombreux noms en -*or* font leur féminin en -*ora*.**
el profesor / la profesora le professeur

● **À retenir également.**
– **Les noms de montagnes et de fleuves sont masculins.**
el Sena, el Duero, los Alpes la Seine, le Duero, les Alpes

– **Les noms de nationalité prennent un -*a* au féminin.**
el francés / la francesa le Français / la Française
el alemán / la alemana l'Allemand / l'Allemande

– **Les mots en** *-ista* **et** *-ante* **sont masculins ou féminins.**
el / la guitarrista le guitariste / la guitariste
el / la pianista le pianiste / la pianiste
el / la estudiante l'étudiant / l'étudiante

D'autres terminaisons sont possibles :
la calle la rue - *la voz* la voix - *la imagen* l'image - *el rey* le roi - *el placer* le plaisir...
On ne peut pas déduire le genre de ces mots grâce à leur terminaison.

B. Le genre des adjectifs

● **Les adjectifs terminés en** *-o* **prennent un** *-a* **au féminin.**
guapo / guapa beau / belle

– **D'autres adjectifs sont invariables.**
la ciudad gris y triste la ville grise et triste
– **Les adjectifs terminés en** *-án, -ín, -ón, -or* **prennent un** *-a* **au féminin.**
un chico burlón un garçon moqueur
una niña burlona une fille moqueuse
Sauf : *mayor* plus grand - *menor* plus petit - *mejor* meilleur - *peor* pire - *superior* supérieur...

– **Les adjectifs de nationalité varient en genre.**
un río español / una playa española
un fleuve espagnol / une plage espagnole

Ceux qui **ne se terminent pas par** *-o* n'ont qu'**une seule forme** pour les deux genres.
el chico marroquí / la chica marroquí
le garçon marocain / la fille marocaine

6 Le nombre (singulier – pluriel) p. 27

A. Le nombre des noms

● **Règle générale.**
– **Les noms terminés par une voyelle non accentuée prennent un** *-s* **au pluriel.**
la plaza → las plazas la place → les places
el parque → los parques le parc → les parcs

– **Les noms terminés par une consonne, une voyelle accentuée ou un** *-y* **prennent** *-es* **au pluriel.**
la capital → las capitales la capitale → les capitales
el rey → los reyes le roi → les rois

– **Les mots terminés par un** *-z* **ont un pluriel en** *-ces*.
la luz → las luces

– **Les mots terminés par** *-s* **gardent généralement la même forme.**
el lunes → los lunes le lundi → les lundis
Mais : *el mes → los meses* le mois → les mois...

B. Le nombre des adjectifs

● **Les adjectifs terminés par une voyelle prennent un** *-s* **au pluriel.**
alto → altos grand → grands

– **Les adjectifs terminés par une consonne prennent** *-es* **au pluriel.**
fácil → fáciles facile → faciles

– **Les adjectifs de nationalité prennent** *-es* **(masculin) ou** *-as* **(féminin) au pluriel.**
Los chicos son alemanes, las chicas son francesas.
Les garçons sont allemands, les filles sont françaises.

7 La numération p. 14, 20, 53, 124

A. Les nombres cardinaux

0 *cero*	11 *once*	22 *veintidós*	40 *cuarenta*	600 *seiscientos*
1 *uno*	12 *doce*	23 *veintitrés*	50 *cincuenta*	700 *setecientos*
2 *dos*	13 *trece*	24 *veinticuatro*	60 *sesenta*	800 *ochocientos*
3 *tres*	14 *catorce*	25 *veinticinco*	70 *setenta*	900 *novecientos*
4 *cuatro*	15 *quince*	26 *veintiséis*	80 *ochenta*	
5 *cinco*	16 *dieciséis*	27 *veintisiete*	90 *noventa*	1 000 *mil*
6 *seis*	17 *diecisiete*	28 *veintiocho*	100 *cien / ciento*	2 000 *dos mil*
7 *siete*	18 *dieciocho*	29 *veintinueve*	200 *doscientos*	
8 *ocho*	19 *diecinueve*	30 *treinta*	300 *trescientos*	100 000 *cien mil*
9 *nueve*	20 *veinte*	31 *treinta y uno*	400 *cuatrocientos*	
10 *diez*	21 *veintiuno*	32 *treinta y dos...*	500 *quinientos*	

– On emploie la **conjonction** *y* **uniquement
entre les dizaines et les unités.**

42 *cuarenta **y** dos*   156 *ciento cincuenta **y** seis*

On dira donc :

903   *novecientos tres*
(pas de dizaine avant le 3, donc pas de conjonction)
2011   *dos mil once*
(pas de dizaine, donc pas de conjonction)

– **De 0 à 30, le nombre s'écrit en un seul mot :**
diecinueve dix-neuf - *veinticuatro* vingt-quatre
Attention à l'orthographe !

– *Uno* **devient** *un* **devant un nom masculin.**
un continente un continent
veintiún países vingt et un pays

– *Ciento* **devient** *cien* **devant un nom ou
un chiffre qu'il multiplie.**
cien euros cent euros
cien mil humanos cent mille humains

– **Les centaines s'accordent comme des adjectifs.**
quinientos siglos cinq cents siècles
doscientas horas deux cents heures

B. Les nombres ordinaux

1°	*primero*	6°	*sexto*
2°	*segundo*	7°	*séptimo*
3°	*tercero*	8°	*octavo*
4°	*cuarto*	9°	*noveno*
5°	*quinto*	10°	*décimo*

– **Les nombres ordinaux s'accordent comme
des adjectifs.**
la cuarta fila la quatrième rangée

– *Primero* **et** *tercero* **deviennent** *primer* **et** *tercer*
devant un nom masculin singulier.
el primer alumno le premier élève

⑧ L'expression de la quantité ⟩ p. 90

● **Voici quelques indicateurs de quantité :**
– *bastante* assez – *demasiado* trop
– *mucho* beaucoup – *poco* peu

● **Lorsqu'ils sont employés avec un adjectif
ou un verbe, ils sont invariables.**
*Estos pantalones son **bastante** caros.*
Ces pantalons sont assez chers.
*La paella está **demasiado** salada.*
La paella est trop salée.
*Quiero **mucho** a mi abuelo.*
J'aime beaucoup mon grand-père.
*Esta manifestación es **poco** eficaz.*
Cette manifestation est peu efficace.

● **Employés devant un nom,** *bastante, demasiado,
mucho* **et** *poco* **sont des adjectifs et s'accordent.**
*En mi ciudad no hay **bastantes** refugios para
animales.*
Dans ma ville il n'y a pas assez de refuges pour
animaux.
*Están enfermos **demasiados** alumnos.*
Trop d'élèves sont malades.
Muchas personas se manifiestan en las calles.
Beaucoup de gens manifestent dans les rues.
Pocos deportistas son campeones olímpicos.
Peu de sportifs sont des champions olympiques.

⑨ Les prépositions

● **Les prépositions espagnoles ont très souvent
un sens et une valeur différents des
prépositions françaises.**

A. La préposition *a* ⟩ p. 75

● **Elle indique un mouvement.**
*Vamos **a** la escuela.* Nous allons à l'école.
*Voy **al** cine.* Je vais au cinéma.

● **Elle annonce un complément d'objet
direct de personne.**
*Vemos **a** tu primo.* Nous voyons ton cousin.

B. La préposition *con* ⟩ p. 138

● **Elle exprime l'idée d'accompagnement.**
*Me voy de vacaciones **con** mis amigos.*
Je pars en vacances avec mes amis.

● **Elle exprime la manière.**
*Mira al tutor **con** respeto.*
Il regarde le professeur principal avec respect.

C. La préposition *de* ⟩ p. 75

● **Elle indique la provenance.**
*Vengo **del** partido.* Je sors du match.

● **Elle indique la matière.**
*Mi reloj no es **de** plástico.*
Ma montre n'est pas en plastique.

● **Elle sert à caractériser quelqu'un ou quelque chose.**
*El actor **del** pelo largo es mi preferido.*
L'acteur aux cheveux longs est mon préféré.

● **Elle traduit l'idée d'appartenance.**
*Este móvil es **de** Ana.* Ce portable est à Anne.

- **Avec la préposition *a*, elle indique un mouvement d'un point à un autre.**
*Iré **del** aeropuerto **al** hotel con mi tío.*
J'irai de l'aéroport à l'hôtel avec mon oncle.

D. Les prépositions *desde* et *hasta* ≫ p. 75

- **Comme *de... a*, *desde... hasta* indique le mouvement d'un point à un autre.**
*Este autobús va **desde** la oficina de turismo **hasta** el teatro.* Ce bus va de l'office du tourisme au théâtre.

E. La préposition *en* ≫ p. 75

- **Elle indique l'endroit où l'on se trouve.**
*Están **en** una tienda.* Ils sont dans un magasin.

- **Elle indique le temps, l'époque où on se situe.**
*Estamos **en** verano.* Nous sommes en été.

- **Elle peut servir à traduire « sur ».**
*El cuaderno está **en** la mesa.* Le cahier est sur la table.

F. La préposition *para* ≫ p. 138

- **Elle exprime le but.**
*He comprado un póster **para** decorar mi habitación.*
J'ai acheté un poster pour décorer ma chambre.

- **Elle indique la direction.**
*Vamos **para** la plaza.* Nous allons vers la place.

- **Elle exprime le point de vue.**
***Para** el árbitro, no hay gol.*
Pour l'arbitre, il n'y a pas but.

G. La préposition *por* ≫ p. 75, 138

- **Elle sert à traduire « par » (devant le complément d'agent de la phrase passive).**
*La feria del libro será inaugurada **por** Isabel Allende.*
Le salon du livre sera inauguré par Isabel Allende.

- **Elle exprime la cause (« à cause de » / « pour »).**
*No ha venido **por** la nieve.*
Il n'est pas venu à cause de la neige.
*Protestamos **por** el nuevo aparcamiento.*
Nous protestons à cause du nouveau parking.

- **Elle indique un déplacement dans un lieu déterminé.**
*Corren **por** la playa.* Ils courent sur la plage.

- **Elle s'emploie pour indiquer un prix.**
*Lo compré **por** quince euros.*
Je l'ai acheté quinze euros.

H. La préposition *sin* ≫ p. 138

- **Elle s'emploie pour exprimer l'idée d'absence.**
*Me voy de viaje **sin** ti.*
Je pars en voyage sans toi.

⑩ Les diminutifs ≫ p. 106-107

- **Les diminutifs peuvent désigner quelque chose de petit ou avoir une valeur affective. En espagnol, ils sont nombreux : *-ito/ -ita, -illo / -illa, -ico / -ica*.**
*mi hermana → mi herman**ita***
ma sœur → ma petite sœur
*una casa → una cas**ita*** une maison → une petite maison
*un pájaro → un pajar**illo*** un oiseau → un petit oiseau

– **Attention : lorsque le mot est terminé par *-e, -n* ou *-r*, on ajoute un *-c* au diminutif.**
*un café → un cafe**cito***
un café → un petit café
*una canción → una cancion**cilla***
une chanson → une petite chanson
*un tractor → un tractor**cito***
un tracteur → un petit tracteur

⑪ Les comparatifs ≫ p. 74

- **Le comparatif de supériorité : *más... que...***
*La falda es **más** cara **que** los pantalones.*
La jupe est plus chère que le pantalon.

- **Le comparatif d'infériorité : *menos... que...***
*Hoy hace **menos** frío **que** ayer.*
Aujourd'hui il fait moins froid qu'hier.

- **Le comparatif d'égalité : *tan... como...***
*Eres **tan** alta **como** yo.* Tu es aussi grande que moi.

- **Il existe des comparatifs irréguliers :**
– ***bueno → mejor*** bon → meilleur
*Comer verdura es **mejor** que comer caramelos.*
Manger des légumes est meilleur que manger des bonbons.

– ***malo → peor*** mauvais → pire
*Raquel es mi **peor** enemiga.*
Rachel est ma pire ennemie.
– ***grande → mayor*** grand → plus grand
*Las fábricas son las **mayores** responsables de la contaminación.*
Les usines sont les plus grandes responsables de la pollution.
– ***pequeño → menor*** petit → plus petit
*Luis es **menor** que Sergio: tiene tres años menos.*
Louis est plus petit que Serge : il a trois ans de moins.

Précis grammatical

12 Les superlatifs

A. Le superlatif absolu

● Il se forme de **deux façons** :

– en ajoutant le suffixe *-ísimo, -ísima, -ísimos, -ísimas*.
caro(-a) → *carísimo(-a)*
cher, chère → très cher, très chère
fácil → *facilísimo(-a)* facile → très facile

– en employant *muy* + **adjectif**.
muy caro(-a) très cher, très chère
muy fácil très facile

B. Le superlatif relatif

● Les superlatifs relatifs de **supériorité** (« le plus ») sont : *el / la / los / las más*.
Ella es la más divertida. C'est la plus drôle.

● Les superlatifs relatifs d'**infériorité** (« le moins ») sont : *el / la / los / las menos*.
Es la asignatura menos difícil.
C'est la matière la moins difficile.

● Attention : contrairement au français, **on ne répète pas l'article défini si le superlatif suit le nom.**
Es la tienda más cara. C'est le magasin **le** plus cher.

13 Les adverbes

A. Quelques adverbes de temps > p. 75

● *Todavía no* signifie « **pas encore** ».
Todavía no ha dicho qué quiere.
Il n'a pas encore dit ce qu'il veut.

● *Ya* signifie « **déjà** ».
Mi tío ya ha llegado.
Mon oncle est déjà arrivé.

B. Les adverbes de quantité > p. 90
(Fiche n°8 p. 156)

14 Les adjectifs possessifs > p. 42

Singulier	Pluriel
mi mon, ma	*mis* mes
tu ton, ta	*tus* tes
su son, sa	*sus* ses
nuestro, nuestra notre	*nuestros, nuestras* nos
vuestro, vuestra votre	*vuestros, vuestras* vos
su leur	*sus* leurs

● **Seuls les adjectifs possessifs de la 1re et de la 2e personnes du pluriel ont un féminin.**
Es nuestra casa. C'est notre maison.

● **Au pluriel, les adjectifs possessifs prennent un -s.**
Es nuestro profesor. C'est notre professeur.
Son nuestros profesores. Ce sont nos professeurs.

● Attention aux **différents sens de** *su* :
il peut correspondre à « son », à « leur » ou à « votre » (pour *usted*).

15 Les adjectifs démonstratifs > p. 35

● Les adjectifs démonstratifs servent à **situer et à se situer, dans l'espace et dans le temps.**
Este libro es de Luis. Ce livre est à Louis.

Adjectifs démonstratifs				
	Singulier		Pluriel	
Aquí ici	**este**	*este perro* ce chien, ici	**estos**	*estos niños* ces enfants, ici
	esta	*esta casa* cette maison, ici	**estas**	*estas mesas* ces tables, ici
Ahí là	**ese**	*ese perro* ce chien, là	**esos**	*esos niños* ces enfants, là
	esa	*esa casa* cette maison, là	**esas**	*esas mesas* ces tables, là
Allí là-bas	**aquel**	*aquel perro* ce chien, là-bas	**aquellos**	*aquellos niños* ces enfants, là-bas
	aquella	*aquella casa* cette maison, là-bas	**aquellas**	*aquellas mesas* ces tables, là-bas

16 Les pronoms personnels

A. Les pronoms personnels sujets ▸ p. 26

● En espagnol, on emploie le pronom personnel sujet uniquement pour insister ou pour éviter une confusion.
yo decía que ≠ *él decía que*
moi je disais que ≠ lui il disait que

Singulier	Pluriel
yo je	*nosotros, -as* nous
tú tu	*vosotros, -as* vous
él, ella, usted il, elle, vous (politesse)	*ellos, ellas, ustedes* ils, elles, vous (politesse)

B. Les pronoms personnels compléments

Compléments directs	Compléments indirects	Réfléchis
me	*me*	*me*
te	*te*	*te*
lo, la, (le)	*le*	*se*
nos	*nos*	*nos*
os	*os*	*os*
los, las	*les*	*se*

● **Employés sans préposition**
– Les pronoms personnels compléments se placent **devant le verbe**.
La veo. Je la vois. *Le dicen*. Ils lui disent.
Se levanta a las 7. Il se lève à 7 heures.

– Mais ils peuvent aussi **se souder à la fin du verbe à l'infinitif, à l'impératif et au gérondif**.
Quiero verla. Je veux la voir. *Cómela*. Mange-la.
Está mirándote. Il est en train de te regarder.

– Le pronom personnel **complément indirect** est toujours **placé devant le pronom personnel complément direct**. *Te lo digo*. Je te le dis.

Préposition		Pronoms
a		*mí*
de	+	*ti*
por		*él, ella, usted*
para		*nosotros, nosotras*
		vosotros, vosotras
		ellos, ellas, ustedes

● **Employés avec préposition.**
– Avec *con*, il existe des **formes irrégulières** :
conmigo avec moi, *contigo* avec toi,
consigo avec soi.
¿Vienes conmigo al cine?
Tu viens au cinéma avec moi ?

17 L'enclise ▸ p. 92

● L'enclise consiste à **souder un pronom à la fin d'un verbe**. Elle est **obligatoire** :

– à l'infinitif.
Mi abuela quiere contarme un cuento.
Ma grand-mère veut me raconter un conte.

– au gérondif.
Están escribiéndote un e-mail.
Ils/elles sont en train de t'écrire un e-mail.

– à l'impératif.
Dame tu dirección.
Donne-moi ton adresse.

● Attention à ne pas oublier l'accent sur la voyelle normalement accentuée du verbe.
Bébelo. *Invítala*. Bois-le. Invite-la.

18 La phrase négative et les négations ▸ p. 28

● Pour exprimer la **négation**, on emploie *no* **devant le verbe**.
No voy contigo. Je ne viens pas avec toi.

● Il existe d'**autres négations** comme :
– *nada* rien.
No entiendo nada. Je ne comprends rien.
– *nadie* personne.
No veo a nadie. Je ne vois personne.

– *nunca* jamais.
Nunca he ido a Segovia. Je ne suis jamais allé(e) à Ségovie.

● Attention à la **double construction** de ces négations.
No come nadie. *Nadie come*.
Personne ne mange.
No saben nada. *Nada saben*.
Ils/Elles ne savent rien.

Précis grammatical

19 La phrase interrogative ❯ p. 28

- En espagnol, **pour exprimer une interrogation,** il ne faut pas oublier de mettre un **point d'interrogation à l'envers au début de** l'interrogation et d'inverser le sujet.
  ¿Vive tu abuelo en Madrid?
  Ton grand-père vit-il à Madrid ?

20 La phrase exclamative ❯ p. 122

- **La phrase exclamative se construit de deux façons :**
  – **sans verbe : *¡Qué* + nom + *más / tan* + adjectif!**
  ¡Qué poción tan asquerosa! Quelle potion dégoûtante !
  – **avec un verbe : *¡Qué* + nom / adjectif + verbe!**

¡Qué fea es la bruja! Comme la sorcière est laide !

- **Attention à ne pas oublier le point d'exclamation inversé et l'accent sur le mot exclamatif.**

21 La coordination

- **La conjonction de coordination *y* signifie « et ».**
  Señoras y señores Mesdames et messieurs
  – **Attention : *y* devient *e* quand le mot suivant commence par un *i* ou par *hi*.**
  Paco e Isabel François et Isabelle
- **La conjonction de coordination *o* signifie « ou ».**
  dormir o soñar dormir ou rêver

  – **Attention : *o* devient *u* quand le mot suivant commence par un *o*.** *diez u once* dix ou onze
- **La conjonction de coordination *pero* signifie « mais ».**
  El profesor está en clase pero los alumnos están en la biblioteca. Le professeur est dans la classe mais les élèves sont à la bibliothèque.

22 Le vouvoiement ❯ p. 60

- Si on vouvoie **une seule personne,** on utilise *(usted)* + verbe à la **3ᵉ personne du singulier.**
  Usted es cantante. Vous êtes chanteuse.
- Si on vouvoie **plusieurs personnes,** on utilise *(ustedes)* + verbe à la **3ᵉ personne du pluriel.**
  Ustedes son actores. Vous êtes acteurs.

- Remarque : *vosotros / vosotras* ne s'emploie que pour s'adresser à **plusieurs personnes que l'on tutoie individuellement.**
  María y Lucía, vosotras dos, ¿sois españolas?
  Marie et Lucie, vous deux, êtes-vous espagnoles ?

23 Les verbes de type *gustar* ❯ p. 58, 90

(A mí)	*Me gusta* el cine.
(A ti)	*Te gustan* las vacaciones.
(A él, ella, usted)	*Le gusta* bailar.
(A nosotros, -as)	*Nos gusta* el fútbol.
(A vosotros, -as)	*Os gusta* viajar.
(A ellos, ellas, ustedes)	*Les gustan* las películas de amor.

- *Gustar* et *encantar* se construisent comme le verbe « plaire » en français.
- Ils s'emploient généralement à la troisième personne du singulier ou du pluriel.
  Me encantan los videojuegos.
  J'adore les jeux vidéo.

- Ils peuvent se construire **avec la préposition *a* et le pronom quand on veut insister** *(a mí me gusta),* sinon cela n'est pas nécessaire *(me gusta).*
- Quelques verbes du type *gustar* :
  – **apetecer** faire envie / avoir envie.
  Nos apetece ir a la playa.
  Nous avons envie d'aller à la plage.

  – *molar* (fam.) aimer beaucoup, adorer.
  A José le molan las motos.
  José adore les motos.

  – *chiflar* (fam.) aimer beaucoup, adorer.
  Me chifla el chocolate.
  J'adore le chocolat.

  – *doler* avoir mal.
  Le duele la cabeza. Il/Elle a mal à la tête.

24) L'expression de l'obligation ▷ p. 74

● Comme en français, il faut distinguer
deux types d'obligation :

– L'obligation impersonnelle (sans sujet exprimé)
se traduit par *hay que* + infinitif.
Hay que esperar. Il faut attendre.

– L'obligation personnelle (elle s'adresse à une
ou plusieurs personnes bien définies) se traduit
par *tener [ie] que* + infinitif. Le verbe *tener* est
alors conjugué à la personne désignée.
Tengo que esperar. Je dois attendre. = Il faut que j'attende.

25) Quelques traductions

A. La traduction de « demander »

● Il ne faut pas confondre :
– *pedir [i]* qui signifie « demander quelque chose ».

Te pido un favor, Juan: ayúdame.
Je te demande une chose, Jean : aide-moi.
– *preguntar* qui signifie « poser une question ».
Te pregunto qué hora es.
Je te demande quelle heure il est.

B. La traduction de « manquer »

● Pour traduire une absence, on emploie
le verbe *faltar*.
Faltan dos alumnos. Il manque deux élèves.

● Pour traduire un sentiment de manque, on
emploie l'expression *echar de menos*.
Echo de menos tu sonrisa. Ton sourire me manque.

C. La traduction de « avoir l'habitude de » ▷ p. 59

● Pour traduire « avoir l'habitude de »,
on emploie le verbe *soler [ue]* + infinitif.
En abril solemos ir a Madrid.
En avril nous avons l'habitude d'aller à Madrid.

D. La traduction de « il y a » ▷ p. 35, 122

● Il ne faut pas confondre :

– L'expression impersonnelle « **il y a** »,
qui se traduit par *hay*.
Hay muchos alumnos que esperan.
Il y a beaucoup d'élèves qui attendent.

– L'expression « **il y a** » + notion de temps,
qui se traduit par *hace*.
Hace un año que vivo aquí. Il y a un an que je vis ici.

26) Les emplois de *ser* ▷ p. 26, 58

● On emploie *ser* :
– pour définir, présenter, caractériser quelque
chose ou quelqu'un.
Rafael es mi hermano, Matilde es mi prima.
Raphaël est mon frère, Mathilde est ma cousine.

– devant un adjectif, pour exprimer une caractéristique profonde, essentielle, normale.
El niño es moreno. Le garçon est brun.

Es más joven que tú. Elle est plus jeune que toi.

– pour indiquer la nationalité.
Soy francesa. Je suis française.

– pour donner l'heure.
Son las cinco. Il est cinq heures.

– devant un chiffre.
Somos treinta. Nous sommes trente.

27) Les emplois de *estar* ▷ p. 42, 58

● On emploie *estar* :

– pour situer ou se situer dans l'espace ou dans le
temps. Il correspond au verbe français « se trouver ».

On l'emploie avec les prépositions servant à
localiser comme : *en* dans - *cerca de* près de - *lejos
de* loin de - *dentro de* à l'intérieur de, dans - *fuera
de* hors de - *encima de* au-dessus de - *debajo de*
au-dessous de - *delante de* devant - *detrás de*
derrière.
Están en la cocina. Ils sont dans la cuisine.
Estamos en el siglo XXI. Nous sommes au XXIᵉ siècle.

– devant un adjectif, pour exprimer
une caractéristique passagère.
Ayer estaban contentos, hoy están tristes.
Hier ils étaient contents, aujourd'hui ils sont tristes.

– avec le gérondif, pour insister sur
le déroulement d'une action.
El padre está leyendo. Le père est en train de lire.

● Il existe des **cas particuliers** :
– *ser* bueno être gentil ≠ *estar* bueno être en bonne santé
– *ser* malo être méchant ≠ *estar* malo être malade
– *ser* moreno être brun ≠ *estar* moreno être bronzé

Précis grammatical

28 Le gérondif > p. 43, 139, 167

Le gérondif correspond au participe présent français. Il est invariable.

A. Formation

- Pour les **verbes en -*ar***, la terminaison du gérondif est en -*ando*.
  hablar → *hablando*   parler → en parlant
- Pour les **verbes en -*er* / -*ir***, la terminaison du gérondif est en -*iendo*.
  hacer → *haciendo*   faire → en faisant
  escribir → *escribiendo* écrire → en écrivant

- **Certains gérondifs sont irréguliers**
  (→ Conjugaisons p. 165 et 167).

B. Emploi

- Le gérondif permet d'**insister sur la durée, le déroulement, la continuité d'une action.** Il s'emploie alors **avec estar**.
  Estoy comiendo. Je suis en train de manger.
- Employé **seul**, le gérondif permet d'exprimer **la manière**.
  *Juan va al cole **corriendo**.* Jean va au collège en courant.

29 Le participe passé > p. 75

A. Formation

- Pour les **verbes en -*ar***, la terminaison du participe passé est en -*ado*.
  trabajar → ***trabajado*** travailler → travaillé
- Pour les **verbes en -*er* / -*ir***, la terminaison du participe passé est en -*ido*.
  entender → ***entendido*** comprendre → compris
  vivir → ***vivido*** vivre → vécu
- Il existe des **participes passés irréguliers**
  (→ Conjugaisons p. 165).

B. Emploi avec l'auxiliaire *haber*

- **Le participe passé employé avec *haber* est toujours invariable.**
  *Son las cartas que te **he escrito**.*
  Ce sont les lettres que je t'ai écrites.
- **On ne sépare jamais le participe passé et l'auxiliaire *haber*.**
  *No te **he visto**.* Je ne t'ai pas vu(e).
- ***Haber*** est le seul auxiliaire du passé composé. Dans ce cas, il traduit les auxiliaires français « **être** » et « **avoir** ».
  ***Hemos** llegado y **hemos** comido.*
  Nous **sommes** arrivés et nous **avons** mangé.

30 La condition > p. 140

- **Lorsque la condition est envisagée comme réalisable** dans le présent ou le futur, on emploie les mêmes temps qu'en français : le présent de l'indicatif dans la subordonnée de condition et l'indicatif (futur, conditionnel) dans la principale.
  Si llueve, no saldré. S'il pleut, je ne sortirai pas.

31 Les temps et les modes

A. Le présent de l'indicatif > p. 26, 43, 60

- Le **présent de l'indicatif** espagnol est **équivalent au présent de l'indicatif français.**
  Come a las dos. Il mange à deux heures.

B. Le présent progressif > p. 43

- Pour exprimer une **action qui est en train de se passer**, on utilise le **verbe *estar*** conjugué à la personne voulue **suivi du gérondif**.
  Estoy estudiando los verbos irregulares.
  Je suis en train d'étudier les verbes irréguliers.

C. Le futur proche > p. 43

- Pour traduire une **action qui va se produire**, on emploie le **futur proche** :
  ir (conjugué) + *a* + infinitif.
  Mis abuelos van a cambiar de casa.
  Mes grands-parents vont déménager.

D. Le passé composé > p. 75

- Le **passé composé** exprime une **action passée, mais récente et en lien avec le présent.** Il se forme avec l'**auxiliaire *haber*** et le **participe passé**.

Inés ha subido al avión a las nueve esta mañana.
Inès est montée dans l'avion à neuf heures ce matin.

E. Le subjonctif présent ➤ p. 90-91, 107, 139

Le subjonctif présent est **très fréquent en espagnol**. On l'emploie :

● **Pour exprimer l'hypothèse, la possibilité :**
– *es posible que* + subjonctif.
Es posible que yo vaya a Valencia.
Il est possible que j'aille à Valence.

– *es probable que* + subjonctif.
Es probable que quiera beber algo.
Il est probable qu'il/elle veuille boire quelque chose.

– *puede que* + subjonctif.
Puede que esté cansada.
Il se peut qu'elle soit fatiguée.

– *quizá(s)* + subjonctif.
Quizás venga hoy. Il/Elle viendra peut-être aujourd'hui.

– *tal vez* + subjonctif.
Tal vez haga calor. Il fera peut-être chaud.

● **Pour exprimer une volonté, une demande, un souhait :**
– *querer que* + subjonctif : « vouloir que ».
Quiero que cuides a tu gato.
Je veux que tu t'occupes de ton chat.

– *pedir que* + subjonctif : « demander de + infinitif ».
Nos pide que seamos responsables.
Il / Elle nous demande d'être responsables.

– *desear que* + subjonctif : « souhaiter que ».
Desea que vayas al cine con ella.
Elle souhaite que tu ailles au cinéma avec elle.

– *ojalá* + subjonctif : « pourvu que ».
Ojalá tenga un regalo.
Pourvu que j'aie un cadeau.

● **Pour exprimer le but : *para que* + subjonctif.**
Te lo digo para que lo sepas.
Je te le dis pour que tu le saches.

● **Pour exprimer un conseil :**
– *aconsejar que* + subjonctif.
Nos aconseja que bebamos más agua.
Il / Elle nous conseille de boire plus d'eau.

– *es mejor que* + subjonctif.
Es mejor que consumamos frutas.
Il vaut mieux que nous consommions des fruits.

– *es necesario que* + subjonctif.
Es necesario que protejas el planeta.
Il faut que tu protèges la planète.

● **Après *cuando* dans la subordonnée lorsque la principale est à l'indicatif.**
Cuando llegue tu amigo, estaremos de vacaciones.
Quand ton ami arrivera, nous serons en vacances.

● Pour exprimer une **défense**, une **interdiction**.
No te vayas. Ne t'en va pas.

● **Attention : l'orthographe de certains verbes se modifie au subjonctif pour conserver le son de l'infinitif.**
- *g + e = gue*   *llegar → llegue*
- *c + e = que*   *explicar → explique*
- *g + a = ja*   *coger → coja*

F. L'impératif ➤ p. 92

● L'impératif espagnol est **équivalent à l'impératif français**. Il est employé pour **donner un ordre**.

● **Pour former la 2ᵉ personne du singulier de l'impératif**, on utilise la 2ᵉ personne du singulier du présent de l'indicatif sans le *-s* final.
Come. Mange.

● **Pour former la 2ᵉ personne du pluriel** on utilise l'infinitif sans le *-r* que l'on remplace par un *-d*.
Comed. Mangez.

● **Pour former l'impératif négatif**, on utilise *no* + **subjonctif présent à toutes les personnes.**
¡No contamines el planeta! Ne pollue pas la planète !

G. L'imparfait de l'indicatif ➤ p. 122-123

● **L'imparfait de l'indicatif espagnol est équivalent à l'imparfait de l'indicatif français.**
Decía que le gustaban las vacaciones.
Il/Elle disait qu'il/elle aimait les vacances.

● **Attention : il n'y a jamais de diphtongue à l'imparfait.**

H. Le passé simple ➤ p. 123

● Le passé simple est **très employé en espagnol. Il exprime une situation passée et précise qui n'est plus liée au présent.** Il correspond au passé simple français mais aussi au passé composé.

● **Il s'utilise avec certaines expressions de temps** (*ayer, la semana pasada...*) et des dates.
Nació en1990. Il/Elle est né(e) en 1990.
Llegaron ayer. Ils sont arrivés hier.

I. Le futur ➤ p. 106

● **Le futur espagnol est équivalent au futur français.**
Mañana comeré carne.
Demain je mangerai de la viande.

J. Le conditionnel ➤ p. 138-139

● **Le conditionnel sert à exprimer une éventualité.**
Sería genial ir a Madrid.
Ce serait génial d'aller à Madrid.

● **Il permet également d'atténuer une demande, notamment dans l'expression d'un souhait.**
¿Me acompañarías al médico? Est-ce que tu m'accompagnerais chez le médecin ?

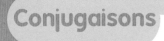

Conjugaisons

Infinitivo *(infinitif)*	Presente de indicativo *(présent de l'indicatif)*		Presente de subjuntivo *(présent du subjonctif)*		Imperativo *(impératif)*	Pretérito imperfecto de indicativo *(imparfait de l'indicatif)*	

LES VERBES RÉGULIERS

Infinitivo	Presente de indicativo		Presente de subjuntivo		Imperativo	Pretérito imperfecto	
HABLAR *(parler)*	hablo hablas habla	hablamos habláis hablan	hable hables hable	hablemos habléis hablen	habla (tú) hablad (vosotros)	hablaba hablabas hablaba	hablábamos hablabais hablaban
APRENDER *(apprendre)*	aprendo aprendes aprende	aprendemos aprendéis aprenden	aprenda aprendas aprenda	aprendamos aprendáis aprendan	aprende (tú) aprended (vosotros)	aprendía aprendías aprendía	aprendíamos aprendíais aprendían
VIVIR *(vivre)*	vivo vives vive	vivimos vivís viven	viva vivas viva	vivamos viváis vivan	vive (tú) vivid (vosotros)	vivía vivías vivía	vivíamos vivíais vivían

LES VERBES À DIPHTONGUE [E → IE ; O → UE]

PENSAR *(penser)*	pienso piensas piensa	pensamos pensáis piensan	piense pienses piense	pensemos penséis piensen	piensa (tú) pensad (vosotros)	pensaba pensabas pensaba	pensábamos pensabais pensaban
ENTENDER *(comprendre)*	entiendo entiendes entiende	entendemos entendéis entienden	entienda entiendas entienda	entendamos entendáis entiendan	entiende (tú) entended (vosotros)	entendía entendías entendía	entendíamos entendíais entendían
CONTAR *(raconter, compter)*	cuento cuentas cuenta	contamos contáis cuentan	cuente cuentes cuente	contemos contéis cuenten	cuenta (tú) contad (vosotros)	contaba contabas contaba	contábamos contabais contaban
MOVER *(bouger)*	muevo mueves mueve	movemos movéis mueven	mueva muevas mueva	movamos mováis muevan	mueve (tú) moved (vosotros)	movía movías movía	movíamos movíais movían

Même modèle de conjugaison pour : querer et despertarse [ie] et pour volver et soñar [ue].

LES VERBES À AFFAIBLISSEMENT [E → I]

PEDIR *(demander)*	pido pides pide	pedimos pedís piden	pida pidas pida	pidamos pidáis pidan	pide (tú) pedid (vosotros)	pedía pedías pedía	pedíamos pedíais pedían

Même modèle de conjugaison pour : seguir, corregir, despedir, elegir, impedir, medir, servir et vestir [i].

LES VERBES À ALTERNANCE [E → IE ET I ; O → UE ET U]

SENTIR *(sentir, ressentir)*	siento sientes siente	sentimos sentís sienten	sienta sientas sienta	sintamos sintáis sientan	siente (tú) sentid (vosotros)	sentía sentías sentía	sentíamos sentíais sentían

Même modèle de conjugaison pour : divertir, mentir, preferir et sugerir [ie].

DORMIR *(dormir)*	duermo duermes duerme	dormimos dormís duermen	duerma duermas duerma	durmamos durmáis duerman	duerme (tú) dormid (vosotros)	dormía dormías dormía	dormíamos dormíais dormían

Même modèle de conjugaison pour : morir [ue].

LES VERBES EN -ACER / -ECER / -OCER / -UCIR [C → ZC]

CONOCER *(connaître)*	conozco conoces conoce	conocemos conocéis conocen	conozca conozcas conozca	conozcamos conozcáis conozcan	conoce (tú) conoced (vosotros)	conocía conocías conocía	conocíamos conocíais conocían

Même modèle de conjugaison pour : nacer, obedecer, padecer, parecer, pertenecer et relucir [zc].

LES VERBES EN -DUCIR [C → ZC ; C → J]

CONDUCIR *(conduire)*	conduzco conduces conduce	conducimos conducís conducen	conduzca conduzcas conduzca	conduzcamos conduzcáis conduzcan	conduce (tú) conducid (vosotros)	conducía conducías conducía	conducíamos conducíais conducían

Même modèle de conjugaison pour : deducir, introducir, producir, traducir et seducir [zc].

Pretérito indefinido (passé simple)		Pretérito imperfecto de subjuntivo (imparfait du subjonctif)		Futuro (futur)		Condicional (conditionnel)		Gerundio (gérondif) Participio pasado (participe passé)
hablé	hablamos	hablara	habláramos	hablaré	hablaremos	hablaría	hablaríamos	g. hablando
hablaste	hablasteis	hablaras	hablarais	hablarás	hablaréis	hablarías	hablaríais	p.p. hablado
habló	hablaron	hablara	hablaran	hablará	hablarán	hablaría	hablarían	
aprendí	aprendimos	aprendiera	aprendiéramos	aprenderé	aprenderemos	aprendería	aprenderíamos	g. aprendiendo
aprendiste	aprendisteis	aprendieras	aprendierais	aprenderás	aprenderéis	aprenderías	aprenderíais	p.p. aprendido
aprendió	aprendieron	aprendiera	aprendieran	aprenderá	aprenderán	aprendería	aprenderían	
viví	vivimos	viviera	viviéramos	viviré	viviremos	viviría	viviríamos	g. viviendo
viviste	vivisteis	vivieras	vivierais	vivirás	viviréis	vivirías	viviríais	p.p. vivido
vivió	vivieron	viviera	vivieran	vivirá	vivirán	viviría	vivirían	
pensé	pensamos	pensara	pensáramos	pensaré	pensaremos	pensaría	pensaríamos	g. pensando
pensaste	pensasteis	pensaras	pensarais	pensarás	pensaréis	pensarías	pensaríais	p.p. pensado
pensó	pensaron	pensara	pensaran	pensará	pensarán	pensaría	pensarían	
entendí	entendimos	entendiera	entendiéramos	entenderé	entenderemos	entendería	entenderíamos	g. entendiendo
entendiste	entendisteis	entendieras	entendierais	entenderás	entenderéis	entenderías	entenderíais	p.p. entendido
entendió	entendieron	entendiera	entendieran	entenderá	entenderán	entendería	entenderían	
conté	contamos	contara	contáramos	contaré	contaremos	contaría	contaríamos	g. contando
contaste	contasteis	contaras	contarais	contarás	contaréis	contarías	contaríais	p.p. contado
contó	contaron	contara	contaran	contará	contarán	contaría	contarían	
moví	movimos	moviera	moviéramos	moveré	moveremos	movería	moveríamos	g. moviendo
moviste	movisteis	movieras	movierais	moverás	moveréis	moverías	moveríais	p.p. movido
movió	movieron	moviera	movieran	moverá	moverán	movería	moverían	
pedí	pedimos	pidiera	pidiéramos	pediré	pediremos	pediría	pediríamos	g. pidiendo
pediste	pedisteis	pidieras	pidierais	pedirás	pediréis	pedirías	pediríais	p.p. pedido
pidió	pidieron	pidiera	pidieran	pedirá	pedirán	pediría	pedirían	
sentí	sentimos	sintiera	sintiéramos	sentiré	sentiremos	sentiría	sentiríamos	g. sintiendo
sentiste	sentisteis	sintieras	sintierais	sentirás	sentiréis	sentirías	sentiríais	p.p. sentido
sintió	sintieron	sintiera	sintieran	sentirá	sentirán	sentiría	sentirían	
dormí	dormimos	durmiera	durmiéramos	dormiré	dormiremos	dormiría	dormiríamos	g. durmiendo
dormiste	dormisteis	durmieras	durmierais	dormirás	dormiréis	dormirías	dormiríais	p.p. dormido
durmió	durmieron	durmiera	durmieran	dormirá	dormirán	dormiría	dormirían	
conocí	conocimos	conociera	conociéramos	conoceré	conoceremos	conocería	conoceríamos	g. conociendo
conociste	conocisteis	conocieras	conocierais	conocerás	conoceréis	conocerías	conoceríais	p.p. conocido
conoció	conocieron	conociera	conocieran	conocerá	conocerán	conocería	conocerían	
conduje	condujimos	condujera	condujéramos	conduciré	conduciremos	conduciría	conduciríamos	g. conduciendo
condujiste	condujisteis	condujeras	condujerais	conducirás	conduciréis	conducirías	conduciríais	p.p. conducido
condujo	condujeron	condujera	condujeran	conducirá	conducirán	conduciría	conducirían	

Infinitivo (infinitif)	Presente de indicativo (présent de l'indicatif)		Presente de subjuntivo (présent du subjonctif)		Imperativo (impératif)	Pretérito imperfecto de indicativo (imparfait de l'indicatif)	

AUTRES VERBES IRRÉGULIERS

Infinitivo	Presente de indicativo		Presente de subjuntivo		Imperativo	Pretérito imperfecto	
CAER (tomber)	caigo caes cae	caemos caéis caen	caiga caigas caiga	caigamos caigáis caigan	cae (tú) caed (vosotros)	caía caías caía	caíamos caíais caían
DAR (donner)	doy das da	damos dais dan	dé des dé	demos deis den	da (tú) dad (vosotros)	daba dabas daba	dábamos dabais daban
DECIR (dire)	digo dices dice	decimos decís dicen	diga digas diga	digamos digáis digan	di (tú) decid (vosotros)	decía decías decía	decíamos decíais decían
ESTAR (être)	estoy estás está	estamos estáis están	esté estés esté	estemos estéis estén	está (tú) estad (vosotros)	estaba estabas estaba	estábamos estabais estaban
HABER (aux. avoir)	he has ha	hemos habéis han	haya hayas haya	hayamos hayáis hayan		había habías había	habíamos habíais habían
HACER (faire)	hago haces hace	hacemos hacéis hacen	haga hagas haga	hagamos hagáis hagan	haz (tú) haced (vosotros)	hacía hacías hacía	hacíamos hacíais hacían
IR (aller)	voy vas va	vamos vais van	vaya vayas vaya	vayamos vayáis vayan	ve (tú) id (vosotros)	iba ibas iba	íbamos ibais iban
OÍR (entendre)	oigo oyes oye	oímos oís oyen	oiga oigas oiga	oigamos oigáis oigan	oye (tú) oíd (vosotros)	oía oías oía	oíamos oíais oían
PODER (pouvoir)	puedo puedes puede	podemos podéis pueden	pueda puedas pueda	podamos podáis puedan	puede (tú) poded (vosotros)	podía podías podía	podíamos podíais podían
PONER (mettre, poser)	pongo pones pone	ponemos ponéis ponen	ponga pongas ponga	pongamos pongáis pongan	pon (tú) poned (vosotros)	ponía ponías ponía	poníamos poníais ponían
QUERER (vouloir, aimer qqn.)	quiero quieres quiere	queremos queréis quieren	quiera quieras quiera	queramos queráis quieran	quiere (tú) quered (vosotros)	quería querías quería	queríamos queríais querían
SABER (savoir)	sé sabes sabe	sabemos sabéis saben	sepa sepas sepa	sepamos sepáis sepan	sabe (tú) sabed (vosotros)	sabía sabías sabía	sabíamos sabíais sabían
SALIR (sortir, partir)	salgo sales sale	salimos salís salen	salga salgas salga	salgamos salgáis salgan	sal (tú) salid (vosotros)	salía salías salía	salíamos salíais salían
SER (être)	soy eres es	somos sois son	sea seas sea	seamos seáis sean	sé (tú) sed (vosotros)	era eras era	éramos erais eran
TENER (avoir, posséder)	tengo tienes tiene	tenemos tenéis tienen	tenga tengas tenga	tengamos tengáis tengan	ten (tú) tened (vosotros)	tenía tenías tenía	teníamos teníais tenían
TRAER (apporter)	traigo traes trae	traemos traéis traen	traiga traigas traiga	traigamos traigáis traigan	trae (tú) traed (vosotros)	traía traías traía	traíamos traíais traían
VENIR (venir)	vengo vienes viene	venimos venís vienen	venga vengas venga	vengamos vengáis vengan	ven (tú) venid (vosotros)	venía venías venía	veníamos veníais venían
VER (voir)	veo ves ve	vemos veis ven	vea veas vea	veamos veáis vean	ve (tú) ved (vosotros)	veía veías veía	veíamos veíais veían

Pretérito indefinido (passé simple)		Pretérito imperfecto de subjuntivo (imparfait du subjonctif)		Futuro (futur)		Condicional (conditionnel)		Gerundio (gérondif) Participio pasado (participe passé)
caí	caímos	**cayera**	**cayéramos**	caeré	caeremos	caería	caeríamos	g. **cayendo**
caíste	caísteis	**cayeras**	**cayerais**	caerás	caeréis	caerías	caeríais	p.p. caído
cayó	**cayeron**	**cayera**	**cayeran**	caerá	caerán	caería	caerían	
di	**dimos**	**diera**	**diéramos**	daré	daremos	daría	daríamos	g. dando
diste	disteis	dieras	dierais	darás	daréis	darías	daríais	p.p. dado
dio	dieron	diera	dieran	dará	darán	daría	darían	
dije	**dijimos**	dijera	**dijéramos**	diré	**diremos**	diría	**diríamos**	g. **diciendo**
dijiste	dijisteis	dijeras	dijerais	dirás	diréis	dirías	diríais	p.p. **dicho**
dijo	**dijeron**	dijera	dijeran	dirá	dirán	diría	dirían	
estuve	**estuvimos**	**estuviera**	**estuviéramos**	estaré	estaremos	estaría	estaríamos	g. estando
estuviste	**estuvisteis**	**estuvieras**	**estuvierais**	estarás	estaréis	estarías	estaríais	p.p. estado
estuvo	**estuvieron**	**estuviera**	**estuvieran**	estará	estarán	estaría	estarían	
hube	**hubimos**	**hubiera**	**hubiéramos**	habré	**habremos**	habría	**habríamos**	g. habiendo
hubiste	**hubisteis**	**hubieras**	**hubierais**	habrás	habréis	habrías	habríais	p.p. habido
hubo	**hubieron**	**hubiera**	**hubieran**	habrá	habrán	habría	habrían	
hice	**hicimos**	**hiciera**	**hiciéramos**	haré	**haremos**	haría	**haríamos**	g. haciendo
hiciste	**hicisteis**	**hicieras**	**hicierais**	harás	haréis	harías	haríais	p.p. **hecho**
hizo	**hicieron**	**hiciera**	**hicieran**	hará	harán	haría	harían	
fui	**fuimos**	**fuera**	**fuéramos**	iré	iremos	iría	iríamos	g. **yendo**
fuiste	fuisteis	**fueras**	**fuerais**	irás	iréis	irías	iríais	p.p. ido
fue	**fueron**	**fuera**	**fueran**	irá	irán	iría	irían	
oí	oímos	**oyera**	**oyéramos**	oiré	oiremos	oiría	oiríamos	g. **oyendo**
oíste	oísteis	**oyeras**	**oyerais**	oirás	oiréis	oirías	oiríais	p.p. oído
oyó	**oyeron**	**oyera**	**oyeran**	oirá	oirán	oiría	oirían	
pude	**pudimos**	**pudiera**	**pudiéramos**	podré	**podremos**	podría	**podríamos**	g. pudiendo
pudiste	**pudisteis**	**pudieras**	**pudierais**	podrás	podréis	podrías	podríais	p.p. podido
pudo	**pudieron**	**pudiera**	**pudieran**	podrá	podrán	podría	podrían	
puse	**pusimos**	**pusiera**	**pusiéramos**	pondré	**pondremos**	pondría	**pondríamos**	g. poniendo
pusiste	**pusisteis**	**pusieras**	**pusierais**	pondrás	**pondréis**	pondrías	**pondríais**	p.p. **puesto**
puso	**pusieron**	**pusiera**	**pusieran**	pondrá	pondrán	pondría	pondrían	
quise	**quisimos**	**quisiera**	**quisiéramos**	querré	querremos	querría	querríamos	g. queriendo
quisiste	**quisisteis**	**quisieras**	**quisierais**	querrás	querréis	querrías	querríais	p.p. querido
quiso	**quisieron**	**quisiera**	**quisieran**	querrá	querrán	querría	querrían	
supe	**supimos**	**supiera**	**supiéramos**	sabré	**sabremos**	sabría	**sabríamos**	g. sabiendo
supiste	**supisteis**	**supieras**	**supierais**	sabrás	**sabréis**	sabrías	sabríais	p.p. sabido
supo	**supieron**	**supiera**	**supieran**	sabrá	**sabrán**	sabría	sabrían	
salí	salimos	saliera	saliéramos	saldré	**saldremos**	saldría	**saldríamos**	g. saliendo
saliste	salisteis	salieras	salierais	saldrás	**saldréis**	saldrías	saldríais	p.p. salido
salió	salieron	saliera	salieran	saldrá	**saldrán**	saldría	saldrían	
fui	**fuimos**	**fuera**	**fuéramos**	seré	seremos	sería	seríamos	g. siendo
fuiste	fuisteis	**fueras**	**fuerais**	serás	seréis	serías	seríais	p.p. sido
fue	**fueron**	**fuera**	**fueran**	será	serán	sería	serían	
tuve	**tuvimos**	**tuviera**	**tuviéramos**	tendré	**tendremos**	tendría	**tendríamos**	g. teniendo
tuviste	**tuvisteis**	**tuvieras**	**tuvierais**	tendrás	tendréis	tendrías	tendríais	p.p. tenido
tuvo	**tuvieron**	**tuviera**	**tuvieran**	tendrá	tendrán	tendría	tendrían	
traje	**trajimos**	**trajera**	**trajéramos**	traeré	traeremos	traería	traeríamos	g. **trayendo**
trajiste	**trajisteis**	**trajeras**	**trajerais**	traerás	traeréis	traerías	traeríais	p.p. traído
trajo	**trajeron**	**trajera**	**trajeran**	traerá	traerán	traería	traerían	
vine	**vinimos**	**viniera**	**viniéramos**	vendré	**vendremos**	vendría	**vendríamos**	g. viniendo
viniste	vinisteis	**vinieras**	**vinierais**	vendrás	vendréis	vendrías	vendríais	p.p. venido
vino	**vinieron**	**viniera**	**vinieran**	vendrá	vendrán	vendría	vendrían	
vi	vimos	viera	viéramos	veré	veremos	vería	veríamos	g. viendo
viste	visteis	vieras	vierais	verás	veréis	verías	veríais	p.p. **visto**
vio	vieron	viera	vieran	verá	verán	vería	verían	

LEXIQUE

Abréviations : **adj.** adjectif ; **adv.** adverbe ; **aux.** auxiliaire ; **conj.** conjonction ; **exclam.** exclamation ; **fam.** familier ; **indéf.** indéfini ; **interj.** interjection ; **loc.** locution ; **n.f.** nom féminin ; **n.m.** nom masculin ; **prép.** préposition ; **pron.** pronom ; **pl.** pluriel ; **sg.** singulier ; **v.** verbe ; **v.irr.** verbe irrégulier

A

abrazar *v.* serrer dans ses bras
abrigo *n.m.* manteau
abrir *v.* ouvrir
abuelo, a *n.* grand-père (grand-mère)
aburrirse *v.* s'ennuyer
acabar *v.* terminer, finir
aceite *n.m.* huile
aceituna *n.f.* olive
acercarse a *v.* s'approcher de
aconsejar *v.* conseiller
acordarse de [ue] *v.* se souvenir de
acostarse [ue] *v.* se coucher
actuar *v.* jouer un rôle
además *adv.* de plus, en outre
afición *n.f.* goût ; passion
agarrarse *v.* s'accrocher
agobiado, a *adj.* submergé(e)
agosto *n.m.* août
agotador, a *adj.* épuisant(e)
agua *n.f.* eau
aguacate *n.m.* avocat (fruit)
águila *n.f.* aigle
ahora *adv.* maintenant
ahorrar *v.* économiser
ajedrez *n.m.* échecs (jeu)
ajo *n.m.* ail
al lado de *loc.* à côté de
albaricoque *n.m.* abricot
alcalde *n.m.* maire
alegrarse *v.* se réjouir
alegre *adj.* joyeux(euse)
alejar(se) *v.* (s')éloigner
alfombra *n.f.* tapis
algo *pron.indéf.* quelque chose
alguien *pron.indéf.* quelqu'un
alguno, a *adj.indéf.* quelque
alma *n.f.* âme
almorzar [ue] *v.* déjeuner
almuerzo *n.m.* déjeuner
alquilar *v.* louer
alrededor *prép./loc.* autour
alto, a *adj.* grand(e) ; haut(e)
alumno, a *n.* élève
alzar *v.* lever
amarillo, a *adj.* jaune
ancho, a *adj.* large
andar *v.irr.* marcher
animar *v.* encourager
ante *adv./prép.* devant
antes *adv.* avant
antifaz *n.m.* masque (yeux)
antiguo, a *adj.* ancien(ne)
anuncio *n.m.* publicité ; annonce
añadir *v.* ajouter
añorar *v.* regretter
apagar *v.* éteindre
aparecer *v.irr.* apparaître
apellido *n.m.* nom (de famille)
apetecer *v.irr.* avoir envie/faire envie
apoyar *v.* appuyer ; soutenir
aprobar [ue] *v.* réussir (un examen)
aprovechar *v.* profiter de
apuntar *v.* noter
apuntarse *v.* s'inscrire
aquí *adv.* ici
araña *n.f.* araignée
árbol *n.m.* arbre
arrastrar *v.* traîner
arreglar *v.* ranger
arriba *adv.* en haut
arroz *n.m.* riz
asco *n.m.* dégoût
asiento *n.m.* siège
asignatura *n.f.* matière (scolaire)
asomarse *v.* se pencher
asqueroso, a *adj.* dégoûtant(e)
astuto, a *adj.* malin (maligne)
asustar *v.* faire peur

atender [ie] *v.* s'occuper de
atravesar [ie] *v.* traverser
atreverse a *v.* oser
aún *adv.* encore
aun *adv.* même
aunque *conj.* bien que ; même si
autopista *n.f.* autoroute
avisar *v.* prévenir
ayer *adv.* hier
ayudar *v.* aider
azúcar *n.m.* sucre
azul *adj.* bleu(e)

B

bailar *v.* danser
baile *n.m.* danse
bajar *v.* descendre
bajo, a *adj.* petit(e) (taille) ; bas(se)
baloncesto *n.m.* basket-ball
bandera *n.f.* drapeau
bañador *n.m.* maillot de bain
bañarse *v.* se baigner
bañera *n.f.* baignoire
baño *n.m.* bain ; salle de bains
barato, a *adj.* bon marché
barco *n.m.* bateau
barriga *n.f.* ventre
barrio *n.m.* quartier
basura *n.f.* poubelle ; ordures
beber *v.* boire
bebida *n.f.* boisson
besar *v.* embrasser
beso *n.m.* bisou, baiser
bigote *n.m.* moustache
blando, a *adj.* mou (molle)
boca *n.f.* bouche
bocadillo *n.m.* sandwich ; bulle (BD)
bolígrafo *n.m.* stylo à bille
bolsillo *n.m.* poche
bolso *n.m.* sac
bombilla *n.f.* ampoule
bonito, a *adj.* joli(e)
bosque *n.m.* bois, petite forêt
botella *n.f.* bouteille
brazo *n.m.* bras
bromear *v.* plaisanter
broncear *v.* bronzer
brujo, a *n.* sorcier(ière)
bucear *v.* faire de la plongée
bueno, a *adj.* bon(ne) ; gentil(le)
buscar *v.* chercher

C

caballo *n.m.* cheval
cabeza *n.f.* tête
cada *adj.indéf.* chaque
cadena *n.f.* chaîne
caer *v.irr.* tomber
caja *n.f.* caisse
calabaza *n.f.* citrouille
calavera *n.f.* tête de mort
calefacción *n.f.* chauffage
caliente *adj.* chaud(e)
callarse *v.* se taire
calle *n.f.* rue
calvo, a *adj.* chauve
cama *n.f.* lit
cámara digital *n.f.* appareil photo numérique
camarero, a *n.* serveur(euse)
cambiar *v.* changer
caminar *v.* marcher
camisa *n.f.* chemise
camiseta *n.f.* t-shirt
campeón, ona *n.* champion(ne)
campesino, a *n.* paysan(ne)
canción *n.f.* chanson

cansado, a *adj.* fatigué(e)
cantante *n.* chanteur(euse)
cantar *v.* chanter
capricho *n.m.* caprice
cara *n.f.* visage
cariño *n.m.* tendresse, affection
carne *n.f.* viande
carnicería *n.f.* boucherie
caro, a *adj.* cher (chère)
carrera *n.f.* course ; carrière
carretera *n.f.* route
cartel *n.m.* affiche
casa *n.f.* maison
casado, a *adj.* marié(e)
casarse *v.* se marier
casi *adv.* presque
castaño, a *adj.* châtain
castillo *n.m.* château
cebolla *n.f.* oignon
ceja *n.f.* sourcil
cenar *v.* dîner
cepillarse *v.* se brosser
cerca *adv.* près
cerrar [ie] *v.* fermer
cesta *n.f.* panier
chaqueta *n.f.* veste
charlar *v.* bavarder
chicle *n.m.* chewing-gum
chico, a *n.* garçon (fille)
chiflar *v.* (fam.) raffoler, adorer
chuchería *n.f.* friandise
churro *n.m.* beignet, « chichi »
ciego, a *adj.* aveugle
ciruela *n.f.* prune
cirujano, a *n.* chirurgien(ne)
cita *n.f.* rendez-vous
ciudad *n.f.* ville
cobarde *adj.* lâche
coche *n.m.* voiture
cocina *n.f.* cuisine
cocinar *v.* cuisiner
cocinero, a *n.* cuisinier(ière)
coger *v.irr.* prendre
col *n.f.* chou (légume)
colgar [ue] *v.* accrocher, suspendre
colmillo *n.m.* canine
colocar *v.* mettre
colorido, a *adj.* coloré(e)
comedor *n.m.* salle à manger ; cantine
comer *v.* manger
cómic *n.m.* bande dessinée
comida *n.f.* nourriture ; repas
comienzo *n.m.* début
compartir *v.* partager
competencia *n.f.* concurrence
competir [i] *v.* être en compétition ; rivaliser
comprar *v.* acheter
con *prép.* avec
conducir *v.irr.* conduire
conejo *n.m.* lapin
conejo de Indias *n.m.* cochon d'Inde
confiar en *v.* avoir confiance en
conmovido, a *adj.* ému(e)
conocer *v.irr.* connaître
conquista *n.f.* conquête
conquistar *v.* conquérir
conseguir [i] *v.* réussir à, parvenir à
consejo *n.m.* conseil
consigo *pron.pers.* avec soi
consultorio *n.m.* courrier des lecteurs
contaminación *n.f.* pollution
contaminar *v.* polluer
contar [ue] *v.* compter ; raconter
contestador *n.m.* répondeur
contestar *v.* répondre
convencer *v.irr.* convaincre
convivir *v.* vivre ensemble

corazón *n.m.* cœur
cortar *v.* couper
cortina *n.f.* rideau
cosa *n.f.* chose
costar [ue] *v.* coûter
costumbre *n.f.* coutume ; habitude
crecer *v.irr.* grandir
creer *v.* croire
cruzar *v.* traverser
cuaderno *n.m.* cahier
cuadro *n.m.* tableau (art)
cuando/cuándo *adv./conj.* quand
cuánto *adv.* combien
cuarto *n.m.* quart ; chambre ; pièce
cuarto de baño *n.m.* salle de bains
cuarto de estar *n.m.* salle de séjour
cuchara *n.f.* cuillère
cuchillo *n.m.* couteau
cuello *n.m.* cou
cuenta *n.f.* compte ; addition (restaurant)
cuento *n.m.* conte
cuidar *v.* prendre soin de
cumpleaños *n.m.sg./pl.* anniversaire
cumplir con *v.* réaliser
cuna *n.f.* berceau
curar *v.* soigner

dar *v.irr.* donner
dato *n.m.* donnée ; coordonnée ; renseignement
debajo *adv.* dessous, au-dessous
deber *n.m.* tâche ; *v.* devoir
débil *adj.* fragile
decepcionado, a *adj.* déçu(e)
decir *v.irr.* dire
dedo *n.m.* doigt
defecto *n.m.* défaut
dejar *v.* laisser
delantal *n.m.* tablier
delante *adv.* devant
deletrear *v.* épeler
delgado, a *adj.* mince
demasiado *adv.* trop
dentro *adv.* dedans, à l'intérieur
deporte *n.m.* sport
deprisa *adv.* vite
derecha *adj.* droite
derretir [i] *v.* fondre
desanimarse *v.* se décourager
desaparecer *v.irr.* disparaître
desarrollar *v.* développer
desayunar *v.* prendre le petit déjeuner
descansar *v.* se reposer
desconfiar *v.* se méfier
desde *prép.* de ; depuis
desde luego *loc.* bien sûr
desear *v.* souhaiter
deseo *n.m.* souhait ; désir
despacho *n.m.* bureau
despedirse [i] de *v.* dire au revoir à
despegar *v.* décoller
despertarse [ie] *v.* se réveiller
después *adv.* après, ensuite
destacar *v.* détacher ; faire ressortir
detrás *adv.* derrière
devolver [ue] *v.* rendre
día *n.m.* jour
diario, a *adj.* quotidien(ne)
dibujante *n.* dessinateur(trice)
dibujar *v.* dessiner
dibujo *n.m.* dessin
dinero *n.m.* argent
dirección *n.f.* adresse ; direction
discutir *v.* se disputer
diseño *n.m.* design
disfrazarse de *v.* se déguiser en
disfrutar *v.* profiter
distinto, a *adj.* différent(e)
divertido, a *adj.* amusant(e)
divertirse [ie] *v.* s'amuser

documental *n.m.* documentaire
doler [ue] *v.* avoir mal
domingo *n.m.* dimanche
donde/dónde *adv.* où
ducharse *v.* se doucher
dueño, a *n.* propriétaire

echar *v.* jeter
edad *n.f.* âge
edificio *n.m.* bâtiment
ejemplo *n.m.* exemple
ejercer *v.* exercer
ejercicio *n.m.* exercice
elegido, a *adj.* choisi(e)
elegir [i] *v.irr.* choisir
emperador, a *n.* empereur (impératrice)
empezar [ie] *v.* commencer
emplear *v.* utiliser
empujar *v.* pousser
enamorado, a *adj.* amoureux(euse)
enamorarse *v.* tomber amoureux(euse)
en *prép.* dans ; en ; sur
en cambio *loc.* par contre ; en revanche
encantar *v.* enchanter ; charmer
encender [ie] *v.* allumer
enchufe *n.m.* prise (électrique)
encima *adv.* dessus, au-dessus
encontrar [ue] *v.* trouver
encuentro *n.m.* rencontre
enero *n.m.* janvier
enfadado, a *n./adj.* fâché(e)
enfermedad *n.f.* maladie
enfermero, a *n.* infirmier(ière)
enfermo, a *adj.* malade
ensayo *n.m.* répétition
enseñar *v.* montrer ; enseigner
entender [ie] *v.* comprendre
enterarse de *v.* apprendre (une nouvelle...)
entonces *adv.* alors
entregar *v.* remettre ; rendre
entrevista *n.f.* interview
equivocarse *v.* se tromper
érase una vez il était une fois
escalar *v.* escalader
escalera *n.f.* escalier
escaparate *n.m.* vitrine
escaso, a *adj.* rare
escoba *n.f.* balai
escoger *v.irr.* choisir
esconder *v.* cacher
escribir *v.* écrire
escritor, a *n.* écrivain
escuchar *v.* écouter
escuela *n.f.* école
espada *n.f.* épée
espalda *n.f.* dos
espárrago *n.m.* asperge
especia *n.f.* épice
espectáculo *n.m.* spectacle
espejo *n.m.* miroir
esperanza *n.f.* espoir
esperar *v.* attendre ; espérer
espinaca *n.f.* épinard
espíritu *n.m.* esprit
esponja *n.f.* éponge
esposo, a *n.* époux (épouse)
esquí *n.m.* ski
esquiar *v.* skier
esquina *n.f.* angle ; coin (de rue)
estación *n.f.* gare ; saison
estado *n.m.* état
estantería *n.f.* étagère
estar *v.irr.* être ; se trouver
estatua *n.f.* statue
estatura *n.f.* taille, stature
estrangular *v.* étrangler
estrecho, a *adj.* étroit(e)
estrella *n.f.* étoile
estuche *n.m.* trousse

estupendo, a *adj.* épatant(e), formidable
europeo, a *adj.* européen(ne)
éxito *n.m.* succès
exponer *v.irr.* exposer
expresar *v.* exprimer
extranjero, a *n.* étranger(ère)
extrañar *v.* étonner
extraño, a *adj.* bizarre, étrange

falda *n.f.* jupe
faltar *v.* manquer
famoso, a *adj.* célèbre
febrero *n.m.* février
fecha *n.f.* date
feliz *adj.* heureux(euse)
feo, a *adj.* laid(e), moche *(fam.)*
fiarse de *v.* avoir confiance en
fijarse en *v.* remarquer ; observer
firmar *v.* signer
folleto *n.m.* brochure
fracasar *v.* échouer
fracaso *n.m.* échec
fragmento *n.m.* extrait
freír *v.irr.* frire
frío, a *adj.* froid(e)
fuente *n.f.* fontaine ; source
fuera *adv.* dehors, à l'extérieur
fuerte *adj.* fort(e)
fundar *v.* fonder ; créer

gafas *n.f.pl.* lunettes
ganas *n.f.pl.* envie
gato, a *n.* chat(te)
gente *n.f.sg.* gens, personnes
gobierno *n.m.* gouvernement
gordo, a *adj.* gros(se)
gorra *n.f.* casquette
gorro *n.m.* bonnet
grabación *n.f.* enregistrement
grabar *v.* enregistrer
gracioso, a *adj.* drôle
grado *n.m.* degré
grifo *n.m.* robinet
gritar *v.* crier
guante *n.m.* gant
guapo, a *adj.* beau (belle)
guía *n.* guide
guisante *n.m.* petit pois
gustar *v.* plaire, aimer

haber *aux.irr.* avoir
habitación *n.f.* chambre ; pièce
hablar *v.* parler
hacer *v.irr.* faire
hacia *prép.* vers
hada *n.f.* fée
hambre *n.f.* faim
harina *n.f.* farine
hasta *prép.* jusqu'à
helado *n.m.* glace
hermano, a *n.* frère (sœur)
hermoso, a *adj.* beau (belle)
hijo, a *n.* fils (fille)
hoja *n.f.* feuille
hombre *n.m.* homme
hora *n.f.* heure
horario *n.m.* horaire ; emploi du temps
hoy *adv.* aujourd'hui
huerta *n.f.* verger
hueso *n.m.* os ; noyau
huevo *n.m.* œuf
huir *v.irr.* fuir
humilde *adj.* humble
humo *n.m.* fumée

idioma *n.m.* langue
igual *adv.* égal(e)
iniciar *v.* commencer
instituto *n.m.* lycée
intentar *v.* essayer
intercambiar *v.* échanger
invierno *n.m.* hiver
ir *v.irr.* aller
ira *n.f.* colère
isla *n.f.* île
izquierda *adj.* gauche

jarabe *n.m.* sirop
jaula *n.f.* cage
jersey *n.m.* pull-over
jornada *n.f.* journée (de travail)
joven *adj.* jeune
judía verde *n.f.* haricot vert
juego *n.m.* jeu
jueves *n.m.* jeudi
jugador, a *n.* joueur(euse)
jugar [ue] *v.* jouer
juguete *n.m.* jouet
julio *n.m.* juillet
junio *n.m.* juin
juntos, as *adj.pl.* ensemble

labio *n.m.* lèvre
lado *n.m.* côté
ladrón, ona *n.* voleur(euse)
lagarto *n.m.* lézard
lago *n.m.* lac
lápiz *n.m.* crayon
lavadora *n.f.* lave-linge
lavavajillas *n.m.sg.* lave-vaisselle
leche *n.f.* lait
lechuga *n.f.* laitue ; salade
leer *v.* lire
legumbre *n.f.* légume sec
lejos *adv.* loin
lema *n.m.* devise (formule emblématique)
levantarse *v.* se lever
ley *n.f.* loi
leyenda *n.f.* légende
limpiar *v.* nettoyer
llamada *n.f.* appel
llamar(se) *v.* (s')appeler
llano, a *adj.* plat(e)
llave *n.f.* clé
llegar *v.* arriver
lleno, a *adj.* rempli(e) ; plein(e)
llevar *v.* porter
llevarse *v.* emporter
llorar *v.* pleurer
llover [ue] *v.* pleuvoir
lluvia *n.f.* pluie
lobo *n.m.* loup
loco, a *adj.* fou (folle)
lograr *v.* réussir
luchar *v.* lutter
luego *adv.* après, ensuite
lugar *n.m.* lieu, endroit
lujo *n.m.* luxe
lunes *n.m.* lundi
luz *n.f.* lumière

madrastra *n.f.* belle-mère
madre *n.f.* mère
maduro, a *adj.* mûr(e)
maestro, a *n.* maître (maîtresse)
mago, a *n.* magicien(ne)
maleta *n.f.* valise
mandar *v.* envoyer
mantel *n.m.* nappe
mantequilla *n.f.* beurre

manzana *n.f.* pomme
mañana *n.f.* matin ; *adv.* demain
mapa *n.m.* carte (géographie)
máquina *n.f.* machine
marisco *n.m.* fruits de mer
más *adv.* plus
máscara *n.f.* masque
mascota *n.f.* animal de compagnie
mayor *adj.* plus grand(e) ; âgé(e)
mayoría *n.f.* majorité
medianoche *n.f.* minuit
medida *n.f.* mesure
medir [i] *v.* mesurer
medio *n.m.* milieu ; *adj.* moyen(ne), demi(e)
mediodía *n.m.* midi
mejilla *n.f.* joue
mejor *adj.* meilleur(e) ; mieux
mejorar *v.* améliorer
melocotón *n.m.* pêche *(fruit)*
menor *adj.* plus petit(e) ; moindre ; mineur(e)
menos *adv.* moins
mente *n.f.* esprit
mentira *n.f.* mensonge
mercado *n.m.* marché
merienda *n.f.* le goûter
mes *n.m.* mois
mesa *n.f.* table
mezclar *v.* mélanger
mezquita *n.f.* mosquée
miedo *n.m.* peur
mientras *adv.* pendant que
mientras que *loc.* tandis que
milagro *n.m.* miracle
mimar *v.* dorloter ; gâter ; mimer
mimo *n.m.* cajolerie ; mime
mirada *n.f.* regard
mirar *v.* regarder
mitad *n.f.* moitié
mochila *n.f.* sac à dos
monopatín *n.m.* skate
montón *n.m.* tas
morado, a *adj.* violet(te)
moreno, a *adj.* brun(e)
mover [ue] *v.* bouger
mucho *adv.* beaucoup
mudanza *n.f.* déménagement
mudarse *v.* déménager
muerte *n.f.* mort
mujer *n.f.* femme
murciélago *n.m.* chauve-souris
muy *adv.* très

nacer *v.irr.* naître
nada *pron.ind.* rien
nadador, a *n.* nageur(euse)
nadar *v.* nager
nadie *pron.ind.* personne
naranja *n.f.* orange
nariz *n.f.* nez
naturaleza *n.f.* nature
nave *n.f.* navire
nevar [ie] *v.* neiger
nevera *n.f.* réfrigérateur
nieto, a *n.* petit-fils (petite-fille)
nieve *n.f.* neige
ninguno, a *adj.indéf.* aucun(e)
niño, a *n.* enfant
noche *n.f.* nuit
noticia *n.f.* nouvelle (information)
novela *n.f.* roman
novio, a *n.* petit(e) ami(e) ; fiancé(e)
nube *n.f.* nuage
nublado, a *adj.* nuageux(euse)
nunca *adv.* jamais

obra *n.f.* œuvre
ocio *n.m.* loisir
ocurrir *v.* se passer

odiar *v.* détester
oficina *n.f.* bureau ; office
oír *v.irr.* entendre
ojo *n.m.* œil
oler *v.irr.* sentir (odeur)
olvidar *v.* oublier
opinar *v.* penser ; donner un avis
oponerse *v.irr.* s'opposer
orgulloso, a *adj.* fier (fière)
orilla *n.f.* rive, bord
oscuro, a *adj.* sombre
oso, a *n.* ours(e)
otoño *n.m.* automne

padrastro *n.m.* beau-père
padre *n.m.* père
pagar *v.* payer
pájaro *n.m.* oiseau
palabra *n.f.* mot
panadería *n.f.* boulangerie
pantalón corto *n.m.* short
pañuelo *n.m.* mouchoir
papel *n.m.* papier ; rôle
papelera *n.f.* corbeille à papier
parada *n.f.* arrêt
paraguas *n.m.sg./pl.* parapluie
paraíso *n.m.* paradis
parar *v.* arrêter
pared *n.f.* mur ; cloison
pareja *n.f.* couple
partido *n.m.* match
pasajero, a *n.* passager (passagère)
pasar lista *v.* faire l'appel
pasear(se) por *v.* (se) promener
paseo *n.m.* promenade
pastel *n.m.* gâteau
pato, a *n.* canard (cane)
paz *n.f.* paix
peca *n.f.* tache de rousseur
pedir [i] *v.* demander
pegajoso, a *adj.* collant(e)
pegar *v.* coller
película *n.f.* film
peligro *n.m.* danger
peligroso, a *adj.* dangereux(euse)
pelirrojo, a *adj.* roux (rousse)
pelo *n.m.* cheveux ; poil
pelota *n.f.* balle
pendiente *n.m.* boucle d'oreille
peor *adj.* pire
pepino *n.m.* concombre
pequeño, a *adj.* petit(e)
pera *n.f.* poire
perezoso, a *adj.* paresseux(euse)
periódico *n.m.* journal
periodista *n.* journaliste
pero *conj.* mais
perro, a *n.* chien(ne)
pesadilla *n.f.* cauchemar
pesado, a *adj.* casse-pieds ; lourd(e)
pescadería *n.f.* poissonnerie
pescado *n.m.* poisson (aliment)
pescar *v.* pêcher
peso *n.m.* poids
pestaña *n.f.* cil
pez *n.m.* poisson (vivant)
piel *n.f.* peau
pierna *n.f.* jambe
pimienta *n.f.* poivre
pimiento *n.m.* piment ; poivron
pincel *n.m.* pinceau
piso *n.m.* étage ; appartement
pizarra *n.f.* tableau (classe)
placer *n.m.* plaisir
planchar *v.* repasser
plata *n.f.* argent
plátano *n.m.* banane
población *n.f.* population
poder [ue] *v.* pouvoir
poderoso, a *adj.* puissant(e)

pollo *n.m.* poulet
polvo *n.m.* poussière
pomelo *n.m.* pamplemousse
poner *v.irr.* mettre ; poser
por *prép.* par
portero, a *n.* concierge ; gardien de but
porvenir *n.m.* avenir
postre *n.m.* dessert
precio *n.m.* prix
preciso, a *adj.* précis(e)
pregunta *n.f.* question
preguntar *v.* poser une question
premio *n.m.* prix (concours)
prenda *n.f.* vêtement
preocuparse por *v.* s'inquiéter de, se préoccuper de
prescindir de *v.* se passer de
primavera *n.f.* printemps
primo, a *n.* cousin(e)
príncipe *n.m.* prince
principio *n.m.* début
probador *n.m.* cabine d'essayage
probarse [ue] *v.* essayer
promover [ue] *v.* promouvoir
proponer *v.irr.* proposer
próximo, a *adj.* prochain(e)
prueba *n.f.* preuve
pueblo *n.m.* village
puerro *n.m.* poireau
pues *conj.* puisque ; donc
pulsar *v.* appuyer
pulsera *n.f.* bracelet
puntual *adj.* ponctuel(le)

quedar *v.* se donner rendez-vous
quedarse *v.* rester
querer [ie] *v.* vouloir ; aimer
querido, a *adj.* cher (chère)
queso *n.m.* fromage
quien/quién *pron.* qui
quieto, a *adj.* tranquille

raro, a *adj.* bizarre, curieux(euse)
rato *n.m.* instant
ratón *n.m.* souris
rayo *n.m.* rayon ; éclair
reaccionar *v.* réagir
rebajas *n.f.pl.* soldes
rebelde *adj.* rebelle
recoger *v.irr.* venir chercher ; ranger
reconocer *v.irr.* reconnaître
recordar [ue] *v.* rappeler
recuerdo *n.m.* souvenir
redactar *v.* rédiger
redondo, a *adj.* rond(e)
refresco *n.m.* rafraîchissement (boisson)
regalar *v.* offrir un cadeau
regalo *n.m.* cadeau
reinar *v.* régner
relacionar *v.* faire correspondre
relato *n.m.* récit
reloj *n.m.* montre ; horloge
renovar [ue] *v.* rénover ; renouveler
repetir [i] *v.* répéter
rescatar *v.* délivrer ; repêcher
resolver [ue] *v.* résoudre
respuesta *n.f.* réponse
restablecer *v.irr.* rétablir
retraso *n.m.* retard
revista *n.f.* revue
rey *n.m.* roi
rico, a *adj.* riche ; bon(ne) (nourriture)
río *n.m.* rivière ; fleuve
risa *n.f.* rire
rizado, a *adj.* frisé(e)
rociar *v.* arroser ; asperger
rojo, a *adj.* rouge
romper *v.* rompre, casser

ropa *n.f.sg.* vêtements ; linge
rotulador *n.m.* feutre
rubio, a *adj.* blond(e)
ruido *n.m.* bruit

sábado *n.m.* samedi
saber *v.irr.* savoir
sabor *n.m.* saveur ; goût
sacar *v.* tirer ; enlever
sagrado, a *adj.* sacré(e)
sal *n.f.* sel
salida *n.f.* sortie
salir *v.irr.* sortir ; partir
salsa *n.f.* sauce
saltar *v.* sauter
salud *n.f.* santé
salvar *v.* sauver
salvo *adv.* sauf
sandía *n.f.* pastèque
sangre *n.f.* sang
sartén *n.f.* poêle
sed *n.f.* soif
seda *n.f.* soie
seducir *v.irr.* séduire
seguir [i] *v.* suivre ; continuer
según *prép.* selon ; d'après
seguro, a *adj.* sûr(e)
sello *n.m.* timbre (poste)
selva *n.f.* forêt vierge
senderismo *n.m.* randonnée
sentarse [ie] *v.* s'asseoir
sentir [ie/i] *v.* ressentir, sentir ; regretter
señalar *v.* montrer
señor, a *n.* monsieur (madame)
señorita *n.f.* mademoiselle
ser *v.irr.* être
siempre *adv.* toujours
silbar *v.* siffler
silla *n.f.* chaise
sillón *n.m.* fauteuil
sin *prép.* sans
sitio *n.m.* endroit ; site (internet)
sobre *prép.* sur
sobrepeso *n.m.* surpoids
sobrino, a *n.* neveu (nièce)
sol *n.m.* soleil
soler [ue] *v.* avoir l'habitude de
sólo *adv.* seulement
solo, a *adj.* seul(e)
sombra *n.f.* ombre
sombrero *n.m.* chapeau
sombrilla *n.f.* parasol
sonreír [i] *v.* sourire
sonrisa *n.f.* sourire
soñar [ue] con *v.* rêver de
soplar *v.* souffler
sorprendente *adj.* surprenant(e)
sorprender *v.* surprendre
sorpresa *n.f.* surprise
suave *adj.* doux (douce)
subir *v.* monter
submarinismo *n.m.* plongée sous-marine
suegro, a *n.* beau-père (belle-mère)
suelo *n.m.* sol
sueño *n.m.* sommeil ; rêve
suerte *n.f.* chance
suponer *v.irr.* supposer

taller *n.m.* atelier
tamaño *n.m.* grandeur ; taille
también *adv.* aussi
tampoco *adv.* non plus
tan *adv.* si ; tellement ; aussi
tarde *n.f./adv.* après-midi ; tard
tarjeta *n.f.* carte (postale, de crédit, de visite)
temporada *n.f.* saison
temprano *adv.* tôt, de bonne heure
tenedor *n.m.* fourchette

tener [ie] *v.* avoir ; posséder
tiburón *n.m.* requin
tienda *n.f.* boutique, magasin
tío, a *n.* oncle (tante)
título *n.m.* titre
tocar *v.* toucher ; jouer (instrument)
todavía *adv.* encore
todo, a *adj./pron.* tout(e)
tomar *v.* prendre
tonto, a *adj.* sot(te), idiot(e)
torre *n.f.* tour
tortilla *n.f.* omelette
tortuga *n.f.* tortue
trabajar *v.* travailler
trabajo *n.m.* travail
traer *v.irr.* apporter
traje *n.m.* costume
tras *prép.* après, à la suite de
tratar de *v.* traiter de ; essayer de
tratar de tú/usted *v.* tutoyer/vouvoyer
travesura *n.f.* bêtise
trotamundos *n.sg./pl.* voyageur(euse)
trozo *n.m.* morceau
tumbarse *v.* s'allonger

último, a *n./adj.* dernier(ière)
usar *v.* utiliser, employer
uso *n.m.* usage
usted *pron.* vous (vouvoiement)
usuario, a *n.* usager(ère)
uva *n.f.* raisin

vaciar *v.* vider
vacío, a *adj.* vide
vago, a *adj.* paresseux(euse)
valiente *adj.* courageux(euse)
vaqueros *n.m.pl.* jeans
varios, as *adj.* plusieurs
varita *n.f.* baguette (magique)
vaso *n.m.* verre
vecino, a *n.* voisin(e)
velocidad *n.f.* vitesse
veloz *adj.* rapide
vencer *v.* vaincre
ventaja *n.f.* avantage
ventana *n.f.* fenêtre
ver *v.irr.* voir
verano *n.m.* été
verdad *n.f.* vérité
verdadero, a *adj.* vrai(e), véritable
verdura *n.f.* légume vert
verruga *n.f.* verrue
verter [ie] *v.* verser
vestido *n.m.* robe
vestirse [i] *v.* s'habiller
vez *n.f.* fois
viajar *v.* voyager
viaje *n.m.* voyage
viajero, a *n.* voyageur(euse)
vidrio *n.m.* verre
viejo, a *adj.* vieux (vieille)
viernes *n.m.* vendredi
vista *n.f.* vue
vivir *v.* vivre ; habiter
volar [ue] *v.* voler
volver [ue] *v.* rentrer ; revenir

yudo *n.m.* judo

zanahoria *n.f.* carotte
zapatilla de deporte *n.f.* chaussure de sport
zumo *n.m.* jus (de fruit)

LEXIQUE

Abréviations : adj. adjectif ; **adv.** adverbe ; **aux.** auxiliaire ; **conj.** conjonction ; **exclam.** exclamation ; **fam.** familier ; **indéf.** indéfini ; **interj.** interjection ; **loc.** locution ; **n.f.** nom féminin ; **n.m.** nom masculin ; **prép.** préposition ; **pron.** pronom ; **pl.** pluriel ; **sg.** singulier ; **v.** verbe ; **v.irr.** verbe irrégulier

A

abricot albaricoque *n.m.*
absent, e ausente *adj.*
à côté de al lado de *loc.*
accompagner acompañar *v.*
accrocher colgar [ue] ; **(s'-)** agarrarse *v.*
acheter comprar *v.*
acteur, actrice actor (actriz) *n.*
action acción *n.f.*
adolescent, e adolescente *n.*
adorer encantar *v.*
adresse dirección *n.f.*
adulte adulto(a) *n.*
affiche cartel ; póster *n.m.* (pósters *n.m.pl.*)
âge edad *n.f.*
agence agencia *n.f.*
agréable agradable *adj.*
aider ayudar *v.*
aigle águila *n.f.*
ail ajo *n.m.*
aimer gustar *v.* ; **(quelqu'un)** querer [ie] *v.*
ajouter añadir *v.*
aller ir *v.irr.*
allonger (s'-) tumbarse *v.*
allumer encender [ie] *v.*
alors entonces *adv.*
améliorer mejorar *v.*
ami, e amigo(a) *n.*
amour amor *n.m.*
amoureux, euse enamorado(a) *adj.*
ampoule bombilla *n.f.*
amusant, e divertido(a) *adj.*
amuser (s'-) divertirse [ie] *v.*
an, année año *n.m.*
ancien, ne antiguo(a) *adj.*
anniversaire cumpleaños *n.m.sg./pl.*
août agosto *n.m.*
apparaître aparecer *v.irr.*
appareil photo numérique cámara digital *n.f.*
appartement piso *n.m.*
appel llamada *n.f.*
appeler (s'-) llamar(se) *v.*
apporter traer *v.irr.*
approcher (s'-) de acercarse a *v.*
après después ; luego *adv.*
après-midi tarde *n.f.*
araignée araña *n.f.*
arbre árbol *n.m.*
argent (monnaie) dinero *n.m.*
armoire armario *n.m.*
arrêter parar *v.*
arriver llegar *v.*
artiste artista *n.*
asperge espárrago *n.m.*
asseoir (s'-) sentarse [ie] *v.irr.*
assez bastante *adv./adj.*
assiette plato *n.m.*
assister asistir *v.*
attendre esperar *v.*
aujourd'hui hoy *adv.*
aussi también *adv.*
auteur autor(a) *n.*
automne otoño *n.m.*
avant antes *adv.*
avantage ventaja *n.f.*
avec con *prép.*
avenir porvenir ; futuro *n.m.*
avion avión *n.m.*
avocat (aliment) aguacate *n.m.* **(métier)** abogado(a) *n.*
avoir (aux.) haber *aux.* **(posséder)** tener [ie] *v.*
avoir besoin de necesitar *v.*
avoir envie de tener ganas de *v.*
avoir l'habitude de soler [ue] *v.*
avoir mal doler [ue] *v.*
avril abril *n.m.*

B

baigner (se -) bañarse *v.*
baignoire bañera *n.f.*
bain baño *n.m.*
balai escoba *n.f.*
banane plátano *n.m.*
bande dessinée cómic, tebeo *n.m.*
bateau barco *n.m.*
battre (œufs) batir *v.*
beau, belle bonito(a) ; guapo(a) ; hermoso(a) *adj.*
beaucoup mucho *adv.*
beau-père, belle-mère suegro(a) ; padrastro, madrastra *n.*
bêtise travesura ; tontería *n.f.*
beurre mantequilla *n.f.*
bienvenu, e bienvenido(a) *adj.*
biscuit galleta *n.f.*
bizarre extraño(a) ; raro(a) *adj.*
blanc, blanche blanco(a) *adj.*
bleu, e azul *adj.*
blond, e rubio(a) *adj.*
boire beber *v.*
boisson bebida *n.f.*
bon, bonne bueno(a) ; **(nourriture)** rico(a) *adj.*
bonbon caramelo *n.m.*
bonheur felicidad *n.f.*
bonnet gorro *n.m.*
bouche boca *n.f.*
boucherie carnicería *n.f.*
boucle d'oreille pendiente *n.m.*
bouger mover [ue] *v.*
boulangerie panadería *n.f.*
bouteille botella *n.f.*
boutique tienda *f.*
bracelet pulsera *n.f.*
bras brazo *n.m.*
brochure folleto *n.m.*
bronzer broncear, tomar el sol *v.*
bruit ruido *n.m.*
brun, e moreno(a) *adj.*
bureau (endroit) despacho *n.m.*, oficina *n.f.* **(meuble)** escritorio *n.m.*

C

cabine d'essayage probador *n.m.*
cadeau regalo *n.m.*
cahier cuaderno *n.m.*
canapé sofá *n.m.*
canard, cane pato(a) *n.m.*
carotte zanahoria *n.f.*
carré cuadro *n.m.*
carte (crédit) tarjeta *n.f.* ; **(géo.)** mapa *n.m.*
carte postale postal *n.f.*
casquette gorra *n.f.*
casse-pieds pesado(a) *adj.*
casser romper *v.*
casserole cacerola *n.f.*
célèbre famoso(a) *adj.*
chaise silla *n.f.*
chambre cuarto *n.m.*, habitación *n.f.*
chance suerte *n.f.*
changer cambiar *v.*
chanson canción *n.f.*
chanter cantar *v.*
chanteur, euse cantante *n.*
chapeau sombrero *n.m.*
chaque cada *adj.indéf.*
chat, chatte gato(a) *n.*
châtain castaño(a) *adj.*
château castillo *n.m.*
chaud, e caliente *adj.*
chauffage calefacción *n.f.*
chauffeur chófer *n.m.*
chaussure zapato *n.m.*
chauve calvo(a) *adj.*
chauve-souris murciélago *n.m.*
chef jefe(a) *n.*

chemise camisa *n.f.*
cher, chère (prix) caro(a) *adj.*
chercher buscar *v.*
cheval caballo *n.m.*
cheveu(x) pelo *n.m.sg.*
chewing-gum chicle *n.m.*
chien, chienne perro(a) *n.*
choisir elegir [i], escoger *v.*
chose cosa *n.f.*
chou (légume) col *n.f.*
cinéma cine *n.m.*
clair, e claro(a) *adj.*
clavier teclado *n.m.*
clé llave *n.f.*
cœur corazón *n.m.*
coller pegar *v.*
coloré, e colorido(a) *adj.*
combien cuánto *adv.*
commencer comenzar [ie], empezar [ie] *v.*
compléter completar *v.*
comprendre entender [ie] *v.*
concert concierto *n.m.*
concombre pepino *n.m.*
conduire conducir *v.irr.*
connaître conocer *v.irr.*
conseil consejo *n.m.*
conseiller aconsejar *v.*
construire construir *v.*
conte cuento *n.m.*
content, e contento(a) *adj.*
continuer seguir [i] *v.*
contraire contrario(a) *n.m./adj.*
contre contra *prép.*
convaincre convencer *v.irr.*
conversation conversación *n.f.*
corbeau cuervo *n.m.*
cornichon pepinillo *n.m.*
correct, e correcto(a) *adj.*
correspondre corresponder *v.*
corriger corregir [i] *v.*
costume traje *n.m.*
cou cuello *n.m.*
couleur color *n.m.*
couper cortar *v.*
couple pareja *n.f.*
courir correr *v.*
court, e corto(a) *adj.*
cousin, e primo(a) *n.*
couteau cuchillo *n.m.*
coûter costar [ue] *v.*
coutume costumbre *n.f.*
couvert (cuisine) cubierto *n.m.*
couverture (lit) manta *n.f.*
couvrir cubrir *v.*
crapaud sapo *n.m.*
crayon lápiz *n.m.*
créer crear *v.*
crier gritar *v.*
crocodile cocodrilo *n.m.*
croire creer *v.*
cuillère cuchara *n.f.*
cuire cocer *v.irr.*
cuisine cocina *n.f.*
cuisiner cocinar *v.*
cuisinier, ière cocinero(a) *n.*
curieux, euse curioso(a), raro(a) *adj.*

D

d'abord primero *loc.*
danger peligro *n.m.*
dangereux, euse peligroso(a) *adj.*
danse baile *n.m.*
danser bailar *v.*
date fecha *n.f.*

d'après según *loc.*
début comienzo ; principio *n.m.*
décembre diciembre *n.m.*
décider decidir *v.*
décision decisión *n.f.*
décoration decoración *n.f.*
décorer decorar *v.*
décourager (se -) desanimarse *v.*
découvrir descubrir *v.*
décrire describir *v.*
déçu, e decepcionado(a) *adj.*
dedans dentro *adv.*
dégoûtant, e asqueroso(a) *adj.*
degré grado *n.m.*
déguisement disfraz *n.m.*
déguiser en (se -) disfrazarse de *v.*
dehors fuera *adv.*
déjeuner almorzar [ue] *v.*
demain mañana *adv.*
demander pedir [i] *v.*
déménager mudarse *v.*
demi, e medio(a) *adj.*
demi-frère, sœur hermanastro(a) *n.*
démontrer demostrar [ue] *v.*
dent diente *n.m.*
déplacer (se -) desplazarse *v.*
depuis desde *prép.*
dernier, ière último(a) *adj.*
derrière detrás *adv.*
descendre bajar *v.*
désespéré, e desesperado(a) *adj.*
dessert postre *n.m.*
dessin dibujo *n.m.*
dessiner dibujar *v.*
dessous debajo *adv.*
dessus encima *adv.*
détester odiar *v.*
devant delante de *loc.*
développer desarrollar *v.*
devoir deber *v./n.m.*
dialogue diálogo *n.m.*
dictionnaire diccionario *n.m.*
différence diferencia *n.f.*
différent, e diferente ; distinto(a) *adj.*
dimanche domingo *n.m.*
dîner cena *n.f.* ; cenar *v.*
dire decir [i] *v.*
disparaître desaparecer *v.irr.*
doigt dedo *n.m.*
domicile domicilio *n.m.*
donc pues *conj.*
donner dar *v.irr.*
dormir dormir [ue] *v.*
dos espalda *n.f.*
doucher (se -) ducharse *v.*
doux, douce suave *adj.*
drapeau bandera *n.f.*
droite derecha *adj.*
drôle gracioso(a) *adj.*

eau agua *n.f.*
échanger intercambiar *v.*
échec fracaso *n.m.*
école escuela *n.f.*
écologique ecológico(a) *adj.*
économiser ahorrar *v.*
écouter escuchar *v.*
écrire escribir *v.*
écrivain escritor(a) *n.*
efficace eficaz *adj.*
église iglesia *n.f.*
élégant, e elegante *adj.*
élève alumno(a) *n.*
emploi du temps horario *n.m.*
emporter llevarse *v.*
ému, e conmovido(a) *adj.*
encore todavía ; otra vez *adv.*
endroit sitio ; lugar *n.m.*
énervé, e nervioso(a) *adj.*

enfant niño(a) *n.*
enlever quitar *v.*
ennuyer (s'-) aburrirse *v.*
ennuyeux, euse aburrido(a) *adj.*
ensemble juntos(as) *adv.*
ensuite después ; luego *adv.*
entendre oír *v.irr.*
entrer entrar *v.*
environ sobre ; alrededor de *prép.*
envoyer enviar ; mandar *v.*
épaule hombro *n.m.*
épée espada *n.f.*
épeler deletrear *v.*
épice especia *n.f.*
éplucher pelar *v.*
époux, épouse esposo(a) *n.*
équilibré, e equilibrado(a) *adj.*
équipe equipo *n.m.*
escalade escalada *n.f.*
escalader escalar *v.*
escalier escalera *n.f.*
essayer intentar ; probar [ue] *v.*
estomac estómago *n.m.* ; barriga *n.f.*
étage piso *n.m.* ; planta *n.f.*
étagère estantería *n.f.*
été verano *n.m.*
éteindre apagar *v.*
étoile estrella *n.f.*
étranger, ère extranjero(a) *n.*
étudiant, e estudiante *n.*
étudier estudiar *v.*
évaluation evaluación *n.f.*
éviter evitar *v.*
exemple ejemplo *n.m.*
exercice ejercicio *n.m.*
expliquer explicar *v.*
exprimer expresar *v.*

fâché, e enfadado(a) *adj.*
faim hambre *n.f.*
faire hacer *v.irr.*
farine harina *n.f.*
fatiguer (se -) cansarse *v.*
fauteuil sillón *n.m.*
fée hada *n.f.*
félicitations enhorabuena *n.f.pl.*
femme mujer *n.f.*
fenêtre ventana *n.f.*
fermer cerrar [ie] *v.*
fête fiesta *n.f.*
feuille hoja *n.f.*
feutre rotulador *n.m.*
février febrero *n.m.*
fiancé, e novio(a) *n.*
fier, fière altivo(a) ; orgulloso(a) *adj.*
film película *n.f.*
fils, fille hijo(a) *n.*
fin, e fino(a) *adj.*
fleur flor *n.f.*
fois vez *n.f.*
fonctionner funcionar *v.*
fondre derretir [i] *v.*
football fútbol *n.m.*
footballeur futbolista *n.*
forêt (petite) bosque *n.m.*
fort, e fuerte *adj.*
fou, folle loco(a) *adj.*
four horno *n.m.*
fourchette tenedor *n.m.*
frère, sœur hermano(a) *n.*
frigo nevera *n.f.*
frire freír *v.irr.*
frisé, e rizado(a) *adj.*
froid, e frío(a) *adj.*
fromage queso *n.m.*
fruit fruta *n.f.*
fruits de mer marisco *n.m.*
furieux, euse furioso(a) *adj.*
futur futuro *n.m./adj.*

gagner ganar *v.*
gant guante *n.m.*
garçon, fille chico(a) *n.*
gare estación *n.f.*
gâteau (pâtisserie) pastel *n.m.*
gauche izquierda *adj.*
gens gente *n.f.sg.*
glace (aliment) helado *n.m.*
globe oculaire globo ocular *n.m.*
gomme goma *n.f.*
gorge garganta *n.f.*
goût sabor *n.m.*
goûter probar [ue] *v.*
grand, e alto(a) **(taille)** ; grande **(volume)** *adj.*
grand-père, grand-mère abuelo(a) *n.*
gratuit, e gratuito(a) ; gratis *adj.*
grenouille rana *n.f.*
gris, e gris *adj.*
gros, grosse gordo(a) *adj.*
groupe grupo *n.m.*
guitare guitarra *n.f.*
gymnastique gimnasia *n.f.*

habiller (s') vestirse [i] *v.*
habitant, e habitante *n.*
habiter vivir *v.*
habitude costumbre *n.f.*
haricot vert judía verde *n.f.*
héros, héroïne héroe, heroína *n.*
heure hora *n.f.*
heureux, euse feliz *adj.*
hier ayer *adv.*
hiver invierno *n.m.*
homme hombre *n.m.*
horrible horrible ; horroroso(a) *adj.*
huile aceite *n.m.*
humour humor *n.m.*

ici aquí *adv.*
idée idea *n.f.*
il était une fois érase una vez
il y a hay (haber) *v.*
image imagen *n.f.*
imaginer imaginar *v.*
impatient, e impaciente *adj.*
important, e importante *adj.*
impressionnant, e impresionante *adj.*
inconvénient inconveniente *n.m.*
incroyable increíble *adj.*
infirmier, ière enfermero(a) *n.*
informatique informática *n.f.*
ingrédient ingrediente *n.m.*
inquiet, iète preocupado(a) *adj.*
inquiéter (s'-) preocuparse por *v.*
instant rato *n.m.*
instrument instrumento *n.m.*
intelligent, e inteligente *adj.*
interpréter interpretar *v.*
interview entrevista *n.f.*
Interviewer entrevistar *v.*
introduire introducir *v.irr.*
inventer inventar *v.*
inviter invitar *v.*

jaloux, ouse celoso(a) *adj.*
jamais nunca *adv.*
jambe pierna *n.f.*
janvier enero *n.m.*
jardin jardín *n.m.*
jaune amarillo(a) *adj.*
jeans vaqueros *n.m.pl.*
jeter echar, tirar *v.*

jeu juego *n.m.*
jeudi jueves *n.m.*
jeune joven *adj.*
jeu vidéo videojuego *n.m.*
joli, e bonito(a) *adj.*
jouer jugar [ue] *v.*
jouer d'un instrument tocar *v.*
jouer un rôle actuar *v.*
jouet juguete *n.m.*
joueur, euse jugador(a) *n.*
jour día *n.m.* ; **(de travail)** jornada *n.m.*
journal periódico *n.m.*
journaliste periodista *n.*
joyeux, euse alegre *adj.*
juillet julio *n.m.*
juin junio *n.m.*
jupe falda *n.f.*
jus zumo *n.m.*
jusqu'à hasta *prép.*
juste justo(a) *adj.*
justifier justificar *v.*

laid, e feo(a) *adj.*
laisser dejar *v.*
lait leche *n.f.*
laitue lechuga *n.f.*
langue (organe) lengua *n.f.*
    (d'un pays) idioma *n.m.*
lave-linge lavadora *n.f.*
lave-vaisselle lavavajillas *n.m.sg.*
laver lavar *v.*
légume (sec) legumbre ; **(vert)** verdura *n.f.*
lent, e lento(a) *adj.*
lettre (courrier) carta *n.f.*
lever (se -) levantarse *v.*
lieu lugar *n.m.*
lire leer *v.*
lit cama *n.f.*
livre libro *n.m.*
loin lejos *adv.*
long, longue largo(a) *adj.*
lourd, e pesado(a) *adj.*
lumière luz (luces) *n.f.*
lundi lunes *n.m.*
lune luna *n.f.*
lunettes gafas *n.f.pl.*
lycée instituto *n.m.*

madame señora *n.f.*
mademoiselle señorita *n.f.*
magasin almacén *n.m.*, tienda *n.f.*
magique mágico(a) *adj.*
mai mayo *n.m.*
maillot de bain bañador *n.m.*
main mano *n.f.*
maintenant ahora *adv.*
mais pero *conj.*
maison casa *n.f.*
malade enfermo(a) *adj.*
maladie enfermedad *n.f.*
manger comer *v.*
manière manera *n.f.*
manquer (être absent) faltar
    (regretter) echar de menos *v.*
manteau abrigo *n.m.*
marcher andar ; caminar *v.*
mardi martes *n.m.*
mari marido *n.m.*
marier (se -) casarse *v.*
marron marrón *adj.*
mars marzo *n.m.*
matière (scolaire) asignatura *n.f.*
matin mañana *n.f.*
méchant, e malo(a) *adj.*
médecin médico *n.m.*
meilleur, e mejor *adj.*
mélanger mezclar *v.*
mercredi miércoles *n.m.*
mère madre *n.f.*

merveilleux, euse maravilloso(a) *adj.*
message mensaje *n.m.*
mesurer medir [i] *v.irr.*
météo tiempo *n.m.*
métier profesión *n.f.*
mettre poner *v.irr.* ; colocar *v.*
meuble mueble *n.m.*
midi mediodía *n.m.*
mieux mejor *adv.*
mignon, onne mono(a) *adj.*
milieu medio *n.m.*
mince delgado(a) *adj.*
minimum mínimo *adj.*
minuit medianoche *n.f.*
miroir espejo *n.m.*
moderne moderno(a) *adj.*
moins menos *adv.*
mois mes *n.m.*
moitié mitad *n.f.*
moment momento ; rato *n.m.*
monde mundo *n.m.*
monsieur señor *n.m.*
montagne montaña ; sierra *n.f.*
monter subir *v.*
montre reloj *n.m.*
montrer enseñar ; mostrar [ue] ; señalar *v.*
moquer (se -) burlarse *v.*
morceau trozo *n.m.*
mort muerte *n.f.*
mot palabra *n.f.*
mouchoir pañuelo *n.m.*
moustache bigote *n.m.*
mur muro *n.m.*, pared *n.f.*
musée museo *n.m.*
musique música *n.f.*
mystère misterio *n.m.*

nager nadar *v.*
naître nacer *v.irr.*
nappe mantel *n.m.*
narrateur, trice narrador(a) *n.*
nationalité nacionalidad *n.f.*
natation natación *n.f.*
nature naturaleza *n.f.*
neige nieve *n.f.*
neiger nevar [ie] *v.*
nettoyer limpiar *v.*
neveu, nièce sobrino(a) *n.*
Noël Navidad *n.f.*
noir, e negro(a) *adj.*
nom (de famille) apellido *n.m.*
nombreux, euse numeroso(a) *adj.*
nord norte *n.m.*
nourriture comida *n.f.*
nouveau, nouvelle nuevo(a) *adj.*
novembre noviembre *n.m.*
nuage nube *n.f.*
nuageux, euse nublado(a) *adj.*
nuit noche *n.f.*

objectif objetivo *n.m.*
objet objeto *n.m.*
observer observar ; fijarse en *v.*
octobre octubre *n.m.*
œil ojo *n.m.*
œuf huevo *n.m.*
œuvre obra *n.f.*
offrir (cadeau) regalar *v.*
oignon cebolla *n.f.*
oiseau pájaro *n.m.*
olive aceituna *n.f.*
omelette tortilla *n.f.*
oncle, tante tío(a) *n.*
opinion opinión *n.f.*
opposer (s'-) oponerse *v.irr.*
orange naranja *n.f.*
ordinateur ordenador *n.m.*
oreille oreja *n.f.*

organiser organizar *v.*
où dónde *adv.*
oublier olvidar *v.*
ouest oeste *n.m.*
ouvrir abrir *v.*

page página *n.f.*
pain pan *n.m.*
panier cesta *n.f.*
panneau señal *n.f.*
pantalon pantalón *n.m.*
papier papel *n.m.*
par por *prép.*
paragraphe párrafo *n.m.*
paraître parecer *v.irr.*
parapluie paraguas *n.m.sg./pl.*
parasol sombrilla *n.f.*
parc parque *n.m.*
parents padres *n.m.pl.*
parfait, e perfecto(a) *adj.*
parler hablar *v.*
parmi entre *prép.*
partager compartir *v.*
participer à participar en *v.*
partir irse *v.irr.*, marcharse *v.*
passer (se -) ocurrir ; pasar *v.*
passion pasión, afición *n.f.*
passionnant, e apasionante *adj.*
pâte pasta *n.f.*
patience paciencia *n.f.*
patient, e paciente *adj.*
pauvre pobre *adj.*
payer pagar *v.*
pays país *n.m.*
paysage paisaje *n.m.*
pêche (fruit) melocotón *n.m.*
peintre pintor(a) *n.*
peinture pintura *n.f.*
pendant durante ; **(- que)** mientras *adv.*
penser pensar [ie] *v.*
perdre perder [ie] *v.*
père padre *n.m.*
permettre permitir *v.*
personnage personaje *n.m.*
personne nadie *pron.*
petit, e pequeño(a) ; **(taille)** bajo(a) *adj.*
petit déjeuner desayuno *n.m.*
petit-fils, petite-fille nieto(a) *n.*
petit pois guisante *n.m.*
peu (de) poco *adv.*
peur miedo *n.m.*
pharmacie farmacia *n.f.*
pièce (maison) cuarto *n.m.* ; habitación *n.f.*
    (monnaie) moneda *n.f.*
pied pie *n.m.*
piment pimiento *n.m.*
pinceau pincel *n.m.*
pire peor *adj.*
piscine piscina *n.f.*
place (d'une ville) plaza *n.f.*
plage playa *n.f.*
plaindre (se -) quejarse *v.*
plaire gustar *v.*
plaisanter bromear *v.*
plaisir placer *n.m.*
plan plano *n.m.*
planète planeta *n.m.*
plat (vaisselle) plato *n.m.*
pleurer llorar *v.*
pleuvoir llover [ue] *v.*
plongée submarinismo, buceo *n.m.*
pluie lluvia *n.f.*
plus más *adv.*
plusieurs varios(as) *adj.pl.*
poêle sartén *n.f.*
poème poema *n.m.*
poète poeta, poetisa *n.*
poire (fruit) pera *n.f.*
poireau puerro *n.m.*
poisson (aliment) pescado ; **(vivant)** pez *n.m.*
poissonnerie pescadería *n.f.*

poivre pimienta *n.f.*
poivron pimiento *n.m.*
policier, ière policía *n.* ; policíaco(a) *adj.*
polluer contaminar *v.*
pomme (fruit) manzana *n.f.* ; **(de terre)** patata *n.f.*
population población *n.f.*
portable (téléphone) móvil *n.m.*
porte puerta *n.f.*
porter llevar *v.*
portrait retrato *n.m.*
poser poner *v.irr.*
positif, ive positivo(a) *adj.*
posséder tener [ie] *v.*
possibilité posibilidad *n.f.*
poubelle cubo de basura *n.m.*
poulet pollo *n.m.*
pour para *prép.*
pouvoir poder [ue] *v.*
pratique cómodo(a) ; práctico(a) *adj.*
préférer preferir [ie] *v.*
premier, ière primero(a) *adj.*
prendre coger *v.irr.*, tomar *v.*
prénom nombre *n.m.*
préoccupé, e preocupado(a) *adj.*
preparation preparación *n.f.*
préparer preparar *v.*
près de cerca de *adv.*
présenter presentar *v.*
presque casi *adv.*
prêter prestar *v.*
printemps primavera *n.f.*
prix (tarif) precio ; **(récompense)** premio *n.m.*
problème problema *n.m.*
prochain, e próximo(a) *adj.*
produit producto *n.m.*
professeur profesor(a) *n.*
profession profesión *n.f.*
profiter de disfrutar *v.*
projet proyecto *n.m.*
promener (se -) pasearse *v.*
proposer proponer *v.irr.*
publicité publicidad *n.f.* ; anuncio *n.m.*
pull-over jersey *n.m.*

quelqu'un alguien *pron.*
quelques unos, unas *pron.pl.*
quelque chose algo *pron.indéf.*
question pregunta *n.f.*
quitter dejar *v.*

raconter contar [ue] *v.*
raisin uva *n.f.*
randonnée senderismo *n.m.*
ranger arreglar ; ordenar *v.*
rapide rápido(a) ; veloz *adj.*
rappeler (se -) recordar [ue] *v.*
réagir reaccionar *v.*
réaliser realizar ; cumplir ; darse cuenta *v.*
recette receta *n.f.*
recevoir recibir *v.*
reconnaître reconocer *v.irr.*
réfléchir reflexionar *v.*
regarder mirar *v.*
regretter sentir [ie/i] ; añorar *v.*
remercier dar las gracias *v.*
rendez-vous cita *n.f.*
rendre devolver [ue] *v.*
rentrer volver [ue] *v.*
repas comida *n.f.*
répéter repetir [i] *v.*
répondre responder ; contestar *v.*
réponse respuesta *n.f.*
représenter representar *v.*
respecter respetar *v.*
restaurant restaurante *n.m.*
rester quedarse *v.* ; permanecer *v.irr.*
résumé resumen *n.m.*
retard retraso *n.m.*

réussir conseguir [i] ; **(examen)** aprobar [ue] *v.*
rêve sueño *n.m.*
réveiller (se -) despertarse [ie] *v.*
revenir volver [ue] *v.*
rêver soñar [ue] *v.*
riche rico(a) *adj.*
rien nada *pron.ind.*
rire reír [i] *v.* ; risa *n.f.*
riz arroz *n.m.*
robe vestido *n.m.*
roman novela *n.f.*
romantique romántico(a) *adj.*
rose rosa *n.f.*
rouge rojo(a) *adj.*
route carretera *n.f.*
roux, rousse pelirrojo(a) *adj.*
rue calle *n.f.*

sac bolso *n.m.* ; **(à dos)** mochila *n.f.*
saison estación ; temporada *n.f.*
salade (verte) lechuga
    (composée) ensalada *n.f.*
sale sucio(a) *adj.*
salle à manger comedor *n.m.*
salle de bains cuarto de baño *n.m.*
salon salón *n.m.*
samedi sábado *n.m.*
sandwich bocadillo *n.m.*
sang sangre *n.f.*
santé salud *n.f.*
sauce salsa *n.f.*
sauf excepto ; salvo *adv.*
sauver salvar *v.*
savoir saber *v.irr./n.*
scène escena *n.f.*
secret secreto *n.m.*
séduire seducir *v.irr.*
sel sal *n.f.*
sélectionner seleccionar *v.*
selon según *prép.*
semaine semana *n.f.*
sentiment sentimiento *n.m.*
sentir sentir [ie/i] ; **(odeur)** oler *v.irr.*
septembre septiembre *n.m.*
sérieux, euse serio(a) *adj.*
serpent serpiente *n.f.*
serveur, euse camarero(a) *n.*
servir servir [i] *v.*
seul, e solo(a) *adj.*
short pantalón corto *n.m.*
sieste siesta *n.f.*
signature firma *n.f.*
silence silencio *n.m.*
situer situar ; **(se -)** estar *v.*
soif sed *n.f.*
soigner curar *v.*
sol suelo *n.m.*
soldes rebajas *n.f.pl.*
soleil sol *n.m.*
sombre oscuro(a) *adj.*
sortir salir *v.irr.*
souhaiter desear *v.*
sourire sonreír [i] *v.* ; sonrisa *n.f.*
souvenir (se -) acordarse [ue] *v.*
spécialité especialidad *n.f.*
sport deporte *n.m.*
sportif, ive deportista *n.*
stressé, e estresado(a) *adj.*
stylo à bille bolígrafo *n.m.*
sucre azúcar *n.m.*
sud sur *n.m.*
suivant, e siguiente *adj.*
suivre seguir [i] *v.*
supermarché supermercado *n.m.*
supposer suponer *v.irr.*
sur sobre ; en *prép.*
sûr, e seguro(a) *adj.*
surprendre sorprender *v.*
surprise sorpresa *n.f.*

suspendre colgar [ue] *v.*
sympathique simpático(a) *adj.*

table mesa *n.f.*
tableau (classe) pizarra *n.f.*
    (peinture) cuadro *n.m.*
taille estatura ; talla *n.f.* ; tamaño *n.m.*
tarte tarta *n.f.*
téléphone teléfono *n.m.*
téléphoner llamar por teléfono *v.*
terminer acabar ; terminar *v.*
terrasse terraza *n.f.*
tête cabeza *n.f.* ; **(de mort)** calavera *n.f.*
titre título *n.m.*
tomate tomate *n.m.*
tomber caer *v.irr.*
tôt temprano *adv.*
toujours siempre *adv.*
tourisme turismo *n.m.*
touristique turístico(a) *adj.*
tout, e todo(a) *adj./pron.*
train tren *n.m.*
travail trabajo *n.m.*
travailler trabajar *v.*
traverser atravesar [ie] *v.*, cruzar *v.*
très muy *adv.*
triste triste *adj.*
tromper engañar ; **(se -)** equivocarse *v.*
trop demasiado *adv.*
trousse estuche *n.m.*
trouver encontrar [ue] *v.* ; **(se -)** estar *v.*
t-shirt camiseta *n.f.*
tutoyer tratar de tú, tutear *v.*

utiliser utilizar ; usar ; emplear *v.*

vacances vacaciones *n.f.pl.*
valise maleta *n.f.*
vélo bicicleta *n.f.*
vendre vender *v.*
vendredi viernes *n.m.*
venir venir [ie] *v.irr.*
vent viento *n.m.*
vérité verdad *n.f.*
verre vaso *n.m.* ; **(à vin)** copa *n.f.*
vers hacia *prép.*
vert, e verde *adj.*
veste chaqueta *n.f.*
vêtement ropa *n.f.sg.*, prenda *n.f.*
viande carne *n.f.*
vide vacío(a) *adj.*
vieux, vieille viejo(a) *adj.*
village pueblo *n.m.*
ville ciudad *n.f.*
violet, te violeta, morado(a) *adj.*
violon violín *n.m.*
visage cara *n.f.*
visiter visitar *v.*
vitrine escaparate *n.m.*
vivant, e vivo(a) *adj.*
vivre vivir *v.*
voir ver *v.irr.*
voisin, e vecino(a) *n.*
voiture coche *n.m.*
voix voz (voces) *n.f.*
voler volar [ue] ; **(dérober)** robar *v.*
vouloir querer [ie] *v.*
vouvoyer tratar de usted *v.*
voyage viaje *n.m.*
voyager viajar *v.*
vrai, e verdadero(a) *adj.*
vue vista *n.f.*

week-end fin de semana *n.m.*

Crédits photographiques

4 h ph © Chris Ryan / Getty Images · 4 mg © HomoLudicus (www.homoludicus.org) / Illustrateur: Michael Menzel · 4 md ph © Jenny Acheson / Stockbyte / Getty Images · 5 ph © Photo 12 / Oroñoz · 5 ph © Adie Bush / Cultura / Getty Images · 5 ph © Carlos Picasso / Sipa Press · 5 ph © Aisa / Leemage · 5 ph © Carlos Alvarez / AFP Photo · 5 ph © Sean Thorton / Picture Press / Sipa Press · 5 © Plural Entertainment · 10 ph © Rubber Ball Productions / Getty Images · 14 © Ricardo Liniers / www.porliniers.com · 15 h ph © ImageSource / Getty Images · 15 b ph © Topic Phot Agency In / Age Fotostock · 16 ph © Phovoir · 17 ph © Laurence Mouton / Age Fotostock · 18 ph © Image Source / Getty Images · 19 © www.mundogaturro.com · 20 ph © Denkou Images GmbH / Jupiter Images · 21 ph © Toshifumi Kitamura / AFP Photo · 23 g ph © Mike Gardner / Patrick McMullan / Sipa Press · 23 d ph © Noah Graham / Getty Images · 28 Foto cortesía del Museo Botero del Banco de la República © Fernando Botero · 29 ph © Jaime Puebla / Corbis · 30 1 ph © Ann Summa / Comet / Corbis · 30 2 ph © Sigrid Olsson / Photo Alto / Getty Images · 30 3 ph © Tobias Hauser / Laif / Réa · 30 4 ph © Eduardo Martino / Panos-Réa · 32 ph © Charles Gullung / Corbis · 33 ph © Chris Ryan / Getty Images · 34 © HomoLudicus (www.homoludicus.org) / Ilustrador: Michael Menzel · 37 ph © Jenny Acheson / Stockbyte / Getty Images · 38 © Junta de Castilla y León / Mónica Carretero · 44 ph © Photo 12 / Oroñoz · 45 h © Phileas Productions / www.phileasproductions.com · 45 b ph © Adie Bush / Cultura / Getty Images · 46 h ph © Carlos Picasso / Sipa Press · 46 bg ph © Carlos Alvarez / AFP Photo · 46 bd ph © Sean Thorton / Picture Press / Sipa Press · 47 ph © Aisa / Leemage · 48 © Plural Entertainment · 49 ph © J-W Alker / Hemis.fr · 50 hg © Movistar · 50 hd ph © Carrascosa Fotografos S.L / © Movistar · 51 © www.mundogaturro.com · 52 h © Tuenti · 52 m et b ph © Phovoir · 55 ph © Eric Catarina / Gamma · 60 © Francisco Ibáñez © Ediciones B, S.A. Autorización por cortesía de Ediciones B, S.A. · 61 ph © Sime / Photononstop · 62-63 ph © Robert Biedermann / www.123rf.com · 62 hg ph © Clive Rose / Getty Images / AFP Photo · 62 hd ph © Juan Carlos Rojas / Notimex / Foto / Fre / SPO / AFP Photo · 62 b ph © Dani Pozo / AFP Photo · 63 hd ph © Javier Soriano / AFP Photo · 63 mg ph © Greg Wood / AFP Photo · 63 md ph © Zhao Peng / Xinhua / Eyedea / Gamma · 64 © Ricardo Liniers / www.porliniers.com · 65 ph © Mario Fourmy / Réa · 66 g ph © Cézaro De Luca / EFE · 66 d ph © Fernando Camino / Getty Images · 71 ph © Dream Pictures / Stewart Cohen / Getty Images · 76 © Arturo Elena · 77 g © Anaya · 77 d ph © Jupiterimages / Getty Images · 78 hg ph © Mario Fourmy / Réa · 78 hd © Inditex · 78 b © Inditex · 79 hg © Mango · 79 hd ph © Fotonoticias / WireImage / Getty Images · 79 bg ph © Gérald Haenel / Laif-Réa · 79 bd © Camper · 81 ph © Simon Marcus / Corbis · 82 © Ministerio de Medio Ambiente y medio rural y marino · 84 ph © Josep Lluís Sellart / El País · 85 h © Ricardo Liniers / www.porliniers.com · 85 b ph © Oote Boe / Age Fotostock · 86 ph © Martin Jacobs / Getty Images · 87 © FESP · 92 © Museo de Bellas Artes de Asturias · 93 © Legacom Comunicación, S.A.U. (Empresa pública de comunicación del Ayuntamiento de Leganés) · 94-95 ph © Dieter Hahn / www.123rf.com · 94 h ph © Muriot / Sucré Salé Photocuisine · 94 mg ph © Matias Costa / The New York Times-Redux-Réa · 94 bm ph © Kris Ubach / Age Fotostock · 94 bd ph © Darqué / Sucré Salé

Photocuisine · 95 hg © Herbert Lehmann / www.lehmann.at · 95 bm et d © Francesc Guillamet / AFP Photo · 97 ph © Pedro Armestre / AFP Photo · 98 © Léo Burnett · 99 © www.mundogaturro.com · 100 ph © Ramon de la Rocha / EFE · 102 © Blanca · La Gótica Digital · 103 ph © GK Hart / Vikki Hart / Getty Images · 103 © Pet à Porter · 108 © Patricia Cruzat · 109 Mariló Montero, presentadora del programa "La mañana de La 1" / ph © Paco Torrente / EFE · 110 hd ph © Mustafa Ozer / AFP Photo · 110 bg ph © Peter Granser / Laif-Réa · 111 hd © Denis Bringard / Biosphoto · 111 bg ph © Enrique Marcarian / Reuters · 113 ph © ImageSource / Getty Images · 113 hg Photo du film « Le Labyrinthe de Pan » réalisé par Guillermo del Toro, 2006 / Collection Christophel · 113 hd ph © photo12.com · Oroñoz · 114 hm Photo du film d'animation « Batman », réalisé par Kevin Altieri Boyd Kirkland, 1992 / Archives du 7e Art · 116 © Muy Interesante Junior · Grupo G+J España · 117 h Coll. Photo du film «The road to El Dorado», 2000 / Dreamworks / Album / Akg-Images · 117 b El Dorado © Cristina González Hernández; 118 © Cómic, Memorias de Idhún. La Resistencia. Vol.3 © De las ilustraciones, Estudio Fénix, 2010. © Ediciones SM, 2010. Madrid, España · 119 © Juan López · © Ediciones B, S.A. Autorización por cortesía de Ediciones B, S.A. · 124 © Tarambana Espectáculos S.L / Directora: Eva Bedmar / Producción: Nacho Bonacho / Diseño Técnico: Gustavo Recuero / Diseño Gráfico: David G Bonacho (Tizedit S.L) · 125 © Cartel de la exposición Salvador Larroca: Superhéroes de película, organizada por la Semana de Cine Fantástico y de Terror de San Sebastián. Diseño: Ytantos. Ilustración: Salvador Larroca · 126 h ph © Kote Rodrigo / EFE · 126 b © Memorias de Idhun. Triada © Mapa, José Luis Navarro García, 2005. © Ediciones SM, 2005. Madrid, España · 127 h ph © Koen van Weel / ANP / AFP Photo · 127 b Diseño de cubierta: © Random House Mondadori/Yolanda Artola / Imagen de cubierta: © Arcangel Images · 128 Juan López - © Ediciones B, S.A. Autorización por cortesía de Ediciones B, S.A. · 129 ph © Maria Teijeiro / Getty Images · 130 © Natsko Seki / agencyrush.com · 131 h ph © Chris Elwell / www.123rf.com · 131 bg ph © Nick Veasy / Getty Images · 131 bd ph © Hervé Hughes / Hemis.fr · 134 © Luvio.com.ar · 135 © Muy Interesante Junior - Grupo G+J España · 140 ph © Mireille Vautier / Leemage · 141 © Super Pop / Publicaciones Mahe, S.L.U. · 142-143 ph © Chris Elwell / www.123rf.com / ph © aguirre_mar / www.123rf.com · 142 hg ph © Hervé Hughes / Hemis.fr · 142 hd ph © Hervé Hughes / Hemis / Corbis · 142 bg ph © Laurent Guerinaud / Age Fotostock · 142 bd ph © Raga Jose Fuste / Age Fotostock · 143 hg ph © J. Lawrence / Imagestate / Hoa-Qui · 143 hd ph © Sime / Photononstop · 143 b ph © Manuel Cohen / The Art Archive · 144 © Muy Interesante Junior - Grupo G+J España · 145 hd ph © David Bacon / Report-Digital-Réa · 145 m ph © Javier Lizon / EPA / Corbis · 145 bg ph © Fabienne Alais-Ferrand · 146 h ph © Richard Maschmeyer / Robert Harding World Imagery / Getty Images · 146 b ph © 2005 Fran Gealer / Botanica / Getty Images · 147 h ph © S Rocker / Age Fotostock · 147 m ph © John and Lisa Merrill / Corbis · 147 bg ph © David Bacon / Report-Digital -Réa · 149 ph © Javier Lizon / EPA / Corbis · 150 g ph © Juan Carlos Caedenas / EPA / Corbis · 150 d ph © Fabienne Alais-Ferrand · 151 ph © Fabienne Alais-Ferrand · 152 hg ph © Peter Holmes / Age Fotostock · 152 hd ph © Pedro Armestre / AFP Photo · 152 b ph © Efe Agencia / Sipa Press

Crédits textes

14 Desfile de numeritos, M. Goyri, www.uhu.es, D.R. · 20 Camilo José Cela, Fragmento de la obra VIAJE A LA ALCARRIA, © Herederos de Camilo José Cela, 2010 · 28 Adolfo Marsillach, Feliz aniversario, 1990 · 32 Mabel Piérola, Las piernas del verano, EDEBÉ 2005. · 36 El negocio de papá, © Alfredo Gomez Cerda, 1996. © Ediciones SM, 1996. Madrid, España Pp8-9. · 37 ¡Hermanos hasta en la sopa!, © Teresa Broseta, 2003. © Ediciones SM, 2003. Madrid, España Pp 15-16. · 38 Marcial Izquierdo, El último día de mi vida, 2007. · 46 www.bebesangelitos.com, D.R. · 48 Blanca Alvarez, Malú y el marciano del ordenador, 2002 © Editorial Luis Nives. · 55 http://www.diariosur.es, 16/07/2007. · 60 Eduardo Galeano, El fútbol a sol y sombra, 1995 © Siglo XXI de España Editores. · 64 Sin máscara, © Alfredo Gomez Cerda, 1996. © Ediciones SM, 1996. Madrid, España. P35. · 68 Jaume Fuster, Las cartas de Ana, 1996. © Ediciones Anaya. D.R. · 69 Jaume Fuster, Las cartas de Ana, 1996. © Ediciones Anaya. D.R. · 76 César López Llera, La chica de ayer, 2006. IX Premio Internacional de Teatro de Autor Domingo Pérez Minik. Tenerife, Universidad de La Laguna. España. · 80 Juan José Millas, El desorden de tu nombre, 1988. © Licencia editorial para Círculo de lectores por cortesía de Ediciones Alfaguara, 1988. · 84 © www.elpais.com · 86 http://www.elgranchef.com/2010/08/13/como-preparar-tacos-de-pollo · 92 Pablo Neruda, Tercer libro de Odas, 1957 © Fundación

Pablo Neruda, 2011. · 98 Miguela del Burgo, Adiós, Álvaro, 1989 · 112 Maria Menéndez-Ponte, Laura en apuros, 2004. · 100 La batalla de los árboles, © Carlos Villanes Cairo, 1996. P92. © Ediciones SM, 1996. Madrid, España. · 101 Ayuntaminento de Salamanca, Manual de buenas prácticas, turistas y viajeros responsables, 2010. · 106 www.lamascotaazul.com, D.R. · 106 Revista Pelo Pico Pata, artículo de José Gregorio González, n°53 (marzo) Site internet : http://www.cuantaprensa.com/revista/1000/Pelo-Pico-Pata.html · 110 Ana María Fernández Martínez, Tres vueltas al planeta, 2002. · 117 Ana María Machado, Exploradores y aventureros en América Latina, Colección Exploradores y aventureros, número 3, 1995. · 118 Memorias de Idhún. Tríada © Laura Gallego García, 2005. © Ediciones SM, 2005. Madrid, España. Pp 23, 24. · 124 Fernando Almena, Mis queridos monstruos, © Editorial CCS, 1998. · 128 Manuel Rivas, La lengua de las mariposas, ¿Qué me quieres amor?, © Licencia editorial para Círculo de lectores por cortesía de Ediciones Alfaguara, 1996. · 131 http://graffica.info/2008/07/31/%C2%BFa-quien-te-llevarias-estas-vacaciones/ ; · 132 Maite Carranza, Frena, Cándida, frena, 1996. · 133 Cuando tengas un día gris... D.R. · 134 La habitación de Pablo, © Javier Salinas, 2002. © Ediciones SM, 2002. Madrid, España. P45. · 140 Mirna Paschetta, Es tiempo de vacaciones, 2008. D.R.

Achevé d'imprimer en Espagne par Macrolibros à Valladolid
Dépôt légal n° 95803-8/08 - juillet 2018

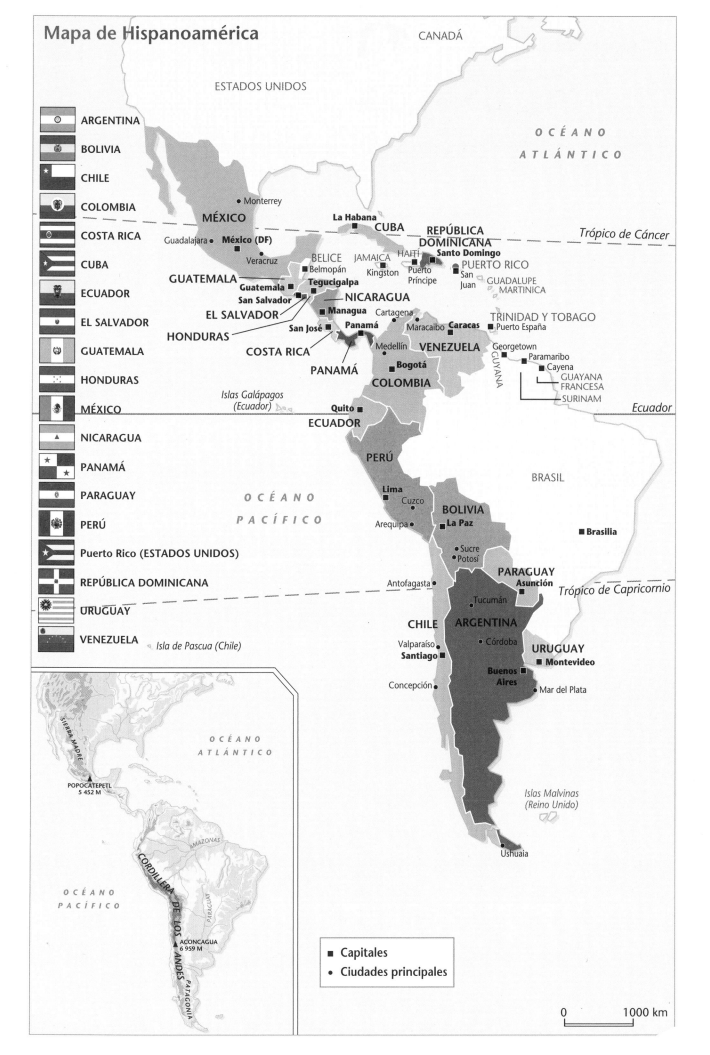

Mapa de Hispanoamérica

ARGENTINA
BOLIVIA
CHILE
COLOMBIA
COSTA RICA
CUBA
ECUADOR
EL SALVADOR
GUATEMALA
HONDURAS
MÉXICO
NICARAGUA
PANAMÁ
PARAGUAY
PERÚ
Puerto Rico (ESTADOS UNIDOS)
REPÚBLICA DOMINICANA
URUGUAY
VENEZUELA

CANADÁ

ESTADOS UNIDOS

OCÉANO ATLÁNTICO

Monterrey

MÉXICO

La Habana CUBA   REPÚBLICA DOMINICANA

Trópico de Cáncer

Guadalajara   México (DF)
Veracruz

BELICE   JAMAICA   HAITÍ   Santo Domingo
Belmopán   Kingston   Puerto   PUERTO RICO
GUATEMALA   Príncipe   San   GUADALUPE
Guatemala Tegucigalpa   Juan   MARTINICA
San Salvador   NICARAGUA
EL SALVADOR   Managua   Cartagena   TRINIDAD Y TOBAGO
HONDURAS   Maracaibo Caracas   Puerto España
San José   Panamá
COSTA RICA   Medellín   VENEZUELA   Georgetown
PANAMÁ   Paramaribo   GUAYANA
                    Bogotá   Cayena   FRANCESA
              COLOMBIA   SURINAM
                                        GUYANA

Islas Galápagos
(Ecuador)   Quito   Ecuador
              ECUADOR

                    PERÚ   BRASIL

OCÉANO   Lima
PACÍFICO   Cuzco
                    BOLIVIA
              Arequipa   La Paz   Brasilia

                    Sucre
                    Potosí
                              PARAGUAY
              Antofagasta   Asunción   Trópico de Capricornio
                    Tucumán
              CHILE   ARGENTINA
Isla de Pascua (Chile)   Valparaíso   Córdoba   URUGUAY
              Santiago   Buenos   Montevideo
                              Aires
              Concepción   Mar del Plata

OCÉANO
ATLÁNTICO

SIERRA MADRE
POPOCATEPETL
5 452 M

AMAZONAS

OCÉANO
PACÍFICO

CORDILLERA DE LOS ANDES

ACONCAGUA
6 959 M

PARAGUAY

PATAGONIA

Islas Malvinas
(Reino Unido)

Ushuaia

■ Capitales
• Ciudades principales

0   1000 km

Mapa político de España

MAR CANTÁBRICO

FRANCIA

A Coruña
Santiago de Compostela
Lugo
ASTURIAS
Oviedo
CANTABRIA
Santander
Bilbao
PAÍS VASCO
San Sebastián
GALICIA
Pontevedra
Ourense
León
Vitoria-Gasteiz
Logroño
Pamplona
NAVARRA
CASTILLA-LEÓN
Burgos
LA RIOJA
Zamora
Palencia
Soria
Huesca
Zaragoza
CATALUÑA
Girona
Valladolid
Segovia
ARAGÓN
Lleida
Barcelona
Salamanca
Ávila
Guadalajara
Teruel
Tarragona
MADRID
Cáceres
Toledo
Cuenca
Castellón de la Plana
Palma de Mallorca
EXTREMADURA
CASTILLA - LA MANCHA
Valencia
Badajoz
Mérida
Ciudad Real
Albacete
COMUNIDAD VALENCIANA
ISLAS BALEARES
Córdoba
Jaén
Alicante
Huelva
Sevilla
ANDALUCÍA
Granada
Murcia
MURCIA
Cádiz
Málaga
Almería
Ceuta
MAR MEDITERRÁNEO
Melilla
MARRUECOS

OCÉANO ATLÁNTICO
PORTUGAL

- ● Capital de autonomía
- ● Capital de provincia
- ● Ciudad autónoma

0   150 km

ESPAÑA
Ceuta   ● Melilla
ISLAS CANARIAS   *MARRUECOS*
Santa Cruz de Tenerife   Las Palmas de Gran Canaria
ARGELIA

Mapa geográfico de España

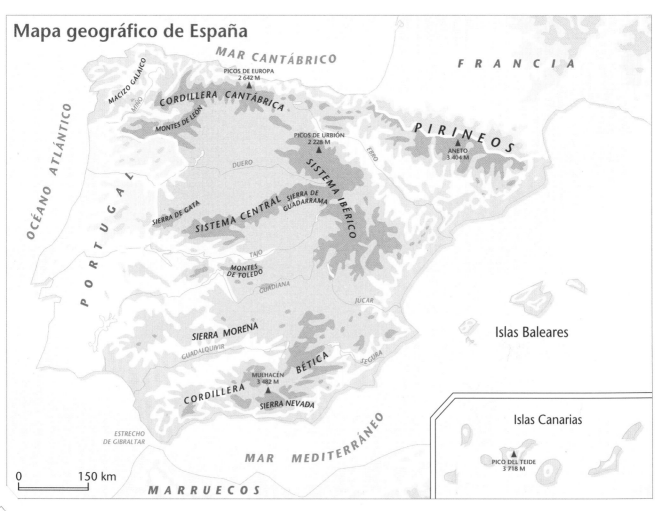

MAR CANTÁBRICO

FRANCIA

MACIZO GALAICO
PICOS DE EUROPA 2 642 M
CORDILLERA CANTÁBRICA
MONTES DE LEÓN
MIÑO
PIRINEOS
PICOS DE URBIÓN 2 228 M
ANETO 3 404 M
DUERO
SISTEMA IBÉRICO
EBRO
SIERRA DE GATA
SISTEMA CENTRAL
SIERRA DE GUADARRAMA
TAJO
MONTES DE TOLEDO
GUADIANA
JÚCAR
OCÉANO ATLÁNTICO
PORTUGAL
SIERRA MORENA
GUADALQUIVIR
BÉTICA
SEGURA
MULHACÉN 3 482 M
CORDILLERA
SIERRA NEVADA
ESTRECHO DE GIBRALTAR
MAR MEDITERRÁNEO
MARRUECOS

Islas Baleares

0   150 km

Islas Canarias
PICO DEL TEIDE 3 718 M